TERRAIN D'ENTENTE

JUSTIN TRUDEAU

CATALOGAGE AVANT PUBLICATION DE BIBLIOTHÈQUE ET ARCHIVES NATIONALES DU QUÉBEC ET BIBLIOTHÈQUE ET ARCHIVES CANADA

Trudeau, Justin, 1971-

Terrain d'entente
Publié aussi en anglais sous le titre : Common ground.
ISBN 978-2-89705-265-2

1. Trudeau, Justin, 1971- . 2. Canada - Politique et gouvernement - 2006- .
3. Parti libéral du Canada - Histoire - 21e siècle. 4. Chefs de parti politique - Canada - Biographies. I. Titre.

FC641.T78A3 2014 971.07'3092 C2014-942137-0

L'éditeur bénéficie du soutien de la Société de développement des entreprises culturelles du Québec (SODEC) pour son programme d'édition et pour ses activités de promotion.

L'éditeur remercie le gouvernement du Québec de l'aide financière accordée à l'édition de cet ouvrage par l'entremise du Programme de crédit d'impôt pour l'édition de livres, administré par la SODEC.

Nous reconnaissons l'aide financière du gouvernement du Canada par l'entremise du Fonds du livre du Canada (FLC).

Nous remercions le Conseil des arts du Canada de l'aide accordée à notre programme de publication.

© Les Éditions La Presse
TOUS DROITS RÉSERVÉS
Dépôt légal – 4e trimestre 2014
ISBN 978-2-89705-265-2
Imprimé et relié au Canada

LES ÉDITIONS **LA PRESSE**
Les Éditions La Presse
7, rue Saint-Jacques
Montréal (Québec)
H2Y 1K9

TERRAIN D'ENTENTE

JUSTIN TRUDEAU

LES ÉDITIONS **LA PRESSE**

Pour ma meilleure amie, ma douce, mon amoureuse.
Merci pour tout ce que tu fais, et pour tout ce que tu es.
Je t'aime, Sophie.

TABLE DES MATIÈRES

Prologue

———

DANS LA CUISINE ET LE SALON DE NOTRE MAISON, à Ottawa, il y a des photos partout. La porte du frigo est un véritable collage de souvenirs qui respirent le bonheur vécu au cours des dernières années : Sophie entourée de tous les garçons d'honneur à notre mariage ; la première photo d'école de Xavier ; Ella-Grace qui marche en forêt avec ses grands-parents ; une image de nous quatre à Haida Gwaii lors d'un récent voyage en Colombie-Britannique avant la naissance d'Hadrien ; moi en conversation avec des commettants dans Papineau ; mes frères, Sacha et Michel, et moi sur nos vélos devant le 24 Sussex ; ma mère, Margaret, souriante, avec ses petits-enfants. Toutefois, le cadre que je ne manque jamais de remarquer comporte un montage de trois photos offert par un ami.

Elles ne font pas qu'évoquer des souvenirs, elles racontent une histoire.

Sur la première photo, on voit un homme à l'arrière d'un canot en aluminium, pagaie en main et tout sourire. Le canot franchit des rapides et l'homme surveille le petit garçon assis à la proue qui manie la pagaie d'une façon qu'on pourrait qualifier de prometteuse. Cet homme, c'est mon papa, et le petit garçon, bien sûr, c'est moi. C'est une douce journée de printemps. Le sourire de mon père semble exprimer une profonde satisfaction. En fait, je crois que c'est le cas, car il me fait accomplir un rite de passage ; un rite qu'il allait d'ailleurs imposer à tous ses garçons.

Chacun de nous – Sacha, Michel et moi – a franchi ces rapides avec papa. Nous savions à peine marcher lorsque papa nous a mis une pagaie dans les mains et nous a initiés aux techniques du canotage. Sous son œil attentif, nous avons dû traverser les rapides du déversoir du lac Mousseau, dans les collines du parc de la Gatineau. Pas question de se contenter d'une descente tranquille : mon père tenait à ce que nous relevions un défi, à ce que nous participions à la descente, à ce que nous contribuions à garder le contrôle de l'embarcation, ne serait-ce qu'un peu.

Sur la deuxième photo, on voit deux hommes à bord d'une embarcation gonflable sur des eaux beaucoup plus tumultueuses que sur la première. En fait, ils franchissent des rapides réellement périlleux. Le plus âgé des deux, la barbe hirsute, est à l'avant de l'embarcation, sa pagaie de kayak en travers des jambes. Il semble à la fois excité et alarmé par l'angle dangereux du bateau et les eaux traîtresses qui l'entourent. L'homme plus jeune est à la poupe. Il paraît concentré à éviter les gros rochers avoisinants.

Ce sont les mêmes personnes sur les deux photos, prises à 20 ans d'intervalle. Sur la deuxième, mon père savoure la balade pendant que j'assume la responsabilité de diriger le bateau et tous deux nous vivons intensément ce moment. Ces photos sont un témoignage touchant du passage du temps et des effets qu'il a sur nous.

La troisième photo montre (ô surprise !) un autre canot. Celui-ci est rouge et luisant, il glisse sur des eaux calmes et miroitantes, et je suis une fois encore à l'arrière.

À la proue, Sophie et Ella-Grace ont le sourire fendu jusqu'aux oreilles et Xavier, derrière elles, a le regard curieux. La photo montre l'une des nombreuses excursions en canot que nous avons faites avec les enfants. Prise en amont de Miles Canyon sur la rivière Yukon, cette photo est d'autant plus significative qu'elle représente le dernier été où nous étions une famille de quatre, puisque notre fils Hadrien est né l'hiver suivant.

La présence de mon père domine les deux premières photos, et j'aime croire qu'il est aussi sur la troisième, mais par l'esprit cette fois. Son amour de la nature et du canot était bien connu. C'était une activité d'extérieur qui mettait à contribution son sens de l'indépendance, ses talents d'athlète et son amour du Canada. Il ne manquait jamais une occasion, à travers ses rares moments de répit, de faire une descente en skis, d'explorer un sentier de randonnée ou de se retrouver sur l'eau en canot. C'était un grand amateur de plein air et il était très doué dans ce domaine.

Ces photos témoignent du passage des années, mais surtout, elles me parlent et me rappellent cruellement l'absence de mon père. C'est lorsque nous pagayions ensemble que nos liens se resserraient. À la ville, le stress du travail et la politique avaient parfois le dessus sur la famille. L'eau, c'était la détente et l'occasion de renouer avec les personnes que nous étions à l'état pur.

Ensemble, nous avons appris à affronter les obstacles et à surmonter nos peurs, et nous avons développé un grand amour pour notre pays et sa grande beauté naturelle.

Aujourd'hui, je ne peux plus prendre une planche à neige ou une pagaie et un gilet de sauvetage sur un coup de tête pour m'évader en montagne ou sur l'eau pendant des heures ou des jours. Nous nous devons, Sophie et moi, de créer ces moments pour notre famille lors de nos vacances ou à l'occasion de nos précieux dimanches. Toutefois, les leçons de ma jeunesse continuent à m'habiter, et c'est ce que Sophie et moi souhaitons transmettre à nos enfants. Ces enfants, Xavier, Ella-Grace et Hadrien, qui sont, au fond, la vraie raison pour laquelle nous avons entrepris notre aventure politique.

J'AI EU L'EXTRAORDINAIRE CHANCE D'EXPLORER NOTRE grand pays à différentes étapes de ma vie : enfant, lorsque je voyageais avec mon père ; jeune homme, lorsque je suis parti dans l'Ouest à la conquête des montagnes et de mon diplôme en éducation, en tant que président du conseil du programme Katimavik (dont j'aime la signification : «lieu d'échange et de rencontre») et finalement en tant que père de famille et homme politique. Chaque voyage m'a permis de me rappeler le pays que nous habitons, les distances physiques que nous devons parcourir et les richesses abondantes que ce territoire nous offre. Les cartes ne donnent pas une idée réelle de l'ampleur du Canada et les voyages en avion ont le don de minimiser la grandeur des choses. À 10 000 mètres d'altitude, on ne peut pas connaître l'étendue des champs de blé des Prairies ni l'œuvre d'ingénierie que constitue le col Rogers. Il faut être au niveau du sol pour réellement explorer notre territoire, mais aussi pour rencontrer des personnes qui l'aiment autant que moi.

Certains Canadiens soulignent leurs différences régionales et peuvent oublier ce qui nous unit. Nous sommes un peuple qui parle deux langues officielles et qui en partage de nombreuses autres. Et en dépit de nos différences de culture, d'histoire et de géographie, nous sommes liés par les valeurs qui définissent l'identité canadienne : l'ouverture vers l'autre, la compassion et le courage. Je nourris un amour et un respect profonds pour le Canada, et je reconnais que nous avons un potentiel extraordinaire. Tout ce que j'ai vécu souligne et renforce cet état de fait et tout ce que je propose de faire dans ma carrière politique repose sur cette idée : s'unir et s'écouter.

Toutefois, c'est un potentiel qu'on peut facilement tenir pour acquis. Ces dernières années, l'extraordinaire potentiel de ce pays a été affaibli par une politique de division et par la volonté de s'emparer du pouvoir pour le pouvoir. Ce n'est pas ce dont le Canada a besoin ni ce que souhaitent les Canadiens. Notre pays a été fondé sur des objectifs plus nobles, selon une vision unique et encourageante pour les gens du monde entier.

Le danger qui guette ce potentiel, mais surtout qui guette l'opportunité que nous avons de faire grandir ce potentiel, compte parmi les raisons qui m'ont poussé à faire de la politique et à proposer un nouveau virage pour faire avancer le Canada. De bien des façons, mon approche reflète le contexte dans lequel j'ai grandi : la nécessité de partager la richesse de nos terres, mais aussi la responsabilité de protéger et de valoriser cette richesse. Nous devons chérir et stimuler ce sens de l'acceptation et de l'inclusion qui fait notre réputation, ainsi que notre respect des valeurs démocratiques, et nous devons faire honneur au patrimoine inestimable de ce beau et grand pays et à sa promesse d'un avenir prospère pour nos enfants et petits-enfants. Tout comme un fleuve est la somme de ses nombreux affluents, ma vision de ce pays a été façonnée par mes diverses expériences et mes influences : Trudeau et Sinclair, père et mère, français et anglais, est et ouest...

Si je semble un peu exalté, il faut me le pardonner. J'ai tendance à m'enflammer lorsque je parle de ce que j'aime et chéris. J'ai écrit ce livre pour expliquer mes sentiments pour ce pays et la façon dont j'ai développé mes talents de meneur.

Je serai toujours un fils, mais aujourd'hui, je suis aussi un mari, un père et un homme que l'avenir de son pays passionne, et si je veux un jour pouvoir le mener vers un futur où règne davantage de justice et d'harmonie, je me dois de vous raconter mon histoire. J'aimerais que vous puissiez connaître davantage l'homme que je suis, loin des projecteurs du spectacle politique. Je veux partager avec vous le sens du devoir qui m'interpelle : servir notre pays en créant un terrain d'entente où chaque Canadien peut trouver sa place dans un pays fort et juste.

CHAPITRE UN

L'enfance au 24 Sussex

———

ON HISTOIRE POURRAIT COMMENCER IL Y A plus d'un siècle, à Banff, dans l'Aberdeenshire, une région peu peuplée du nord-est de l'Écosse. Un jour de l'année 1911, James George Sinclair, instituteur et pêcheur passionné, est allé se promener avec des amis près d'un ruisseau où ils ont lancé leurs lignes. Quelques instants plus tard, un garde-chasse appréhendait le groupe, affirmant qu'il était interdit de pêcher à cet endroit, car le cours d'eau « appartenait », d'un bout à l'autre, au noble qui habitait tout près.

En Écosse et dans d'autres régions d'Europe, les lois féodales d'utilisation des terres ont survécu pendant une bonne partie du XXe siècle et ceux qui les enfreignaient encouraient une peine sévère. Le garde-chasse a prévenu James que s'il se faisait prendre une autre fois à voler le poisson du laird du coin, il risquait d'aller en prison.

James et ses amis ont ramassé leur équipement et sont repartis. Tout en marchant dans la prairie, il a marmonné : « Si j'peux pas pêcher, j'peux pas vivre. » Un des compagnons de James s'est alors lancé dans la description de grandes étendues de terre, d'un très bel endroit où les forêts regorgent de gibier et où « aucun noble ne possède le poisson ». Il avait lu ça dans un livre, racontait-il. Un lieu magnifique, situé à plus de 6 000 kilomètres de là, de l'autre côté de l'Atlantique et à l'autre bout du Canada. Cet endroit s'appelait la Colombie-Britannique.

Quelques mois plus tard, James George Sinclair, sa femme, Betsy, et Jimmy, leur fils de trois ans, étaient à bord d'un bateau qui mettait le cap sur le Canada. Ils ont trouvé beaucoup plus que du poisson en Colombie-Britannique. Leur pays d'accueil était une terre de promesses où le dur labeur rapportait, peu importe l'accent ou l'origine qu'on avait. Au cours des 50 années suivantes, le petit Jimmy a grandi, il a décroché un diplôme d'ingénieur, a obtenu une bourse Rhodes, a servi comme officier dans l'Aviation royale canadienne pendant la Seconde Guerre mondiale, a été élu député, a obtenu un poste de ministre et a mené une brillante carrière d'homme d'affaires. Tout ça en demeurant toute sa vie, comme son père avant lui, un passionné de la pêche.

James et sa femme, Kathleen, ont appelé la quatrième de

leurs cinq filles Margaret. Aujourd'hui, elle vit à Montréal : c'est ma mère.

EN SEPTEMBRE 1941, PENDANT QUE JIMMY SINCLAIR avait l'extraordinaire honneur de remplir son premier mandat de député de Vancouver-Nord, et ce, en même temps qu'il commandait un escadron de l'Aviation royale canadienne en Afrique du Nord, un intellectuel canadien-français entreprenait une expédition de 1 500 kilomètres en canot, de Montréal jusqu'à la baie James ; suivant la même route qu'avaient empruntée au XVe siècle les coureurs des bois qui avaient fondé la Compagnie de la Baie d'Hudson. Ce périple a éveillé l'intérêt d'un journal local. Sous le titre « Des étudiants ont entrepris un voyage agréable », un journaliste énumérait le nom des six canoteurs, parmi lesquels « Pierre E. Trudeau » figurait.

Ce périple a été difficile. Mais c'était exactement ce que mon père avait souhaité. « Je saute les rapides où les autres portagent », écrivait-il dans une lettre à un ami. « Les vivres commencent à manquer, les portages sont impossibles, les rapides, dangereux… En somme, la vie commence à être belle. » C'est ainsi que mon père percevait son Québec natal : une terre fière et magnifique, d'une beauté sauvage. Il a toujours cru que l'esprit caractérisant la province était issu autant de ses paysages que de sa langue et de sa culture.

L'eau a toujours joué un rôle important dans ma famille. Elle est même liée à mon plus vieux souvenir. J'avais un peu moins de deux ans, j'étais emmitouflé dans mon habit de neige et je glissais en traîneau avec mon père au lac Mousseau dans le parc de la Gatineau, là où se trouve une résidence gouvernementale qu'utilise le premier ministre et qui était un des endroits où mes parents aimaient le plus se retrouver. Nous étions en décembre 1973 et le lac n'était pas encore tout à fait gelé. Ma mère se trouvait en haut d'une côte qui surplombait le lac; elle était sur le point de donner naissance à mon frère Sacha et elle nous encourageait, mon père et moi, pendant que nous montions et descendions la pente sur un traîneau. Chaque descente se terminait près du ruisseau par lequel le lac s'écoulait et sur lequel, quelques années plus tard, je pagaierais.

Après quelques glissades, mon père était maintenant convaincu qu'il n'y avait aucun risque et a décidé que je pouvais glisser seul. Il m'a poussé, et je me suis mis à dévaler la pente pendant que lui et ma mère observaient la scène. Très vite, mon père s'est aperçu qu'il y avait un problème. Lorsque nous glissions ensemble, le poids de nos deux corps était suffisant pour que les patins du traîneau percent la croûte glacée, ce qui ralentissait notre descente. Maintenant que j'étais seul, le traîneau filait de plus en plus rapidement et se dirigeait droit vers le lac. Pendant que mon père dévalait la pente à mes trousses, ma mère, terrifiée, hurlait du haut de la côte: « Mon bébé, mon bébé! »

Même si j'étais alors très jeune, je me rappelle parfaitement que la glissade s'est terminée avec le traîneau à moitié enseveli dans le sable et mes mains plongées jusqu'aux poignets dans l'eau glacée. Je portais mes mitaines de laine bleue et j'étais surtout préoccupé par le fait qu'elles étaient détrempées. «Tombé dans rivière, mitaines mouillées!» ai-je crié, moitié surpris, moitié content, quand mon père est arrivé à ma rescousse. Il m'a soulevé d'une main, a pris le traîneau de l'autre et m'a porté jusqu'en haut de la côte. Ça a été un jour important: j'avais reçu mon baptême du plein air.

Je suis né le 25 décembre 1971. La dernière fois qu'un premier ministre a vu naître un de ses enfants alors qu'il était en poste, c'était à la naissance de la fille de Sir John A. Macdonald. Mon père et ma mère avaient tous les deux adopté le nouveau mouvement féministe de l'époque qui était en train de révolutionner la façon dont les hommes et les femmes percevaient leurs rôles de parents. Cependant, 30 ans les séparaient et leur différence d'âge n'était pas facile à surmonter. Pour mettre les choses en perspective, mon père est né en 1919, année où les femmes ont obtenu le droit de se présenter aux élections fédérales canadiennes.

En 1971, l'hôpital d'Ottawa avait toujours comme politique d'exclure les pères des salles d'accouchement. Quand ma mère l'a appris, elle était furieuse. Si son mari ne pouvait être à ses côtés pendant qu'elle accouchait, elle préférait donner naissance au bébé – en l'occurrence, moi – au 24 Sussex. Quand le conseil d'administration de l'hôpital a eu vent du geste de protestation de ma mère, ce règlement désuet a aussitôt été aboli. D'autres hôpitaux d'Ottawa ont rapidement fait de même, puis d'autres hôpitaux à travers le

Canada. Le jour de Noël, mon père était donc aux côtés de ma mère quand je suis venu au monde. L'accouchement, ai-je appris plus tard de sources fiables, s'est déroulé facilement et sans complications. J'aime croire que ce jour-là, mon père et moi avons aidé ma mère à faire bouger les choses et à asséner un coup à cette vieille façon de faire.

Mon frère Sacha est né deux ans après moi et, un peu moins de deux autres années plus tard, c'était au tour de Michel de venir au monde. Nous étions très proches les uns des autres. Nous jouions toujours ensemble, nous courant les uns après les autres, nous agaçant et bien souvent nous éraflant ensemble. Nous étions des lionceaux turbulents. J'ai appris la lutte à Sacha quand il était encore aux couches et Sacha roulait partout avec Michel quand celui-ci était tout petit. À la vue de toute cette énergie, mes parents ont décidé d'installer des tapis d'exercice dans le sous-sol du 24 Sussex, ravis de nous voir dépenser sainement notre hyperactivité de petits gars.

Le lac Mousseau, à cette époque, ressemblait au décor d'un roman des *Frères Hardy*, c'était un lieu qui invitait à l'aventure. Mon père, à notre plus grande joie, nous encourageait toujours dans cette direction. Il y avait tout près une vieille ferme avec une grange abandonnée qu'on pouvait explorer. À mi-chemin entre la maison et le lac, derrière une vieille mine de mica, il y avait un hangar à bateaux abandonné où mes frères et moi aimions prendre du soleil l'été. À une centaine de mètres de la rive se trouvait une toute petite île que nous avions choisie pour un rite de passage.

Chacun de nous, à l'âge de sept ans, devait se rendre jusqu'à l'île à la nage et en revenir.

Le fait que mon père ait accepté ce rite est un bon exemple de la façon dont il nous encourageait à tester nos limites physiques. Évidemment, il nous guidait et nous protégeait : quand nous accomplissions ce petit rituel, il faisait l'aller-retour jusqu'à l'île en nageant à nos côtés.

Mon père aimait aussi nous surprendre. Il sortait une carte topographique du parc de la Gatineau, posait son doigt à un endroit et disait : « On va là. » Une demi-heure plus tard, nous courions pour arriver à les suivre, lui et notre mère, alors que mon père avançait d'un pas assuré dans la nature sauvage. Il avait un excellent sens de l'orientation et nous ne nous sommes jamais perdus. Ce n'était cependant pas le cas de tous les visiteurs de la région. Il arrivait que des randonneurs perdus nous croisent et se surprennent à se faire donner des indications par le premier ministre du Canada. Quand je pense à ces anecdotes aujourd'hui, elles me font sourire. Mais, étant enfant, il me paraissait normal que le premier ministre vienne en aide à des randonneurs perdus dans les collines de la Gatineau.

Les changements de saison ne ralentissaient pas nos explorations dans la nature et nos excursions familiales. Nous avons tous commencé très jeunes à skier, mais, au lac Mousseau, nous attachions plutôt des raquettes à nos pieds et sortions dehors. Il ne s'agissait pas de ces modèles légers que l'on trouve aujourd'hui. Nous utilisions de vieilles raquettes en bois en forme de larme, qui ressemblaient vaguement à des raquettes de tennis et étaient cordées avec de la babiche. Pendant que nous nous baladions dans la nature, mon père nous racontait, toujours en français, les aventures d'Albert Johnson, le trappeur fou de la rivière aux Rats, un criminel notoire de l'époque de la Grande Dépression, qui avait obligé la GRC à faire une chasse à l'homme de 230 kilomètres dans les Territoires du Nord-Ouest et la nature gelée du Yukon. Évidemment, cela nous inspirait des jeux où nous devenions, à tour de rôle, le « trappeur fou » qui s'aventurait dans la campagne de la Gatineau, tentant d'échapper aux autres membres de la famille.

Il est facile de suivre quelqu'un en raquettes s'il avance droit devant lui. Il fallait donc brouiller les pistes en faisant des cercles, en bifurquant, en revenant sur nos pas, en formant des huit sur le sol ou même en s'accrochant à une branche pour se lancer plus loin afin de créer une interruption dans les traces de pas. Nous adorions ce jeu, qui nous tenait généralement occupés pendant des heures et des heures.

Après avoir mené un détachement de la GRC dans une chasse à l'homme qui a duré plus d'un mois, le trappeur fou a été abattu par la « police montée » sur l'eau gelée de la rivière Eagle. Quant à nous, la poursuite se terminait habituellement quand mon père partageait avec nous une barre de chocolat noir.

CE N'EST PAS AVANT L'ÂGE DE HUIT OU NEUF ANS QUE J'AI pu avoir une idée claire de ce qu'était la carrière de mon père et de ce qu'il faisait quand il n'était pas à la maison. Ma mère adore raconter la fois où j'ai appelé mon père « le boss du Canada ». Mais qu'est-ce que ça signifiait exactement ? Je pouvais comprendre ce que faisaient les parents de mes amis ; ils travaillaient dans des magasins, ils soignaient des gens ou parlaient à la radio. C'étaient des emplois que j'arrivais à comprendre. Le concept de fonction publique était plus abstrait, plus difficile à concevoir.

Le sujet a été soulevé la première fois le jour où j'ai posé une question à mon père au sujet de notre maison et qu'il m'a répondu qu'elle ne nous appartenait pas de la même façon que nos vêtements ou nos livres nous appartenaient. Elle n'était pas à nous ? C'était étrange. Nous vivions au 24 Sussex, alors pourquoi est-ce que la maison n'était pas à nous ? Il m'a expliqué qu'elle appartenait au gouvernement, ce qui m'a embrouillé encore davantage. Mon père n'était-il pas à la tête du gouvernement ? Alors, tout cela ne devait-il pas lui appartenir ? Puis, en 1979, les libéraux ont été défaits aux élections fédérales. Du jour au lendemain, le 24 Sussex n'était plus notre maison et nous avons dû tout emballer et déménager à quelques coins de rues de là, à Stornoway, la résidence officielle du chef de l'opposition. J'ai alors compris que le vrai « boss » du Canada, c'était les Canadiens.

Au fil du temps, j'ai commencé à mieux saisir certaines questions complexes dont mon père devait s'occuper et, de son côté, il s'efforçait d'attirer mon attention sur les grands événements et sur leur importance. Pour des raisons évidentes, il a parlé à ses jeunes fils de la Charte des droits et libertés et de son instauration en 1982. J'avais 10 ans à l'époque et j'étais assez vieux pour comprendre les principes de base de la démocratie, y compris le fait que l'ascension et la chute des gouvernements dépendaient de la volonté des électeurs. Depuis ses années en tant que ministre de la Justice sous Pearson dans les années 1960, mon père pensait à cette charte et lorsqu'il nous expliquait son importance, il ne manquait pas de souligner que certaines règles étaient trop importantes pour que le gouvernement puisse les annuler. Mon père était troublé par l'idée que si la majorité du peuple – et dans notre système électoral, ça peut être moins que la majorité – souhaitait restreindre les droits d'une minorité, elle pouvait le faire en utilisant l'immense pouvoir du gouvernement. Il appelait ça « la tyrannie de la majorité ». Pour bien nous le faire comprendre quand nous étions enfants, il nous disait que les droitiers, qui sont très majoritaires dans la population, ne devraient pas avoir le droit de voter des lois qui s'attaquent aux gauchers juste parce que ceux-ci sont en minorité.

Papa faisait partie d'une minorité linguistique et il était d'une génération qui avait vu des gens utiliser le pouvoir de l'État pour commettre des atrocités un peu partout dans le monde. Il avait lutté toute sa vie pour construire et façonner un Canada dont la population était d'une grande diversité du point de vue de la religion, de l'origine ethnique et des opinions. La Charte a été sa manière de s'assurer que jamais un groupe de Canadiens ne pourrait se servir du gouvernement pour restreindre excessivement les libertés fondamentales d'un autre groupe de Canadiens. Ses valeurs relativement à ces enjeux étaient typiques d'un libéralisme classique. Ce sont des valeurs que je partage et auxquelles je crois profondément.

Au cours des années qui ont suivi, la Charte des droits et libertés a permis une incroyable évolution des libertés individuelles au Canada. Elle a servi à invalider des lois arbitraires qui limitaient le choix des Canadiens dans les aspects les plus privés et les plus intimes de leur vie. Grâce à la Charte, les Canadiens ne subissent plus de discrimination au travail basée sur leur orientation sexuelle et plus rien ne les empêche de se marier avec une personne du même sexe qu'eux. Grâce à la Charte, les femmes sont désormais les seules à prendre des décisions en lien avec leur santé reproductive. D'autres articles de la Loi constitutionnelle visent le même but. Les Premières Nations, par exemple, ont utilisé l'article 35 pour inscrire dans la loi des droits qui, depuis l'arrivée des premiers Européens, étaient enfreints par les gouvernements.

Depuis mon entrée au Parlement, en 2008, j'ai souvent pensé à ce qu'auraient été les années sous Stephen Harper si ce n'avait été de la Charte des droits et libertés. M. Harper et son parti ne sont pas de chauds partisans de la Charte. Ils ont d'ailleurs refusé d'en fêter le 30e anniversaire. Ils en font rarement mention et la Cour suprême s'en est même servie pour modérer leurs tendances les plus autocratiques. Selon moi, cela démontre la différence fondamentale qui existe entre la vision de la liberté des libéraux et celle des conservateurs. D'après la pensée libérale, tous les individus, peu importent leur origine ou leurs croyances, possèdent les mêmes libertés et droits fondamentaux, et la constitution se doit de les protéger de ceux qui pourraient vouloir restreindre et, dans certains cas, annuler ces droits. À mon avis, la vision des conservateurs consiste davantage à donner la liberté à des gens et à des groupes puissants d'utiliser leur pouvoir comme bon leur semble.

Je crois profondément en la vision de la liberté du Parti libéral. Au printemps 2014, j'ai adopté une position ferme pour le libre-choix des femmes. C'était un changement important pour mon parti. Avant, le Parti libéral considérait que la liberté des députés de voter au Parlement selon leurs croyances religieuses avait préséance sur la défense du droit à l'avortement. Moi qui ai été élevé dans la religion catholique et qui ai étudié dans un collège jésuite, je peux très bien comprendre qu'il est difficile pour des gens très croyants de mettre de côté leur foi pour servir les Canadiens qui ne partagent pas celle-ci. Mais pour moi, le libéralisme ne va pas en ce sens. Il affirme plutôt que les croyances personnelles, si elles doivent être respectées et considérées, sont fondamentalement distinctes du devoir public. Selon ma vision de la liberté, nous devons protéger le droit des gens à croire en ce que leur dicte leur conscience, mais aussi lutter pour empêcher que les croyances de certains soient imposées à d'autres. C'est la différence entre une opinion exprimée par un citoyen et un vote au Parlement. Quand un député vote, il ne fait pas qu'exprimer son opinion, il exprime le désir que tous les Canadiens soient liés par son opinion d'un point de vue juridique. C'est pourquoi il est important de fixer des limites précises. Je suis sûr que mon père, s'il était encore parmi nous, serait d'accord avec ça.

MÊME SI SON EMPLOI ÉTAIT UNIQUE, PAPA RESSEMBLAIT à plusieurs égards à la plupart des pères. Il plaisantait avec nous, jouait à des jeux et, de temps en temps, nous offrait une petite gâterie en nous emmenant à son travail. Nous en profitions alors, Sacha, Michel et moi, pour jouer pendant de nombreuses heures à la « tag » et à cache-cache au 3e étage de l'édifice du Centre du Parlement. Encore aujourd'hui, je ne peux voir certaines pièces ou cages d'escalier de cet immeuble sans me remémorer de nombreux souvenirs.

Ce n'est pas à Ottawa, où mon père érigeait une barrière solide entre ses rôles de politicien et de père, que j'ai pu voir de près le travail qu'il accomplissait au quotidien en tant que premier ministre, mais plutôt quand nous voyagions ensemble. À Ottawa, si on exclut notre participation à certaines cérémonies comme celle du jour du Souvenir ou de la fête nationale, nous n'étions que très peu exposés à son travail public. Mais quand venait mon tour de l'accompagner à l'extérieur d'Ottawa, les choses étaient tout à fait différentes.

Il m'arrivait alors souvent d'être assis au petit déjeuner dans un hôtel à grignoter un muffin pendant qu'il recevait des instructions pour ses rencontres de la journée de la part de gens comme Bob Fowler, son conseiller en politique étrangère, ou de Ted Johnson, son adjoint exécutif. Il m'arrivait aussi d'assister à des événements qui se déroulaient le soir. Cela me donnait l'occasion de rencontrer des chefs d'État comme la première ministre britannique Margaret Thatcher, le chancelier allemand Helmut Schmidt ou le premier ministre suédois Olof Palme, qui m'avait d'ailleurs offert un couteau de chasse avec un manche en corne de renne que je chéris encore aujourd'hui.

Parfois, je me trouvais au premier rang lors d'événements d'une grande importance, comme cette fois en 1982 où j'étais avec mon père pendant une tournée des bases militaires canadiennes d'Europe de l'Ouest quand on a appris la mort du dirigeant soviétique Leonid Brejnev. Le lendemain, nous étions en route vers Moscou pour assister aux funérailles.

Nous avons été accueillis à l'aéroport par l'ambassadeur du Canada en Russie, Geoffrey Pearson, qui a fait un compte rendu de la situation à mon père pendant que nous roulions vers l'hôtel. Je me souviens qu'il était surtout question des possibles successeurs de Brejnev. En traversant Moscou, j'ai pu observer la nuit tomber sur la ville sombre et maussade pendant que mon père poursuivait une longue discussion détaillée sur la politique interne soviétique où il semblait en savoir autant qu'un diplomate en poste à Moscou. Cela confirmait au petit garçon que j'étais que mon père était au courant d'à peu près tout.

Il y a une limite à l'information portant sur le contrôle des armements et les traités commerciaux qu'un enfant peut assimiler, mais une chose que j'ai comprise, c'est que les rapports interpersonnels sont d'une importance vitale dans les relations internationales. J'ai été frappé de voir que l'information qu'on transmettait à mon père concernait autant la personnalité des gens avec qui il aurait à négocier que les sujets dont il aurait à discuter.

C'est devenu particulièrement intéressant quand j'ai eu l'occasion d'observer des dirigeants d'autres pays rencontrer mon père. Parfois, les deux personnes semblaient si différentes que j'étais épaté de voir qu'elles pouvaient communiquer ensemble de façon productive. C'était le cas avec Ronald Reagan.

J'avais neuf ans quand le président est venu au 24 Sussex pour dîner avec mon père. Il était évident, ce jour-là, qu'il se passait quelque chose de vraiment important parce que des agents de la GRC étaient postés tout autour de la propriété à des intervalles de trois mètres, dispositif de sécurité que je n'avais jamais vu avant.

Quand le charismatique président américain est entré, mon père m'a présenté et a proposé que nous prenions tous les trois un moment pour nous détendre dans le solarium avant que les deux dirigeants prennent leur repas. Ronald Reagan m'a souri chaleureusement, nous nous sommes assis, et il m'a demandé si je voulais entendre un poème ; mon père a incliné la tête, intéressé. Il adorait la poésie et nous demandait souvent de mémoriser des vers comme ceux de *Phèdre*, de Racine, ou de *La Tempête*, de Shakespeare. Mais les goûts de Reagan étaient différents. Au lieu de réciter des vers classiques, il s'est lancé dans *La Fusillade de Dan McGrew* de Robert Service. (« Une bande de gars chahutaient dans le Malamute saloon… »)

J'aimais ces vers. Mon père était à la fois quelque peu déconcerté par le côté inapproprié du sujet pour un garçon de neuf ans et enchanté par le côté prévisible de ce choix pour un président cowboy et acteur. Néanmoins, ce poème a fait une grande impression sur moi ; j'ai même pris la peine de le mémoriser et ensuite, j'ai mémorisé d'autres poèmes narratifs que mon père ne m'aurait jamais appris, comme *La Crémation de Sam McGee*, ou encore *Le Bandit de grand chemin* d'Alfred Noyes.

Des moments tout aussi mémorables sont ceux que j'ai passés à bord du Boeing 707 du gouvernement qui était utilisé pour les voyages à l'étranger. La partie avant de l'avion comportait huit grands sièges, formant deux rangées de quatre qui se faisaient face. Derrière les sièges, il y avait deux longs bancs, où mon père et moi dormions pendant les longs trajets. Un mur séparait cette partie du reste de l'avion où se trouvaient les employés, le personnel de sécurité et les journalistes. Il m'arrivait d'aller à l'arrière pour parler aux gens que je connaissais, parce que mon père travaillait beaucoup à bord de l'avion et que je n'avais pas de frères avec qui jouer. Mais même si nos discussions étaient intéressantes, mes visites à l'arrière étaient brèves, car à l'époque, il était encore permis de fumer dans les avions et la fumée presque opaque qui emplissait cette partie de l'avion me faisait tousser.

Ce qu'il y avait de plus instructif dans ces voyages avec mon père, c'était de l'observer prendre des décisions. Il posait toujours des questions et incitait les gens à exprimer leurs opinions. Il discutait rarement en détail de ses idées tant et aussi longtemps que tout le monde n'avait pas eu son mot à dire, ce qui contraste avec son image publique de décideur résolu, presque autocratique. Les décisions prises par mon père étaient toujours le résultat d'un processus qui incluait différentes voix et qui, parfois, avait pris des semaines, voire des mois à se développer. Le modèle de prise de décision que j'ai appris lors de ces vols à bord du 707 a façonné mon style de leadership.

Tout ça représente le contexte dans lequel j'ai grandi. Toutefois, ce qui est le plus important pour moi, c'est la façon dont nous vivions en famille à Ottawa et le dévouement avec lequel mes parents s'occupaient de nous.

MALGRÉ SON EMPLOI DU TEMPS TRÈS CHARGÉ, PAPA était un père engagé qui mettait la main à la pâte et qui adorait ses enfants. Il prenait plaisir à remplir ses tâches de parent, s'occupant de nous la nuit quand nous étions petits, ou réparant nos bicyclettes et assemblant les jouets que nous avions reçus à Noël quand nous étions plus grands. Il nous racontait des histoires comme celle de Jason et de la Toison d'or ou de Paris et d'Hélène de Troie, ou nous terrorisait avec l'histoire de Polyphème dans sa grotte. Le jour, il voulait nous mettre en contact avec à peu près toutes les activités physiques possibles et imaginables; toutefois, les sports d'équipe comme le soccer, le football et le hockey ne l'intéressaient pas beaucoup. Il nous a plutôt appris à faire de la voile, de l'escalade, à nous servir d'un fusil ou d'un arc, à nous orienter dans la nature, à nager, à plonger, à descendre en rappel et, bien sûr, à skier. Au lac Mousseau, il nous fallait passer au moins quatre heures par jour à faire des activités à l'extérieur, et ce, qu'il fasse chaud ou froid, que l'air soit sec ou étouffant. « Il n'y a pas de mauvais temps, disait-il, il n'y a que de mauvais vêtements. »

Mon père et ma mère étaient d'excellents skieurs. Ma mère était, et est toujours, une superbe skieuse. Quant à mon père, même sur les pentes les plus difficiles, son style gracieux et agressif lui permettait d'éclipser tous les autres skieurs, même plus jeunes. Quand il avait plus de 70 ans, il parvenait encore à nous suivre, mes frères et moi, même sur les pentes les plus ardues.

Après avoir enlevé ses skis ou être sorti de son canot, il se perdait dans la musique classique ou la littérature sérieuse, partageant avec nous son enthousiasme. Nous devions connaître l'histoire, la théologie catholique et les fondements de la philosophie aussi bien que la façon de faire des virages parallèles en ski et du portage dans d'épaisses broussailles.

Mes frères et moi suivions des cours de judo, ce qui nous a appris à tomber et à faire des culbutes ; quand j'avais quatre ou cinq ans, mon père m'a appris la boxe. Plus tard, je pratiquerai ce sport régulièrement.

Ma mère, elle, insistait pour nous ouvrir d'autres horizons. Dans mon cas, elle n'a obtenu qu'un succès relatif. Quand j'avais six ans, elle m'a inscrit à des cours de ballet. Je suis un grand partisan de l'éclectisme quand il est question de culture, mais être un des deux seuls garçons d'une classe qui comptait 16 filles, c'était beaucoup plus que ce que mon jeune ego pouvait supporter. Ma mère et la professeure de ballet ont accepté que je porte un pantalon au lieu d'un collant, mais cela ne suffisait pas. Je détestais tout de ce cours et me rebellais avec une rage de plus en plus grande contre le fait d'y être traîné, jusqu'au jour où ma mère a carrément dû me tirer de force pour me faire passer le seuil du 24 Sussex pendant que je donnais des coups de pied et criais. Je me suis agrippé désespérément au cadre de porte, refusant d'accéder à la demande de ma mère, jusqu'à ce qu'un ouvrier qui peignait une rampe près de la porte dise, après nous avoir regardés un moment : « Allez, Madame. Laissez l'enfant tranquille. »

Ça a réglé la question. Je suis allé au cours de ballet ce jour-là, mais ça a été le dernier.

Si ma mère et mon père avaient une bonne entente en tant que parents, il est bien connu qu'ils avaient des difficultés en tant que couple. La théorie de ma mère, c'est qu'elle et mon père étaient incapables d'avoir une discussion « normale » ou productive. Il n'existait pas de terrain d'entente, alors, au lieu d'arriver petit à petit à une convergence de vues, les barrages cédaient et mes deux parents se déchaînaient, lançant des flots de paroles horribles et blessantes qui ne pouvaient ensuite être effacées. Aujourd'hui encore, le conseil que ma mère donne à de jeunes gens qui se préparent à se marier, c'est de s'éloigner l'un de l'autre avant que ne soient prononcées des paroles qui pourraient détruire ou gravement endommager la situation. Au fil du temps, ces épisodes désagréables sont devenus de plus en plus fréquents jusqu'à l'effondrement de leur mariage.

Ma mère admet volontiers que mon père était un parent exemplaire qui veillait à toujours passer du temps avec ses enfants. En fait, sa vision du rôle de parent était très en avance sur son époque. Il trouvait presque toujours quelque chose de nouveau pour éveiller notre intérêt, quelque chose de fascinant à explorer ou, tout simplement, une façon de nous faire rire et de nous rendre heureux.

Il arrivait que son implication dans son rôle de père surprenne ses collègues aux vues plus traditionnelles. Quand j'étais bébé, papa rentrait souvent à la maison pendant la journée pour prendre soin de moi, montant en courant l'escalier qui menait à ma chambre avant même d'avoir enlevé son manteau. Pour que ce soit possible, il invitait souvent les ministres de son cabinet au 24 Sussex pour des dîners de travail. Un jour, il m'a installé dans mon siège de bébé au milieu de la table de la salle à manger à la stupéfaction de ses collègues. John Turner, le nouveau ministre des Finances de mon père, m'a observé un instant puis a dit : « Ne t'en fais pas, Pierre. Les enfants deviennent beaucoup plus intéressants et amusants en grandissant. » Des années plus tard, quand mon père racontait cette histoire, il ne comprenait pas encore le commentaire de John ; aux yeux de mon père, il n'y avait rien de plus intéressant que de regarder un enfant, même si c'était un bébé, découvrir le monde. Il se réjouissait de nous entendre prononcer nos premiers mots ou de nous voir faire nos premiers pas autant que de nous regarder faire notre premier saut arrière d'un plongeoir ou sur un trampoline. De mes plus vieux souvenirs de mon père jusqu'aux plus récents, il a toujours été un papa aimant. Ce fait, plus que tout autre, est le fondement de mon enfance.

Pour être tout à fait franc, je dois admettre que de nombreux aspects de la vie d'un enfant de premier ministre étaient purement et simplement amusants, comme le fait que les agents de la GRC se servaient de noms de code pour parler de nous : papa et maman étaient Maple 1 et 2, mes frères étaient Maple 4 et 5, et moi, j'étais Maple 3. Des noms de codes étaient aussi associés aux principaux lieux de notre vie. Mon école, Rockcliffe Park, avait pour code Section 81, et la maison de mon ami Jeff était la Section 76. Parfois, des agents de la GRC nous laissaient, mes frères et moi, échanger des messages codés avec des membres de la GRC qui se trouvaient dans d'autres voitures. Je me souviens de la fierté que j'ai ressentie quand j'ai réussi à déchiffrer leur code soi-disant secret. « Alpha, Bravo, Charlie ! Il suffit d'utiliser la première lettre de chaque mot de code ! »

Les fêtes d'anniversaire au 24 Sussex étaient des moments très amusants où le vieux manoir plein de coins et de recoins se transformait en terrain de jeu pour la journée. Comme Sacha et moi avions la même date d'anniversaire (le jour de Noël), à la mi-décembre chacun de nous invitait sa classe à venir à la maison. Une quarantaine d'enfants arrivaient, papa se retirait dans son bureau, et nous étions libres de jouer à « tag avalanche », une version de cache-cache où chaque joueur qui vient d'être trouvé se joint aux autres et où, à la fin, il y a une horde d'enfants qui cherchent le seul enfant qui est demeuré caché.

C'était le côté de ma vie que voyaient mes amis d'école et qu'il leur arrivait d'envier. De temps en temps, des choses inattendues se produisaient nous laissant bouche bée. Je me souviens d'un jour de juin, j'avais alors 11 ans et je jouais dans l'allée du 24 Sussex avec mon ami Jeff Gillin. Une voiture est arrivée, la portière s'est ouverte et une élégante jeune femme portant un sac de sport en est descendue. C'était Diana, la princesse de Galles. Elle effectuait alors une tournée au Canada avec le prince Charles et on m'avait averti qu'elle souhaitait venir faire quelques longueurs dans la piscine derrière le 24 Sussex en toute discrétion. J'ai décidé qu'il me fallait l'accueillir dans les règles de l'art.

Jeff et moi avons senti confusément qu'il devait y avoir une sorte de protocole à respecter, mais nous étions là, debout, vêtus de nos t-shirts sales, et n'avions pas la moindre idée de ce qu'il nous fallait faire. Faire la révérence ? Un salut ? Nous avons finalement laissé tomber nos vélos et sommes restés au garde-à-vous, dans une sorte de version enfantine d'un garde d'honneur, pendant que la princesse passait près de nous. Pour moi, ça a été un moment gênant, d'autant plus qu'il était évident qu'elle n'était pas ravie que nous l'ayons dérangée dans un moment qui devait être secret et privé. Alors, dès qu'elle nous a dépassés (en levant discrètement les yeux au ciel), je me suis retourné pour m'excuser auprès de Jeff de ce qui venait de se produire. Mon ami, les yeux écarquillés, s'est exclamé : « Mon Dieu, c'est incroyable ! »

Un autre incident dans lequel Jeff était impliqué s'est déroulé à peu près à la même époque. Jeff, quelques amis et moi roulions à bicyclette dans le voisinage. Comme toujours, une voiture de la GRC nous suivait à une distance sûre. Je n'en tenais pas vraiment compte, mais quand un de mes amis a décidé qu'il serait amusant de se défaire de cette ombre qui nous surveillait, nous avons tourné brusquement dans un parc, avons pris quelques ruelles et avons roulé sur une route sinueuse jusqu'à la maison de Jeff, où, évidemment, nous attendait l'agent de la GRC, qui avait deviné notre manège. Quand mes amis et moi avons eu fini de jouer, l'agent m'a escorté jusque chez moi et, comme il se devait, a rédigé un rapport sur cet « incident ».

Mes amis et moi nous étions bien amusés à essayer de semer l'agent. Mon père n'a pas vu les choses de la même manière. Il était furieux. « Tu penses que ces gars aiment ça suivre un petit garçon de 11 ans qui s'amuse à faire l'idiot ? Leur travail, c'est de veiller à ta sécurité pour que je puisse bien faire mon boulot. Et toi, tu fais exprès de leur compliquer la tâche... pour t'amuser ? » Puis il a ajouté, avec ce ton sévère que je connaissais si bien : « C'était un grand manque de respect. Je t'ai mieux élevé que ça. »

Décevoir mon père était la pire chose pour moi quand j'étais enfant. Comme la plupart des enfants, je cherchais l'attention de mon père et son approbation. S'il me les accordait souvent, quand j'avais droit à sa désapprobation, c'était une expérience très douloureuse.

39

Il arrivait que nous dépassions les bornes. Je ne sais pas si Sacha, Michel et moi étions plus ou moins «tannants» que les autres garçons turbulents de notre âge, mais ce que je sais, c'est que nos deux parents, et plus particulièrement notre père, n'avaient aucune tolérance pour toute forme de manque de respect. Si nous vivions dans un environnement privilégié, quand il était question de discipline et des attentes à notre égard, nous n'étions pas chouchoutés. Bien au contraire.

Le plus important pour ma mère était de mettre l'accent sur les bonnes manières. Une violation du protocole ou de l'étiquette nous valait une réprimande de sa part. «Les bonnes manières vont vous ouvrir des portes, disait-elle, et une fois la porte ouverte, vous pourrez montrer votre bon caractère.» Elle insistait aussi sur le fait que notre attitude et notre intérêt envers les autres devaient être authentiques. «Ne soyez pas faux. Les gens le perçoivent toujours quand on est faux, et après, ils ne nous font plus confiance.»

L'importance d'être honnête et respectueux envers les autres était à la base des enseignements que mes frères et moi avons reçus de la part de mes parents. Quand j'avais huit ans, mon père m'a emmené sur la Colline du Parlement pour manger dans un restaurant. En levant les yeux de mon assiette, j'ai vu Joe Clark, chef du Parti progressiste-conservateur et chef de l'opposition. Pensant faire plaisir à mon père, j'ai répété une blague idiote au sujet de Joe que j'avais entendue dans la cour d'école. Il n'a pas ri. Ça l'a même choqué et j'ai eu droit à un sermon sur le fait qu'il était juste d'attaquer un adversaire sur sa position, mais jamais sur le plan personnel. Pour s'assurer que j'avais bien compris, il m'a conduit jusqu'à la table de M. Clark, qui était assis avec sa fille Catherine, et nous a présentés.

Je me demande souvent comment mon père aurait réagi au fait que, de nos jours, certains acteurs de la scène politique utilisent régulièrement les attaques personnelles au lieu de discuter des questions sérieuses. Je suis certain qu'il en aurait été dégoûté, qu'il aurait été déçu et qu'il aurait trouvé une façon d'exprimer ses opinions avec la force d'impact d'une tonne de briques, mais sans jamais recourir aux attaques personnelles, qu'il a toujours décriées.

L'importance de respecter les autres, peu importe leur position ou leur titre, était une des plus grandes leçons qu'on nous a répétées à mes frères et à moi quand nous étions enfants. Nos parents cherchaient parfois à attirer notre attention sur les qualités de quelqu'un et les égards qui lui étaient dus. Notre gouvernante, Hildegarde West, que nous appelions simplement Hilda, était une de ces personnes. Il est difficile de cerner ce qu'il y avait en elle qui générait une telle affection de la part de notre famille, si ce n'est l'immense chaleur qui irradiait d'elle.

Un jour, je ne sais plus si j'avais émis un commentaire ou si Hilda avait fait preuve d'un égard particulier, ma mère m'a prise à part et m'a dit : « Justin, au cours de ta vie, tu vas rencontrer des rois, des reines, des présidents, toutes sortes de gens qui ont du pouvoir et du prestige. Mais, quel que soit leur titre, la plupart d'entre eux ne vaudront jamais autant que Hilda sur le plan humain. »

Papa était encore plus strict quand il était question du respect dont il fallait faire preuve à l'égard des autres. Un jour, j'ai appelé un agent de la GRC qui s'occupait de nous « Baldy » (« le chauve »), et l'agent en question a pris ça avec humour. Mon père, qui m'avait entendu, a insisté pour que je présente aussitôt mes excuses à l'agent. L'homme avait trouvé amusant d'entendre un enfant l'appeler ainsi. Mon père, non. Et il a veillé à ce que je le sache et à ce que je ne l'oublie pas.

Très loin du monde du 24 Sussex, il y avait, dans l'Ouest canadien, une autre branche de notre famille, composée de gens pleins d'entrain. Rendre visite aux Sinclair en Colombie-Britannique était toujours l'occasion de nous échapper d'Ottawa et de ses restrictions. Les gens ont tendance à ne pas prendre en compte cette moitié de mon arbre généalogique. Tout le monde me connaît comme le fils d'un ancien premier ministre, mais peu de gens savent que je suis le petit-fils d'un autre homme politique extraordinaire, Jimmy Sinclair, qui, comme je l'ai déjà raconté, est né en Écosse et est arrivé en Colombie-Britannique quand il était tout petit. Il est à l'origine d'un de mes deux prénoms secondaires et d'une foule de merveilleux souvenirs.

Après avoir été chef d'un escadron de l'Aviation royale canadienne en Sicile, à Malte et en Afrique du Nord pendant la guerre, « Jimmy » a fait partie des meubles au Parlement, où il représentait les circonscriptions de Vancouver-Nord et de Coast-Capilano. Il a aussi été nommé ministre des Pêches par le premier ministre Louis St-Laurent. Quand il a quitté la vie politique, pour couronner son admirable carrière, il est devenu président de l'entreprise Ciment Lafarge pour l'Amérique du Nord.

Jimmy était ce qu'on pourrait appeler un homme de terrain avec tout le charisme et la personnalité extravertie d'un politicien de la vieille école. On le sait, mon père était très habile avec les foules et les gens, mais ce n'était pas naturel pour lui; il avait dû faire de gros efforts pour surmonter sa timidité. James Sinclair voyait une campagne électorale comme une opération familiale où tous les enfants mettaient la main à la pâte pour aller chercher des votes. Heather, la sœur aînée de ma mère, se rappelle avoir répondu au téléphone chez elle, quand elle avait six ans, en chantant en anglais: «Deux, quatre, six, huit, qui c'est qui a du mérite? Jimmy Sinclair!» Bien des années plus tard, quand je me suis présenté comme candidat libéral dans la circonscription de Papineau, à Montréal, c'est le style de campagne de Jimmy, axé sur le porte-à-porte, et non celui de mon père, qui m'a servi de modèle parce que cela cadrait davantage avec ma personnalité.

Jimmy manifestait une affection particulière à mon égard. J'ai souvent eu l'occasion de passer du temps avec lui, parce que mes parents comptaient sur les Sinclair pour s'occuper de mes frères et moi quand ils partaient à l'étranger pour de longues périodes de temps. Derrière sa maison de Rockridge Road, à West Vancouver, Jimmy nous faisait faire le tour de son extraordinaire jardin, qui descendait sur la berge boisée jusqu'au ruisseau. Il avait transformé la berge en prolongement de son jardin et y avait donné les prénoms de mes frères et moi à divers éléments. Il y avait le chemin Justin, le rocher Sacha et, plus loin, le poste d'observation Michel. Nous passions des jours entiers dans ces bois magiques avec lui, l'aidant à jardiner, jouant à cache-cache et explorant le ruisseau.

Une voie ferrée bordait la propriété et des trains y passaient régulièrement, dont le Royal Hudson, un train à vapeur historique qui transportait des touristes entre West Vancouver et Squamish. Chaque fois qu'il passait, nous lui faisions des signes de la main et parfois même nous exhibions une grosse pancarte où c'était écrit « Ô Canada ». Quand le conducteur la voyait, il actionnait le sifflet qui jouait les quatre premières notes de notre hymne national. Jimmy possédait cet amour ardent typique de l'immigrant envers son pays d'adoption. Et il le transmettait chaque jour aux gens qui l'entouraient.

Quand je repense à ces scènes de Rockridge Road, je me rends compte que nous étions l'incarnation du patriotisme canadien des années 1970. C'est pourquoi cette partie du pays a toujours eu une signification particulière pour moi et qu'elle m'a attiré quand je me préparais, dans la mi-vingtaine, à me lancer dans la carrière d'enseignant.

Jimmy jouait aux cartes avec nous ; il y avait un jeu qu'il appelait « bank ». Pendant la partie, il nous disait que telle ou telle main allait déterminer qui serait le « champion du désert de l'Ouest », que je croyais être une expression vide de sens qu'il utilisait pour sa consonance. Ce n'est qu'une fois adulte, quand j'en ai su davantage sur le passé militaire de Jimmy, que j'ai compris que le désert dont il parlait était le Sahara occidental où il avait servi son pays lors de batailles qui ont été parmi les plus violentes de la Seconde Guerre mondiale. Quand j'ai compris que l'expression qu'il utilisait de manière désinvolte provenait en fait du véritable théâtre de la guerre, j'en ai eu des frissons. Je pense souvent à lui quand je rencontre des vétérans de différents coins du pays dans le cadre de mon emploi actuel et je suis ému par leur dévouement à l'égard du service et du devoir ainsi que par toutes ces histoires inconnues qu'ils portent en eux.

Quand grand-papa Jimmy est décédé, en 1984, ça a été la première fois que mes frères et moi avons porté le deuil d'une personne proche. Quand nous avons appris la nouvelle au 24 Sussex, nous nous sommes mis à pleurer si fort qu'une des employées, une Française, a été bouleversée par notre chagrin et nous a demandé de nous ressaisir. Pas besoin de préciser que nous ne l'avons pas écoutée.

Une fois, lors d'un de nos voyages dans l'Ouest, mes frères et moi nous sommes rendus à la Sunshine Coast pour rendre visite à la vieille grand-mère de ma mère que nous appelions «Gee». Elle avait émigré de Grande-Bretagne longtemps auparavant et avait vécu une vie longue et paisible à Gibsons. C'est un lieu pittoresque et Gee y avait passé son temps en compagnie des livres de la bibliothèque du coin. Quand ma mère m'a raconté combien elle avait passé de beaux moments sur cette même plage quand elle était petite, j'ai pris pour la première fois conscience du passage du temps. Les parents vieillissent.

J'ai aussi rencontré ma grand-mère paternelle, Grace Elliott, même si j'étais alors beaucoup trop jeune pour m'en souvenir. La démence l'avait déjà gravement atteinte, mais quand ma mère m'avait installé sur ses genoux alors que j'avais à peine quelques mois, Grace avait paru avoir un moment de lucidité. «Le fils de Pierre?» avait-elle dit, les joues ruisselant de larmes de joie. «Pierre nous a donné un fils?» Elle est morte près d'un an plus tard.

Je suis très attaché à toute la famille Sinclair. La mère de ma mère, Kathleen, était une femme merveilleuse et je suis heureux que Xavier et Ella aient eu le temps de la connaître avant qu'elle meure, il y a quelques années. Ma tante Janet était une militante syndicale dans l'industrie du transport aérien et, même si elle a pris sa retraite dernièrement, l'aéroport de Vancouver demeure le seul endroit où j'ai droit à un traitement de faveur quand je voyage, parce qu'on m'y reconnaît comme étant le neveu de Jan (eh non, je n'ai pas droit au moindre avantage à l'aéroport PET, à Montréal). Ma tante Lin a déménagé aux États-Unis quand j'étais petit. Chaque fois qu'elle vient nous rendre visite avec Fred, son charmant mari, nous avons des discussions politiques hilarantes parce qu'il est un fervent républicain.

Betsy, la plus jeune des filles, est une infirmière semi-retraitée qui dirige avec Robin, mon oncle expatrié britannique, les pépinières Brentwood Bay sur l'île de Vancouver. Mon oncle Tom, qui a joué pour les Lions de la Colombie-

Britannique quand il était jeune, est mon parrain. C'est le mari de Heather, l'aînée des filles Sinclair, qui a travaillé comme enseignante et qui est devenue mon mentor quand je suis allé étudier l'enseignement dans l'Ouest canadien. Depuis l'époque où elle était la plus jeune bénévole de la campagne électorale de Jimmy dans les années 1940, Heather n'a jamais perdu sa passion pour la politique et, encore aujourd'hui, elle travaille activement pour les libéraux à Toronto, et y travaillait aussi pendant ma course à la chefferie. En 2013, quand j'ai participé à ma première période de questions à la Chambre des communes en tant que chef du Parti libéral, elle était là à me faire des signes de la main de la tribune du public. Je l'ai saluée, puis j'ai dirigé son attention vers ma poitrine. Elle a plissé les yeux, et j'ai vu dans son sourire une lueur de reconnaissance : pour honorer cette journée, je portais la cravate écossaise aux couleurs de la famille Sinclair.

Cela me semblait la chose appropriée à faire. Si ma relation avec ma mère, au fil des ans, a connu des hauts, des bas, puis encore des hauts, les liens sont demeurés très solides entre les Trudeau et les Sinclair.

MES SOUVENIRS DE L'ÉPOQUE OÙ J'ÉTAIS FILS DE PREMIER ministre ne sont pas tous heureux. Il y a eu des moments tristes, la plupart étant liés aux difficultés que vivaient mes parents en tant que couple.

On a beaucoup écrit au sujet de leur mariage et de la

façon dont il s'est terminé. Une bonne partie de ces informations sont inconvenantes et inexactes. C'est aussi, comme vous pouvez l'imaginer, quelque chose d'intensément personnel, et j'hésite à aborder le sujet. Après réflexion, j'ai décidé que si je voulais écrire un livre expliquant comment j'étais devenu la personne que je suis, je n'avais pas le choix. Mes deux parents ont exercé sur moi une merveilleuse influence et ce que je suis devenu peut être en bonne partie attribué aux conseils qu'ils m'ont prodigués et à l'exemple qu'ils m'ont donné. Mais comme tout enfant issu d'un couple divorcé, j'ai aussi été façonné par leur séparation.

Au cours des dernières années, j'ai développé une meilleure compréhension des difficultés qu'ont traversées mes parents. L'une était leur grande différence d'âge, dont j'ai déjà parlé, quelque chose de facile à identifier et à lier aux problèmes qu'ils ont vécus. Il est important de se rappeler toutefois que ce sont deux personnes qui se sont beaucoup aimées au début de leur mariage et, dans une bonne mesure, pendant le reste de leur vie.

L'élément dont on ne parle pas assez en lien avec cette question, et ce, même depuis que ma mère s'est ouverte sur le sujet, c'est la lutte qu'elle a toujours menée contre la bipolarité. Vivre sous le regard du public est beaucoup plus lourd que ce que la plupart des gens peuvent imaginer. Les effets d'une telle vie ne sont pas forcément insurmontables ni traumatisants, mais cela nécessite un état mental qui permet de supporter la pression continuelle et les ennuis périodiques. Mon père prenait souvent plaisir à traverser des épreuves, les considérant comme des tests personnels qu'il lui fallait surmonter grâce à la concentration et à la discipline. Mais pour ma mère, c'était une tout autre expérience, que ses problèmes de santé rendaient difficile, parfois même intolérable.

Les troubles bipolaires ne sont pas d'une rareté exceptionnelle. Les études semblent démontrer qu'environ trois pour cent de la population mondiale en souffriraient, et ce, tant les hommes que les femmes et peu importe l'ethnie, la race et la situation sociale. Vous avez 100 amis Facebook ? Il y a de fortes chances que trois d'entre eux aient des symptômes de la bipolarité. De nombreux troubles mentaux ne sont pas reconnus ni traités comme il se doit. C'est bien malheureux. Si on se casse un bras, qu'on a une éruption cutanée ou qu'on souffre d'une toux chronique, il est fort probable qu'on ira directement consulter un professionnel de la santé et qu'on aura droit à la sympathie de ses proches. C'est bien différent quand il est question de santé mentale. Malheureusement, même à l'époque relativement éclairée que nous vivons, les maladies mentales ne sont pas abordées aussi ouvertement qu'il le faudrait. Les gens qui en souffrent se disent qu'ils vont réussir à « se reprendre en main » (conseil qu'ils reçoivent souvent de leurs amis et parents) ou ont peur d'une stigmatisation à cause de leur état.

Ma mère a toujours possédé un esprit brillant qui n'attendait qu'à éclater au grand jour, et quand sa famille a finalement accepté sa maladie, elle s'est mise à militer en faveur d'une plus grande ouverture envers la maladie mentale. Elle en a parlé, ainsi que de son expérience personnelle, en de nombreuses occasions, et parfois, je me suis trouvé à ses côtés sur l'estrade. En 2010, elle a publié ses mémoires sous le titre *En libre équilibre*. C'est un excellent livre où elle relate son parcours difficile pour arriver à développer une compréhension de sa maladie.

Un des messages qui se dégagent de ce livre, c'est l'importance de discuter de la maladie mentale d'une manière franche et constructive. C'est une vision éclairée qui, malheureusement, n'existait pas dans les années 1970, quand ma mère a commencé à se débattre avec sa maladie. Si on en avait davantage parlé à l'époque, les années où elle était une jeune mère et épouse auraient sûrement été moins difficiles.

Il restait encore la question des 30 années qui séparaient mes parents. Même si ma mère n'avait pas souffert de sa maladie, ça aurait été une barrière difficile à surmonter. Ma mère a beau avoir craqué pour mon père la première fois qu'elle l'a vu sur les plages de Tahiti, en 1967, et lui, avoir été fasciné par son charme et sa beauté quand ils se sont revus quelques années plus tard, la réalité finit toujours par nous rattraper. La vérité, c'est que ma mère percevait par moments mon père comme un «vieux grincheux». À l'époque où il s'est marié avec ma mère, il était une sorte d'icône du libéralisme social, mais dans le cadre de leur mariage, il ne pouvait échapper à la mentalité traditionnelle qui lui avait été inculquée pendant son enfance.

Ma mère, quant à elle, était en avance sur son temps sur le plan social. On la dépeignait comme une «hippie» qui souhaitait se libérer des restrictions que son mari considérait comme normales. Elle avait beaucoup de difficulté à supporter de se sentir prisonnière, d'être un oiseau dont on prenait bien soin dans la cage dorée du 24 Sussex. « Le monde entier voyait Pierre comme un homme exécutant des pirouettes, alors que tout ce qu'il faisait, c'était travailler, écrit Margaret dans *En libre équilibre*. Sauf s'il s'agissait d'une soirée officielle, nous n'allions jamais au ballet ou au théâtre. Pour lui, c'était la vie parfaite… Pour moi, ce n'était pas assez ; je voulais m'amuser – j'en avais besoin. »

Il y avait d'autres problèmes, comme les différences religieuses. Mon père était un fervent catholique, alors que ma mère, qui avait été élevée dans la religion anglicane, n'avait jamais vraiment eu d'intérêt pour la religion, si on exclut une sympathie pour le bouddhisme dans les années 1960. Elle n'arrivait pas à comprendre le sentiment de culpabilité qui envahissait mon père chaque fois qu'il avait l'impression d'avoir failli d'une façon ou d'une autre et elle était outrée de voir à quel point l'Église était intrusive. « Même les pensées peuvent être péché et nécessiter une confession », m'a-t-elle dit un jour. L'invasion de la sphère privée qu'est l'esprit pour y chercher des « crimes de la pensée », comme elle le disait, empruntant ce terme à Orwell, la troublait tout particulièrement.

Quand j'y repense aujourd'hui, l'histoire de l'échec de leur mariage, telle qu'on la raconte, recèle une pointe d'ironie parce que mon père n'était pas toujours l'homme traditionnel pur et dur qu'il paraissait être et que ma mère n'était pas un esprit libre comme ses actes pouvaient le laisser croire. Les choses ne sont jamais toutes simples, surtout dans le cas d'un couple aussi complexe que celui de mes parents, et je suis à la fois amusé et exaspéré quand les gens voient leur relation – pleine de passion, de triomphe, de réussite et de tragédie – en noir et blanc, comme étant l'union imparfaite d'un homme détaché et distant et d'une femme plus jeune que lui, exubérante et sans inhibitions. C'était ça, oui, mais bien plus aussi.

Ma mère surnommait souvent mon père «M. Spock». Chaque fois qu'ils se disputaient, elle disait que l'approche extrêmement rationnelle de mon père ressemblait à celle de M. Spock. Quand elle devenait émotive et passionnée, mon père réagissait avec logique et rhétorique d'une manière que ma mère considérait comme condescendante et froide. Lui, pour sa part, trouvait son comportement exaspérant, alors que ce n'était, en fait, qu'un appel à l'aide.

Ma mère voyait mon père comme un bourreau de travail, un homme dont l'identité était définie par son dévouement à son pays. C'était vrai jusqu'à un certain point. Mais son dévouement pour ses enfants était tout aussi fort. Pour ce qui est de ma mère, son environnement social lui manquait, cet environnement si accueillant qu'elle avait adoré en tant qu'une des cinq filles d'une famille colorée et conviviale de la côte Ouest. Durant toute l'enfance de ma mère, la maison des Sinclair de West Vancouver était une sorte de centre social, où les amis et les membres de la parenté pouvaient arriver à tout moment pour un verre ou un repas, qui étaient suivis de longues heures de rigolade où on se racontait des histoires et partageait des recettes. Elle a grandi parmi des gens dont le but dans la vie semblait être d'en tirer le plus de joie possible et de profiter de chaque jour.

La vie n'avait rien à voir avec ça au 24 Sussex. Cette immense maison pleine de courants d'air que ma mère appelait «le fleuron du système carcéral canadien». Il lui arrivait aussi de comparer la résidence à un couvent et elle-même à la mère supérieure qui dirigeait sept employées, des femmes souvent seules qui veillaient au ménage et à la cuisine, ainsi que les trois merveilleuses nounous qui se sont succédé pour prendre soin de mes frères et moi. (Parmi elles, Diane Laberge, Leslie Kimberley, Monica Mallon et Vicky, la sœur de Leslie, qui étaient des femmes adorables qui ont pris soin de nous avec une affection et une sagesse que je n'oublierai jamais.)

Comme je l'ai appris durant mon enfance à Ottawa, les dirigeants politiques et leur famille sont entourés de personnes dont le travail est de leur rendre la vie plus facile. C'est une des raisons pour lesquelles certains politiciens finissent par développer le sentiment que tout leur est dû. (Moi-même, je ne suis pas immunisé. Il m'est arrivé une fois, en arrivant dans une soirée mondaine, de donner mon manteau distraitement à un ami se trouvant à côté de moi. Quelques secondes plus tard, le manteau était sur ma tête. C'était un vrai ami.) Mes parents ont tout fait pour éviter que mes frères et moi développions le sentiment que les choses nous étaient dues en nous apprenant à voir les gens autour de nous comme des êtres humains.

Malgré qu'elle détestait certaines traditions strictes que la vie au 24 Sussex imposait, ma mère attachait une grande valeur à différents aspects conventionnels, voire stéréotypés, de la vie d'épouse et de mère. C'était une cuisinière de talent qui préparait souvent son pain et qui, parfois, prenait plaisir à accomplir des tâches ménagères comme le lavage et le ménage. Il lui est arrivé plus d'une fois, quand l'envie lui en prenait, de donner congé aux domestiques et de s'occuper de leurs tâches. «Je suis quelqu'un qui aime s'occuper de son nid», disait-elle, tout en déplorant le fait que la résidence du premier ministre était sans doute un des endroits où construire son nid fut le plus difficile et le moins approprié.

La vie de mon père était strictement contrôlée et presque monastique; il travaillait de 8 h 30 à 18 h, heure à laquelle il rentrait à la maison pour manger et passer du temps avec ses enfants. Le reste de la soirée, il s'enfermait dans son bureau où il relisait différents documents. Les événements culturels que ma mère adorait étaient devenus si rares qu'ils étaient quasi inexistants. Quand parfois il y en avait, la soirée était entourée d'un tel protocole et de tant d'obligations qu'il ne restait plus de place pour l'excitation et la joie.

Une fois, peu de temps après ma naissance, ma mère était si désespérée qu'elle est sortie de la maison avec moi dans un landau, laissant derrière elle le personnel chargé de sa sécurité, dans le seul but de passer quelques moments libre des restrictions qui entouraient sa vie d'épouse de premier ministre. Quand Pierre l'a appris, il est devenu à la fois furieux et inquiet. Ce geste était la parfaite illustration du côté spontané de ma mère, de sa liberté d'esprit et de sa capacité à profiter du moment présent, toutes ces choses qui l'avaient d'abord attiré chez elle. Mais leur vie au 24 Sussex ne permettait pas ce genre de spontanéité. Une femme de premier ministre et son enfant sortis sans protection, cela représentait une cible de choix pour des kidnappeurs ou même des terroristes. Il faut se rappeler que ma naissance a eu lieu tout juste un an après la crise d'Octobre, quand le FLQ a kidnappé James Cross, attaché commercial britannique, et assassiné le ministre du Travail québécois, Pierre Laporte. Il n'était pas inconcevable que quelqu'un eût cherché à s'emparer de ma mère et de moi.

MES PARENTS ONT VÉCU L'EFFONDREMENT DE LEUR mariage chacun à sa façon. Sur ma mère, cela a eu un effet centrifuge : le choc émotionnel l'a poussée au loin, vers l'extérieur, vers d'autres pays et d'autres gens. Mon père s'est tourné vers l'intérieur, acceptant avec son style jésuitique que la famille unie normale ne fût pas pour lui. Et il a choisi de diriger son perfectionnisme monastique vers son travail et ses enfants.

Pour ma part, je me souviens des moments difficiles comme d'une suite d'images douloureuses : j'entre dans la bibliothèque du 24 Sussex et j'y vois ma mère en larmes qui parle de quitter mon père, qui est debout devant elle, le visage sévère et blême ; j'apprends qu'elle n'appelle plus le 24 Sussex sa maison ; je lis les titres de journaux qui parlent de la séparation de mes parents ; j'essaie de faire face à la réalité et souvent, je n'y arrive pas.

Beaucoup d'enfants de parents divorcés disent qu'ils se sont sentis coupables de l'échec du mariage de leurs parents, parce qu'ils ont cru que c'était leur faute si ceux-ci ne pouvaient plus vivre ensemble sous le même toit. Je pense n'avoir jamais ressenti une telle culpabilité. Je savais, même à l'époque, que les exigences de la vie que menaient mes parents les affectaient beaucoup plus que le stress normal de la vie de parents.

Ce qui m'habitait alors, c'est plutôt le sentiment que je ne valais pas grand-chose. Une part de moi considérait que ma présence aurait dû suffire à retenir ma mère. Parfois, quand j'entendais mes parents crier, je plongeais dans mes BD d'Archie pour m'évader. Je rêvais de grandir dans un Riverdale mythique, où les parents ne divorçaient pas et où mon plus gros problème serait de choisir entre Betty et Veronica.

C'est à cette époque de ma vie que j'ai développé le goût de la lecture, et ce goût m'est resté une fois devenu adulte. Se réfugier dans des pages pleines de mots était une des façons que j'avais trouvées pour oublier le drame qu'était l'échec du mariage de mes parents. J'ai rapidement dépassé le stade des Archie. Avant 10 ans, j'avais voyagé dans le monde de Narnia, j'avais ri avec *Le Petit Nicolas*, exploré les îles remplies de sorciers d'Ursula Le Guin et fait du braconnage avec *Danny, champion du monde*. Je dévorais les livres au fur et à mesure qu'ils me tombaient sous la main.

À 13 ans, j'ai dit à ma mère que je voulais lire des romans pour adultes, et elle m'a offert un exemplaire d'*Autant en emporte le vent*, de Margaret Mitchell. Je l'ai dévoré, au déplaisir de mon père, pendant que nous faisions le tour de la péninsule gaspésienne avec mes frères l'été où nous avons quitté la vie de famille de politicien. Pendant le reste de ma jeunesse, mes goûts littéraires pourraient être décrits comme éclectiques, car je donnais dans tous les styles littéraires. J'étais une véritable éponge, je lisais tout, de Tolkien à Tom Clancy, de la comtesse de Ségur à Jilly Cooper, des histoires d'Arsène Lupin de Maurice Leblanc aux romans ringards d'Eric Van Lustbader de la série des Ninja. Quand ma grand-mère m'a offert *Le Clan de l'ours des cavernes* et *La Vallée des chevaux* de Jean Auel, je me suis plongé dans un monde préhistorique de découvertes et d'aventures. À partir de là, je me suis lancé dans les classiques de science-fiction que mes amis me poussaient à lire : Isaac Asimov, Ray Bradbury, Robert Heinlein et, évidemment, *Le Guide du voyageur galactique*, dont les premiers paragraphes me sont restés en mémoire. Chacun de ces livres est en moi, et ils tapissent les étagères de ma bibliothèque en attendant que mes enfants soient assez vieux pour découvrir les tesseracts (ou cubes quadridimensionnels), les trois lois de la robotique et les caractéristiques de la poésie vogon.

Comme bien des lecteurs compulsifs, je me suis mis à voir la vie d'un point de vue narratif. Ça ne signifie pas que je vivais dans un monde fantaisiste, mais plutôt qu'à force de lire de la fiction, je me rendais compte à quel point chaque personne était le héros de sa propre histoire. Ce genre de révélation peut changer la vision du monde d'un jeune d'une manière qu'il n'aurait pu prévoir et lui offrir une nouvelle conscience de l'humanité. C'est l'effet que ça a eu sur moi.

Quand je suis allé à Delhi, en Inde, lors de la rencontre

des chefs de gouvernement du Commonwealth de 1983, nous nous sommes arrêtés au Bangladesh pour inspecter un barrage qui était bâti, en partie, grâce à l'aide étrangère consentie par le Canada. En arrivant de l'aéroport, nous avons traversé la capitale du Bangladesh, Dhaka, où nous nous sommes retrouvés complètement bloqués dans le trafic. J'étais assis à l'arrière d'une voiture gouvernementale qui était coincée, comme le reste du cortège, sur une grande route à l'extérieur d'une des villes d'Asie les plus grandes et les plus animées. Autour de nous, tout le monde attendait que les véhicules se remettent en branle. En jetant un coup d'œil par la vitre de côté, j'ai vu un vieil homme debout à côté de sa bicyclette qui attendait que le cortège se remette en route pour traverser la rue. Il avait le visage ridé par l'âge et semblait résigné à subir ce genre de dérangement. Je me rappelle l'avoir regardé pendant ces quelques secondes où nos chemins se sont croisés et avoir ressenti un étrange pincement au cœur à l'idée que je ne connaîtrais jamais son histoire : d'où il venait, où il allait, quelle était sa vie, quels étaient les événements, les rêves, les angoisses qui le rendaient tout aussi réel et important à ses yeux que je l'étais pour moi-même. J'ai été frappé par le fait que lui et moi n'étions que deux parmi les milliards d'habitants de la planète. Chacun méritait d'être reconnu comme un individu à part entière et chacun avait une histoire à raconter.

Il n'est sans doute pas inhabituel pour un garçon de 12 ans d'avoir ce genre de révélations. Certains les oublient aussitôt, tandis que d'autres se rendent compte que leur vision de la vie ne sera plus jamais la même. C'est la deuxième réaction qui a été la mienne. De tous les souvenirs qui me restent de ce voyage, et de nombreux autres séjours incroyables à l'étranger avec mon père, celui-ci – ce moment où j'ai pris conscience du gouffre étroit mais profond qui nous séparait, moi, qui avais connu une enfance privilégiée, et ce vieil homme dont le bien le plus précieux était peut-être cette bicyclette rouillée dont il avait été forcé de descendre – est resté ancré en moi. Depuis ce jour, je n'ai plus jamais eu la même vision de ma vie et de ma situation.

C'est environ à la même époque que j'ai commencé à voir l'écart de plus en plus grand qu'il y avait entre ma personnalité et celle de Sacha. Mon frère était alors, et il l'est toujours, un disciple sur le plan intellectuel de mon père, qui lisait peu de romans sauf s'ils avaient été écrits par quelque philosophe français célèbre. Mon père regardait même de haut des classiques modernes comme *Le Seigneur des anneaux* de Tolkien. De tels livres étaient, selon lui, « inférieurs à la vraie littérature ». L'œuvre d'Alexandre Dumas et les histoires de détective d'Arthur Conan Doyle étaient, dans ce qu'il m'avait conseillé de lire, ce qui se rapprochait le plus de la fiction populaire. Un jour, après qu'il m'eut réprimandé pour avoir lu les aventures de Tarzan d'Edgar Rice Burroughs, j'ai protesté en disant que cette œuvre était un classique. Il m'a répondu que c'était une « merde » classique.

C'était peut-être un geste de rébellion, mais je refusais

d'accepter sa vision de la littérature. Mon esprit adolescent ne pouvait concevoir qu'on ne soit pas captivé par les romans de Stephen King. Sacha et mon père n'étaient pas d'accord avec moi. Pour eux, des livres comme *Le Fléau* et *Rita Hayworth et la rédemption de Shawshank* n'étaient que des ramassis de trucs inventés et rien d'autre. Sur la liste de cadeaux que Sacha souhaitait recevoir pour son anniversaire, il y avait des encyclopédies et des atlas. Nous aurions dû, déjà à l'époque, nous douter qu'il deviendrait réalisateur de documentaires.

Sacha et moi nous disputions sur la valeur des différents styles de littérature, ce qui me forçait à formuler clairement ce qui me plaisait autant dans la fiction. Je comprenais que les encyclopédies pouvaient m'apprendre des faits, mais une grande histoire était la meilleure façon d'entrer dans l'esprit de quelqu'un d'autre. Ces histoires m'enseignaient l'empathie, me parlaient du bien et du mal, d'amour et de chagrin. Différents genres m'attiraient, mais les livres que j'aimais le plus étaient ceux qui présentaient l'idée que les gens ordinaires (sans oublier les hobbits) étaient nés avec la capacité d'accomplir des choses extraordinaires, voire héroïques. Cette prise de conscience a constitué pour moi une synthèse des enseignements de mes parents, qui m'avaient appris à voir au-delà de la richesse et des apparences et à apprécier la valeur de chaque personne que je croisais.

C'est une leçon que je porte toujours en moi. Aucun grand chef ne perçoit les gens autour de lui comme des créatures statiques. Si l'on ne peut imaginer le potentiel des gens, il est impossible de les pousser à réaliser de grandes choses. C'est peut-être une des raisons pour lesquelles, encore aujourd'hui, je fais toujours de la place pour la lecture d'un ou deux romans par mois, au milieu de montagnes de documents plus arides. Les faits peuvent nourrir l'intellect d'un lecteur, mais la littérature nourrit son âme.

AU FIL DU TEMPS, LA SANTÉ MENTALE DE MA MÈRE S'EST dégradée. À certains moments, je sentais que c'était moi qui devais prendre soin d'elle, et non l'inverse.

Quelques années après son départ de la maison, ma mère a commencé à fréquenter un type sympathique du nom de Jimmy. Un jour, elle est arrivée à mon école pendant mon cours d'éducation physique et a dit qu'il lui fallait me voir, qu'il lui fallait me parler, que je devais l'écouter. Dans le couloir de l'école, elle m'a pris par les épaules et, à travers ses larmes, m'a dit : «Jimmy m'a quittée! Il est parti! Il a même pris sa télé!»

J'ai fait ce que je pouvais pour la consoler, la serrant contre moi, lui tapotant le dos, lui disant que tout irait bien, que tout irait mieux bientôt. J'avais 11 ans.

Ces moments étaient douloureux. J'aimais ma mère autant que n'importe quel enfant, et la voir souffrir ainsi était particulièrement pénible. Mais ils m'ont aussi beaucoup appris. J'ai compris alors que ma mère, que les parents en général, sont des êtres faillibles, que les adultes ne sont pas parfaits. Tout au fond de nous, nous restons des enfants à bien des points de vue. Nous pouvons surmonter avec l'âge et la maturité les peurs que nous ressentions enfants, mais elles restent toujours là, comme des squelettes dans un placard. Pendant les pires moments de la maladie de ma mère, ses peurs et ses cauchemars étaient ceux d'un enfant. Je ne pense pas qu'elle était en cela différente des autres adultes ; c'est plutôt que sa maladie a déverrouillé les portes des placards, laissant sortir les squelettes et leur permettant d'errer librement dans son esprit.

Il existait un autre contraste étonnant entre mes parents. Le défi de ma mère était d'arriver à gérer ses émotions, et je me suis trouvé coincé dans ce processus. L'approche de mon père, qu'il m'encourageait à utiliser, n'avait pas grand-chose à voir avec les émotions. C'était exclusivement intellectuel. C'est ainsi que lui gérait ses problèmes : en les abordant par la réflexion intellectuelle. Un jour, il m'a passé un exemplaire du classique d'Alice Miller, *Le Drame de l'enfant doué : à la recherche du vrai Soi*.

Pour ceux qui ne le connaissent pas, ce livre parle des enfants qui font d'immenses efforts pour s'adapter aux difficultés émotionnelles qu'ils vivent. J'ai compris, en le lisant, que ma façon de réagir à la séparation de mes parents avait été de chercher constamment leur approbation. J'ai tenté de leur plaire en étant le bon fils, croyant que ça pourrait régler la situation. Évidemment, ça n'a pas marché.

Selon la presse à sensation, ma mère nous aurait abandonnés, Sacha, Michel et moi, afin de pouvoir transformer sa vie en une fête sans fin. La réalité est beaucoup plus complexe. Ma mère n'est pas sortie complètement de notre vie, mais pendant une longue période de temps, elle revenait et repartait régulièrement. Il lui arrivait souvent de passer la nuit au 24 Sussex, elle dormait alors dans son ancienne salle de couture.

Ma mère et moi avions un lien mère-fils très fort, et j'aimais qu'elle me traite d'une façon spéciale – pas parce que j'étais le premier-né de la famille, mais parce qu'elle sentait que j'avais hérité en partie de sa personnalité, incluant son goût de l'aventure, sa spontanéité joyeuse et son besoin d'établir un contact émotionnel avec les gens qui l'entouraient.

Chaque fois que ma mère devait venir nous rendre visite au 24 Sussex, j'arrivais difficilement à contenir mon excitation et je me mettais à planifier l'accueil que je lui réserverais. Une fois, j'avais même prévu un thème musical pour son arrivée.

J'avais reçu un petit tourne-disque en cadeau et j'aimais écouter les succès de l'heure, c'est-à-dire du début des années 1980. *Bette Davis Eyes* de Kim Carnes, *Private Eyes* de Hall & Oates, *Queen of Hearts* de Juice Newton et, surtout, la ballade romantique de Journey, *Open Arms*. (Ne riez pas : l'album *Rock 82* était à peu près la seule musique pour grands que j'avais. Mais je dois admettre que la musique de Raffi a beaucoup mieux vieilli.) J'avais entendu ma mère dire combien elle aimait la chanson de Journey et j'avais décidé, un jour où elle revenait nous voir après une absence particulièrement longue, que ce serait la bande sonore pour son entrée au 24 Sussex.

J'ai attendu que ma mère arrive dans sa Volkswagen

Rabbit avant de déposer, dans ma chambre à l'étage, le bras de mon petit tourne-disque au son métallique sur le disque. Quand elle a ouvert la porte et qu'elle est entrée dans le hall, j'ai mis le volume de mon tourne-disque au fond et j'ai couru pour arriver en haut de l'escalier. «Écoute, maman, ai-je crié, c'est notre chanson!»

Elle a levé les yeux vers moi, heureuse de me voir, mais perplexe parce qu'elle n'entendait aucune musique. Mon tourne-disque émettait de la musique environ à la moitié du volume de ce que peut émettre un téléphone cellulaire de nos jours. Je me souviens avoir été atterré tellement j'essayais de mettre un peu de magie dans chaque moment que nous vivions en tant que famille.

Ma mère essayait de temps à autre de créer un peu de magie, pas toujours avec un grand succès. Chaque fois qu'elle se trouvait à New York, elle se rendait à la boutique FAO Schwartz de la 5e Avenue et nous achetait à tous les trois de beaux jouets. En juillet 1981, elle m'a emmené à Londres pour participer aux célébrations entourant le mariage du prince Charles et de Lady Diana. Nous sommes restés dans l'appartement londonien de la sœur de ma mère, tante Betsy, qui vivait à Londres avec son mari. Jusque-là, tout cela était vraiment spécial.

Un soir, pendant que Betsy et Robin m'emmenaient à Hyde Park pour y regarder les feux d'artifice avec quelques centaines de milliers de personnes, maman s'est rendue à une fête où étaient invitées beaucoup de vedettes. Le lendemain, elle m'a nommé toutes les personnes avec qui elle avait

1.

2.

3.

4. Mon premier portrait officiel, avec ma mère, Margaret.

5. Aujourd'hui, je peux imaginer ce que mes parents ont ressenti quand ils sont devenus parents.

6. La preuve que ceux qui croient que mon père était le seul à nous faire faire des acrobaties ont tort.

7. Papa ne perdait jamais une occasion de jouer avec nous quand il pouvait trouver un peu de temps dans sa journée, mais surtout le soir, lors des moments réservés à la famille.

8. Maman adorait sortir de la maison, et la résidence du gouverneur général en face du 24 Sussex était le lieu parfait pour une promenade.

9. Mes parents n'ont pu s'empêcher de faire une photo ridicule quand j'avais les oreillons.

10. Grand-papa Jimmy avec nous, vêtus des classiques salopettes OshKosh.

11. Sacha et moi passions des heures à jouer dans et autour de la cheminée à la résidence du lac Mousseau. Quand le feu n'était pas allumé, nous jouions avec la trappe pour la suie, sans doute à la consternation de nos parents et au détriment du mobilier.

12. Je me rappelle avoir pensé, à l'époque, que ce vélo était la chose la plus merveilleuse que je possédais, avec ses gros amortisseurs et sa selle moelleuse. Il était à peu près indestructible. Nos bicyclettes nous donnaient la liberté de nous balader librement dans le voisinage du 24 Sussex (suivis par des agents de la GRC).

13. Sacha et moi avons rencontré le président Ronald Reagan lors d'un de ses voyages à Ottawa, en 1981.

14. Maman pose, l'air joyeux, avec ses gars devant sa nouvelle maison, au 95, rue Victoria. On peut voir, par son sourire, à quel point elle est fière de sa nouvelle maison, et de s'y trouver avec ses enfants.

15.

Mon père m'a emmené à la place
Saint-Marc, à Venise, en 1980,
quand j'avais à peu près l'âge
que lui avait, plusieurs décennies
auparavant, quand son père l'avait
emmené au même endroit.

16.

17. Un autre beau souvenir de
mes voyages avec mon père
quand il était premier ministre. Il est difficile de savoir
qui s'amuse le plus sur cette
photo où on voit mon père
conduire un tank à la BFC
Lahr, en Allemagne de l'Ouest,
en 1982. Aussi présents sur la
photo : le lieutenant Jon Mac-
Intyre, de Charlottetown (en
bas, à gauche) et le député
de Toronto de l'époque, Roy
McLaren (en haut, à droite).

18. La place Rouge, déserte, la nuit. Le lendemain, elle était remplie d'uniformes militaires soviétiques et de milliers de gens en deuil pour les funérailles de Brejnev, en 1982.

19. Plus ça change . . .

20. Même après le divorce de mes parents, nous avons continué à faire des soupers en famille ; nous allions souvent au Sakura, qui est devenu notre restaurant de sushis familial. On nous voici ici en compagnie de Mama Ichi.

21. La nouvelle famille de maman – ou la famille étendue –, les Kemper et les fils Trudeau.

22. Le chalet des Kemper au lac Newboro, où j'ai passé de nombreux week-ends et étés avec Fried, Ally et Kyle, est aujourd'hui encore un endroit très important pour moi.

fait la fête : l'acteur Christopher Reeve, qui jouait dans les films de Superman, les membres de la troupe Monty Python et, plus impressionnant encore pour moi, Robin Williams.

« Oh ! Tu aurais vraiment aimé ça, m'a-t-elle dit avec désinvolture. J'imagine que j'aurais dû t'amener avec moi. » Pour elle, c'était un petit regret, mais moi, j'ai passé une bonne partie de ma jeunesse à me dire que j'aurais pu rencontrer Mork de la planète Ork, si seulement ma mère avait pensé à m'amener avec elle.

Après un certain temps, ma mère a fini par se trouver un nid : une modeste maison en briques rouges de la rue Victoria, à Ottawa, un lieu qu'elle pouvait vraiment considérer comme sien puisqu'elle avait payé la mise de fonds avec les recettes de son premier livre, *À cœur ouvert*. Sacha, Michel et moi habitions là les week-ends et, parfois, des semaines complètes. Libérée du côté *glamour* et des restrictions du 24 Sussex, elle a commencé à s'épanouir, révélant les plus belles qualités de sa personnalité, de son intelligence et de sa créativité. Mon père a reconnu qu'elle avait trouvé son environnement naturel quand elle l'a invité à venir voir sa maison. Il est entré, a regardé autour de lui et la première phrase qu'il a dite a été : « Margaret, tu as… un vrai chez-toi. » Cela a été un de ces rares moments de compréhension véritable entre mes parents.

Chaque divorce fait des victimes quand il y a des enfants en cause. Mes parents en étaient conscients, et je dois reconnaître qu'ils ont fait tout ce qu'ils pouvaient pour amoindrir notre douleur et notre sentiment de perte. Ils ont établi un mode de garde partagée très souple, ne se disputant jamais pour tout ce qui concernait le temps que chacun passait avec mes frères et moi. Tout ce qui touchait Sacha, Michel et moi était fait en tenant compte d'abord et avant tout de nos intérêts. Ma mère a décrit ainsi sa relation avec mon père : « Nous n'avons pas réussi notre vie de couple, mais en tant que parents, nous avons fait de l'excellent travail. »

Grâce aux efforts de nos parents pour bien faire les choses avec nous, mes frères et moi ne nous ennuyions jamais de notre maison, peu importe où nous nous trouvions. En fait, notre définition de « maison », c'était simplement l'endroit où nous nous trouvions tous les trois. Nous nous déplacions en groupe, chacun offrant aux autres de la compagnie. Grâce à cela, en plus des efforts de nos parents pour adoucir les choses, nous avons pu, malgré la situation, grandir sans trop ressentir le traumatisme émotionnel que le divorce représente souvent pour les enfants. Je leur en serai toujours reconnaissant.

Ma mère a commencé à fréquenter Fried Kemper, un entrepreneur immobilier, et elle s'est mariée avec lui en 1984, la même année où mon père a quitté la politique et déménagé à Montréal. En route vers le palais de justice, le jour de leur mariage, ma mère et Fried ont été arrêtés par le chauffeur de mon père qui leur apportait un gros bouquet de fleurs, un geste dont ma mère a été très reconnaissante.

(Le choix du palais de justice était une demande de mon père. Il ne voulait pas que ma mère se remarie à l'église. Ce qui est paradoxal, c'est que même si mon père avait modernisé la loi sur le divorce dans les années 1960, il avait fait sienne la phrase « Que l'homme donc ne sépare pas ce que Dieu a joint. » Il m'a même fait des excuses, des années plus tard, pour ne pas avoir su offrir à ses fils une présence maternelle dans notre vie à Montréal. Il considérait simplement qu'il ne pouvait se remarier. Évidemment, je l'avais rassuré en lui disant que ça ne nous avait pas dérangés, mais j'en ai tiré une importante leçon sur la différence entre la foi personnelle et la responsabilité publique qui me guiderait plus tard dans ma vision du leadership.)

Ma mère et Fried ont eu deux enfants, Kyle et Alicia. Nous trois, les garçons Trudeau, avons joué aux grands frères avec eux. Nous nous sommes beaucoup amusés dans la petite maison de briques rouges de la rue Victoria ainsi qu'à la maison de campagne de la famille Kemper, au lac Newboro, où la vie ressemblait à une longue fête sur le bord de l'eau. Se faire tirer par un bateau dans un tube, chanter en chœur autour d'un feu de camp et faire des parties de cache-cache dans la forêt avec des lampes de poche n'étaient que quelques-unes des activités amusantes que nous y faisions. Comme j'étais le plus vieux des enfants, j'assumais le rôle d'animateur et j'organisais des activités en plus de surveiller les autres, surtout dans l'eau.

Même s'ils ont été très informels, ces moments ont constitué ma première expérience de leadership et l'occasion de ressentir une grande satisfaction à l'idée de pouvoir transmettre mes connaissances et mes habiletés à d'autres personnes. Je considère que mon intérêt pour l'enseignement et, jusqu'à un certain point, pour la politique remonte à ces jours heureux, ensoleillés et mémorables.

Fried partageait l'amour de la nature de mon père et il était plus jeune que lui, moins austère et beaucoup plus en phase avec le caractère bon vivant de ma mère. Papa nous emmenait en longs voyages en canot, nous enseignait le coup de pagaie en J en nous poussant à le faire encore et encore jusqu'à ce que nous ayons atteint la perfection. Fried, quant à lui, possédait une Chevrolet El Camino, qui était un mélange entre un coupé sport et un *pick-up* et dont on disait qu'elle pouvait servir autant à sortir entre amoureux au ciné-parc la fin de semaine qu'à apporter des « 2 X 4 » sur le chantier le lundi. Mon père n'avait aucun intérêt pour ce genre de véhicule, mais c'est la première auto que j'ai conduite, à l'âge de 15 ans, sur les routes de campagne près du chalet. Et Fried possédait aussi un hors-bord, au lieu d'un canot, et un fusil de chasse dont il se servait pour se débarrasser des porcs-épics et d'autres créatures indésirables autour du jardin.

Le contraste entre ces deux hommes ne représentait pas un problème pour nous. C'était même sans doute bon. Ils avaient des personnalités et des modes de vie si opposés qu'il ne pouvait y avoir de compétition entre eux. Dans la maison de ma mère et Fried, mes frères et moi pouvions relaxer en regardant la télévision, en jouant à des jeux vidéo et nous amuser à toutes sortes d'activités que mon père n'aimait pas. La vie au chalet et dans la petite maison de la rue Victoria était très différente de celle au 24 Sussex, mais tout aussi merveilleuse. Nous jouions avec les enfants du voisinage dans la ruelle à côté de la maison et dormions dans des lits superposés tous les trois dans la même chambre. Notre père nous manquait, mais les grandes chambres et les autres commodités de la résidence de premier ministre ne nous manquaient pas. Les matins de semaine, l'autobus scolaire passait nous prendre, et nous nous y entassions avec les autres enfants. Je savourais chaque minute de nos visites chez ma mère, et particulièrement le fait de me rendre à l'école dans un autobus scolaire bruyant et bondé d'enfants. Tout était parfaitement normal, tant que l'on ne regardait pas par la vitre arrière, où on pouvait voir les agents de la GRC qui suivaient l'autobus.

Maintenant, je repense à cette époque avec tendresse, mais je sais que je ressentais aussi alors beaucoup de colère. La plupart des enfants du divorce traînent longtemps de la colère. À l'époque, nous ne comprenions pas vraiment ce que ma mère vivait. Les mots « bipolarité » et « dépression » ne signifiaient rien pour moi, et même de nombreux adultes de la famille n'y voyaient pas clair. Ma grand-mère Sinclair décourageait sa fille d'aller chercher de l'aide psychologique parce que, disait-elle, « ils blâment toujours la mère du patient ». Moi, ce qui me mettait en colère, c'était que tous mes efforts ne suffisaient pas à la garder avec nous et à la rendre heureuse.

Au cours des dernières années, quand ma mère est devenue plus consciente des défis liés à sa maladie mentale, nous nous sommes rapprochés grâce à sa présence aimante auprès de ses petits-enfants et avons réussi à tourner la page. Nous parlons ensemble. Nous rions ensemble. Nous mangeons ensemble. Je viens avec ma famille passer des fins de semaine dans son appartement de Montréal, et elle vient nous rendre visite à Ottawa. C'est la relation que j'avais toujours souhaité avoir avec elle. Je ne pourrai jamais changer ce qui s'est mal passé dans mon enfance. Mais pour ce qui est de passer du temps avec la seule mère que je n'aurai jamais, je me dis que mieux vaut tard que jamais.

La vérité, c'est que ma mère était très malade. Si sa maladie avait été simplement d'ordre physique, tout le monde – y compris sa famille et ses amis – aurait fait preuve d'une plus grande empathie et aurait compris son état. Mais elle souffrait d'une grave maladie mentale à une époque où de tels problèmes étaient, au mieux, très peu compris et, au pire, stigmatisés et considérés comme honteux.

Les choses ont changé, mais pas assez et pas assez vite. Je sais très bien, par exemple, ce que tentent de faire mes adversaires politiques quand ils disent que je suis plus le fils de ma mère que celui de mon père. Ils font appel aux vieilles incompréhensions et aux anciens préjugés en lien avec la maladie mentale. Comme tout le monde, je ressemble à chacun de mes parents à différents égards et je suis immensément fier des deux. Je suis habitué d'entendre les gens me raconter comment mon père les a touchés ou inspirés, mais de plus en plus de gens me parlent de la même façon de ma mère. Je sais que par son travail, elle a aidé beaucoup de gens à accepter leur maladie, ou celle de leur conjoint, d'un ami ou d'un collègue. La route devant nous est encore longue, mais ma mère a fait avancer les choses de manière à ce que les gens souffrant de maladie mentale bénéficient d'une plus grande compréhension que ce à quoi elle a eu droit.

CHAPITRE DEUX

La vie à Montréal

———

J'AI PASSÉ MON ENFANCE À OTTAWA, MAIS C'EST à Montréal que j'ai vécu mon adolescence et que je suis devenu adulte. Mon père, mes frères et moi avons quitté la capitale en 1984. Ça a été une année de grands changements. C'est l'année où mon père a fait sa longue marche sous la neige et décidé de se retirer de la politique dès qu'un nouveau chef libéral aurait été élu. J'ai quitté l'environnement rassurant d'Ottawa ainsi que mes amis pour déménager avec mon père et mes frères à Montréal. Ma mère, qui est restée à Ottawa, attendait un bébé. Mon frère Kyle est né en novembre.

Cela a aussi été une période très intense pour les souverainistes québécois, qui se sont promenés entre détermination et désespoir. Quelques années plus tôt, le projet de souveraineté-association avait subi une cuisante défaite au référendum. Dans le discours qu'il a prononcé ce soir-là, René Lévesque, le chef du Parti québécois, a appelé les souverainistes à persévérer en leur disant «À la prochaine fois!», affirmant ainsi que la question n'était pas réglée. Un an plus tard, le PQ était réélu à la tête du Québec avec une part accrue du vote populaire, confirmant que le rêve d'indépendance était bel et bien vivant. Puis, en 1982, quand mon père a rapatrié la constitution sans l'accord du Québec, M. Lévesque a appelé cet événement «la Nuit des longs couteaux», refusant d'appuyer l'amendement et déclarant que le Québec avait été trahi par les autres provinces et, il va sans dire, par mon père. La réalité, c'est qu'il a vu ses plans déjoués, et non qu'il a été trahi, mais ça, c'est un débat que je laisse aux historiens. Pendant ce temps, les anglophones continuaient de quitter le Québec en grand nombre, et la question des droits linguistiques demeurait un enjeu délicat pour tous, quelle que soit leur langue.

À Ottawa, nous étions plongés dans ces enjeux et influencés par les valeurs et les convictions profondes de mon père. Maintenant, nous arrivions à Montréal, où mon père avait longtemps vécu, remplis de curiosité. Toute ma vie, j'avais parlé français ou anglais avec ma famille sans me poser de questions, et presque exclusivement français avec mon père. À Ottawa, j'avais toujours été à l'aise en tant que francophone et anglophone. C'est dans cet état d'esprit que j'ai commencé mes études au Collège Jean-de-Brébeuf. C'est aussi là que mon père avait fait ses études, l'école avait une excellente réputation sur le plan scolaire, et je m'y suis retrouvé à une époque de tourmente politique. Tous ces éléments pris ensemble – les nouvelles exigences scolaires et le malaise linguistique et culturel sous-jacent au sein des étudiants et du corps professoral – m'ont donné une nouvelle vision des choses.

Mon père adorait raconter comment, peu de temps après son élection au poste de premier ministre du Canada, il avait organisé une réunion d'anciens élèves pour fêter les 30 ans de la fin de leurs études. C'était alors l'apogée de la trudeaumanie, et quand les anciens élèves et enseignants sont arrivés, il était évidemment très fier de les accueillir au 24 Sussex et il avait sans doute le sentiment d'être l'exemple parfait de la personne qui avait trouvé sa voie.

Il souriait, radieux, à chaque vieil ami et enseignant qui passait le pas de la porte. Il a vu arriver son ancien professeur de sciences, qui était maintenant un vieux jésuite à la toute fin de sa carrière d'enseignant. Le vieil homme s'est approché de mon père, l'a examiné de haut en bas et lui a dit, d'un ton détaché : « Vous savez, Trudeau, j'ai toujours pensé que vous auriez eu davantage de succès si vous aviez été physicien. »

C'est ainsi que ça se passait à Brébeuf. Les cours d'abord, la politique et tout le reste ensuite. Dans les années 1930, la seule façon de juger les étudiants du cours classique, c'était en fonction de leur rang dans la classe. Premier ? Dixième ? Trentième ? Il fallait être parmi les premiers si on voulait avoir une quelconque chance de réussir dans la vie. À l'époque où je suis arrivé au collège, à l'âge de 13 ans, l'atmosphère n'y était plus aussi stricte, mais ça demeurait un endroit où les parents envoyaient leurs fils (les filles ne pouvaient y aller qu'à partir de la 5e secondaire) pour qu'ils y reçoivent une rigoureuse éducation classique. Avant même d'entrer dans l'immeuble, on voit qu'il s'agit d'un endroit qui invite au sérieux. Avec ses colonnes ioniques, son architecture classique austère et sa façade recouverte de pierres, le collège ressemble autant à un palais de justice qu'à une école. Un imposant crucifix en pierre orne l'entrée principale, réminiscence des origines jésuites de l'école, même si Brébeuf est devenu un collège non religieux deux ans après mon arrivée.

J'ai obtenu un bon résultat à l'examen d'entrée pour le collège. Un si bon résultat, en fait, que des responsables de l'école avaient prédit que j'allais égaler le record légendaire de mon père qui avait été premier de classe pendant toutes ses années à Brébeuf, prédiction qui, malheureusement, ne s'est pas avérée. La seule question qu'il restait à régler, c'était de savoir si j'allais entrer en 1re ou en 2e secondaire. À cause de ma date de naissance, et des différences entre les systèmes scolaires québécois et ontarien, le choix n'était pas clair.

Mon père avait peur que je m'ennuie en 1re secondaire, mais j'ai insisté pour être admis à ce niveau pour deux raisons. Premièrement, cela me permettait de commencer le latin en même temps que tout le monde. Le latin peut sembler inintéressant pour la plupart des gens, mais pour moi, c'était la langue de l'histoire et de l'aventure. Comme il avait étudié à Brébeuf, mon père parlait couramment le latin depuis son adolescence, et cette connaissance lui avait été utile quand il avait voyagé dans des endroits reculés de la planète lors de sa légendaire expédition sac au dos des années 1940. Au Moyen-Orient ou en Asie du Sud-Est, quand venait le temps de chercher un endroit pour manger ou dormir, mon père avait pour stratégie de trouver l'église catholique du coin où il pouvait toujours parler avec le prêtre en latin.

La deuxième raison, et la plus importante, c'est qu'en commençant en 1re secondaire, cela me permettait de faire partie d'un nouveau milieu social. L'année suivante, les cliques seraient déjà créées et les amitiés liées, et je n'avais aucune envie de commencer mon expérience dans un environnement scolaire aussi intimidant en étant le « petit nouveau », et ce, surtout avec mon nom de famille. J'ai donc commencé au tout début du secondaire, ce qui explique pourquoi mon frère Sacha et moi n'avions qu'une année d'écart sur le plan scolaire, et ce, même s'il était né exactement deux ans après moi.

Les élèves que j'ai rencontrés lors de mes premières semaines à Brébeuf me posaient beaucoup de questions qui me laissaient perplexe. Dans bien des cas, ça mettait au grand jour ma méconnaissance des expressions québécoises, puisque j'avais fréquenté une école d'immersion française à Ottawa et que, à la maison, on parlait un français plutôt soutenu. Une des premières choses qu'on m'a demandées, c'est : « Es-tu *bollé* ? » Certains élèves, quand ils m'ont entendu parler anglais sans accent, m'ont accusé d'être un *bloke*, ce à quoi j'ai répondu par un haussement d'épaules, ne me rendant pas compte qu'ils voulaient m'insulter. Après quelques jours à rire de moi ainsi, ils ont dû se dire que j'étais imperméable aux insultes ou que je me moquais d'eux à mon tour en ne réagissant pas. En fait, la plupart de leurs insultes et de leurs gros mots m'étaient incompréhensibles, et je n'avais tout simplement aucune idée quoi y répondre.

J'ai fini par comprendre que même si Ottawa était à moins de deux heures de route de Montréal, le fossé culturel qui séparait les deux villes était d'environ une année-lumière. Les enjeux qui déchaînaient les passions étaient les mêmes que j'avais suivis avec ma famille à Ottawa. Mais c'était la première fois que je me retrouvais entouré de gens qui vivaient avec les effets, avec le poids de ces questions au quotidien, et il m'a fallu un certain temps pour bien comprendre les attitudes que cela générait.

Parfois, les enfants y allaient d'attaques très personnelles. Quelques élèves ont essayé de me faire sortir de mes gonds en ramenant de vieilles histoires en lien avec la séparation de mes parents, sujet qui avait longtemps alimenté les journaux à sensation. À Ottawa, j'avais été protégé de ce genre d'attaques, à la fois parce que j'y étais entouré d'amis qui me connaissaient depuis la garderie et parce que les élèves du primaire ne sont pas aussi cruels et grossiers que les adolescents. Dans le monde compétitif qu'est l'école secondaire, certains enfants considèrent que tous les coups sont permis. Un jour, un élève plus vieux que moi s'est approché et m'a mis dans les mains une célèbre photo de ma mère qui avait été publiée dans un magazine pour adultes.

Même si ça peut être difficile à croire, je n'avais jamais vu cette photo auparavant ; je n'en connaissais même pas l'existence. Évidemment, cette image m'a bouleversé. Mais j'ai compris que je me trouvais à un moment décisif. Si je me montrais choqué ou blessé, j'allais devenir la cible de choix des étudiants pour le reste de mes études secondaires. Tout le monde saurait qu'il était possible de me mettre en colère en me balançant quelques méchancetés au visage. Alors, je l'ai regardé dans les yeux et j'ai dit : « Oui, pis ? », laissant mon persécuteur insatisfait et forcé de se trouver une cible plus facile.

J'ai appris à Brébeuf à ne pas donner aux gens la réaction émotive qu'ils espèrent susciter par une attaque personnelle. Pas besoin de préciser que ça m'a par la suite beaucoup servi dans la vie.

Dans l'imaginaire de la plupart des parents canadiens, une école privée, c'est un endroit avec de petites classes intimes, supervisées par des professeurs attentionnés qui utilisent les techniques pédagogiques les plus récentes. À ce moment, Brébeuf n'était pas comme cela. Nous étions 36 élèves par classe, assis à nos pupitres placés en six rangées de six, et la méthode pédagogique pourrait être décrite comme celle du « maître du jeu », où le professeur parlait pendant que les élèves prenaient des notes.

J'ai fait mes études secondaires avant la mode du « développement de l'estime de soi» qui s'est répandue dans le monde de l'éducation au cours des dernières années et qui a mis l'accent sur l'importance d'encourager et d'appuyer les élèves. Ce n'était pas ce qu'on cherchait à Brébeuf. Plusieurs enseignants semblaient plutôt vouloir nous rabaisser. En 4e secondaire, notre professeur de français se plaignait du manque de culture des jeunes et disait que la culture, c'était comme de la marmelade, moins on en avait, plus on l'étalait.

M. Daigneault allait au-delà du programme en mettant à l'étude, dans son cours, 13 œuvres qui répondaient à ses exigences en matière d'excellence littéraire classique, parmi lesquelles *David Copperfield*, *L'Iliade*, *L'Odyssée*, *Les Misérables* et *Don Quichotte*.

La première semaine d'école, il a aboyé : « Qui étaient les Thermopyles ? Allez, qui peut me répondre ? Vous ne savez rien ! Qui peut me dire qui étaient les Thermopyles ? Je vous mets au défi de me répondre ! » J'ai fait des yeux le tour de la classe avec méfiance. Tout le monde fixait, mal à l'aise, son pupitre, le sol, tout sauf le professeur. J'ai soupiré. C'était donc moi qui allais répondre. J'ai lentement levé la main.

« Les Thermopyles, c'est pas un qui, mais un quoi. C'est le passage où le roi Léonidas et ses 300 Spartiates ont repoussé l'armée perse. » M. Daigneault a hoché la tête, retroussé les lèvres, puis a repris son envolée. Ce jour-là, j'ai eu des éloges du bout des lèvres de sa part, mais en fait, j'avais une longueur d'avance pour ce genre de connaissances, parce que mon père nous avait mis en contact avec les classiques dès notre plus jeune âge.

Des années plus tard, quand j'enseignais en Colombie-Britannique, je suis retourné à Brébeuf pour rendre visite à certains de mes anciens professeurs, dont M. Daigneault. Nous avons eu une merveilleuse discussion au sujet d'un changement qu'il avait opéré en fin de carrière. Lui qui avait toujours utilisé une forme de pédagogie rigide, intellectuelle, basée sur un enseignement magistral, était passé à une approche plus moderne, plus axée sur les élèves, comme celle qu'on m'avait apprise sur la côte Ouest. Étrangement, je me suis retrouvé à le rassurer en lui disant qu'en raison de la rigueur et de l'excellence qu'il avait exigées de nous, il avait été un des meilleurs professeurs que j'avais eus, et que son approche exigeante était une des choses que j'essayais de cultiver, même dans un contexte d'enseignement très différent.

Ma connaissance des classiques ne m'a pas empêché de me retrouver dans une situation délicate lors de l'interrogation de fin d'année de M. Daigneault. Chaque élève devait piger au hasard une carte qui indiquait le livre sur lequel il allait être interrogé. J'ai pigé *Robinson Crusoé*. Je me suis dit que ça allait être un jeu d'enfant, puisque j'avais lu le livre de Daniel Defoe plusieurs années plus tôt, comme d'ailleurs la majorité des livres de la liste, et j'ai pensé que je le connaissais si bien que je n'avais pas besoin de le relire pour le cours. Je ne l'ai donc pas relu, et, évidemment, ma paresse juvénile a été démasquée par les questions précises du professeur. J'ai toutefois réussi l'examen, de justesse.

Lorsque nous arrivions dans les années plus avancées, il nous fallait choisir des cours qui allaient nous aiguiller soit en arts soit en sciences. Même si je prévoyais étudier en droit directement après le cégep, je voulais me garder des portes ouvertes et j'ai décidé de prendre à la fois histoire et physique, ce qui était plutôt rare. La physique me fascinait, et c'est toujours le cas, car j'adore comprendre la base du fonctionnement de l'énergie et de la matière, et la façon dont elles interagissent.

Nous avions aussi au programme des travaux qui étaient liés directement à l'actualité politique, comme cette fois où nous devions nous préparer pour un débat sur l'avenir du Québec où on mettait en opposition la souveraineté et le fédéralisme. Le professeur trouvait très amusant de mettre le jeune Trudeau dans le clan des souverainistes. Dans le même ordre d'idée, Christian, le plus brillant des péquistes purs et durs de la classe, allait représenter le clan fédéraliste. J'ai concocté une position fondée sur des arguments que j'avais entendu différentes personnes émettre au fil du temps, mais je savais qu'il me serait difficile de débattre ensuite contre mes convictions personnelles. J'ai fait du mieux que je pouvais et je m'en suis bien tiré mais, en fin de compte, j'ai trouvé que cet exercice a surtout servi à illustrer le fait que lorsque mon cœur n'y est pas, je ne m'en sors pas particulièrement bien. Et mon cœur a toujours été avec l'ensemble des Canadiens.

Au cours du débat, les souverainistes affirmaient que l'indépendance était nécessaire pour que le Québec puisse réaliser tout son potentiel et acquérir le statut et la dignité auxquels il avait droit. En tant que fils d'un fier Québécois francophone qui avait été premier ministre du Canada pendant plus de 15 ans, et vivant à une époque où le pays était dirigé par un autre Québécois, Brian Mulroney, je ne comprenais pas pourquoi les Québécois se sentaient lésés. Il me semblait qu'on pouvait à la fois être fier d'être Canadien et Québécois. En fait, tout ce que je voyais, c'était ce à quoi les Québécois auraient à renoncer en faisant cavalier seul. Sans oublier qu'en se séparant, ils laisseraient tomber les centaines de milliers de francophones qui habitent au Nouveau-Brunswick, au nord de l'Ontario, au sud du Manitoba et dans des centaines de communautés réparties dans tout le Canada. Les arguments économiques irréfutables selon lesquels il n'était pas souhaitable de déconstruire un pays à une époque où l'on tendait plutôt vers une libéralisation des échanges et une ouverture des frontières finissaient de camper ma position. Quels seraient les bénéfices d'une séparation? Les avantages? Pour moi, les arguments en faveur de l'indépendance étaient extrêmement faibles.

Au fond, même du point de vue de la protection de la langue française, j'ai toujours pensé que plutôt que de bâtir des murs pour se protéger, il valait mieux s'ouvrir, partager et rayonner vers l'extérieur pour renforcer son identité.

Cependant, la logique ne fonctionnait pas. C'étaient les années 1980, et chez les jeunes Québécois, l'indépendance était à la mode. Mais il n'y avait pas que des jeunes qui prônaient l'indépendance. Les souverainistes étaient sans doute majoritaires au sein du corps enseignant de Brébeuf. Je dois reconnaître que les professeurs ne cherchaient pas à nous endoctriner avec quelque théorie que ce soit, mis à part notre professeur d'histoire, André Champagne, qui faisait de gros efforts pour nous convaincre qu'il était communiste. Il avait même posé un buste de Lénine dans un coin de la classe et chantait les louanges de l'URSS. Mais plus on testait ses opinions, plus on se rendait compte que c'était en bonne partie du cinéma. M. Champagne aimait aller à contre-courant et remettre en question les opinions des fils de bourgeois à qui il enseignait. Ce n'était pas un rêveur sorti tout droit des années 1930 et cherchant à promouvoir un paradis des travailleurs. Ce qu'il voulait, c'était nous stimuler et nous pousser à examiner et à justifier ce que nous tenions pour acquis dans notre monde capitaliste.

Comme les autres professeurs de Brébeuf, M. Champagne avait un style d'enseignement qui correspondait à celui prôné par l'école, mais il lui arrivait de se lancer dans des joutes oratoires avec ses élèves. Il avait aussi l'habitude de nous lancer gentiment des gommes à effacer si on avait tendance à s'assoupir, un truc que j'ai utilisé plus tard dans mon travail d'enseignant. André Champagne ne m'a jamais convaincu de devenir socialiste. Mais il m'a ouvert l'esprit et m'a persuadé de l'importance de pousser les étudiants à remettre en question leurs idées.

PENDANT MES ÉTUDES À BRÉBEUF, MA VISION DE LA langue a changé. Pour les souverainistes, la langue était une question politique de première importance autant qu'un moyen de communication. Soit on était anglophone, soit on était francophone et, selon le cas, on était une personne avec des valeurs culturelles précises et sans doute des objectifs différents pour le Québec. Jusque-là, je ne m'étais jamais considéré comme un francophone ou un anglophone parce qu'il ne m'avait pas semblé nécessaire de me définir sur ce plan.

À Brébeuf, et au Québec en général, le climat politique faisait en sorte que j'étais plus attentif quant à la langue que je choisissais d'utiliser en fonction de mon interlocuteur ou du sujet abordé. Cette nouvelle conscience me portait à observer les mots qui me venaient à l'esprit ou qui apparaissaient dans mes rêves et à m'analyser quand je parlais. Ces mots sont-ils français? Aurais-je dû choisir des termes anglais? Des décisions que je prenais avant de manière spontanée étaient désormais conscientes.

Étant donné le milieu d'où je venais, on me plaçait avec les élèves les plus avancés pour les cours d'anglais avec tous les garçons qui venaient d'une famille où au moins un des deux parents avait l'anglais comme langue maternelle. Aux yeux de certains élèves, ça faisait de nous des « Anglos ». Peu importe si on parlait tout aussi bien français ou si on venait d'une famille en partie francophone, quand on parlait en anglais sans accent, pour de nombreux élèves de Brébeuf, on était des Anglos.

Je ressentais des affinités avec les autres élèves bilingues, et ce n'est pas un hasard si je me suis fait plusieurs de mes meilleurs amis au sein de ce groupe. Pour ces amis, mon nom de famille n'avait pas d'importance. J'étais simplement

«Justin», un gars de la classe. Bien des années plus tard, ce sont ces mêmes amis qui sont prêts à me dire la vérité toute nue. Tout le monde a besoin d'amis comme ça.

Une fois, j'avais à peu près 17 ans, nous sommes allés manger dans un restaurant chic du centre-ville de Montréal. Comme c'est le cas pour la plupart des choses que font les gars de 17 ans, cette sortie avait pour but d'impressionner des filles. J'ai commandé un canard au vinaigre de framboise et j'ai fait tout un numéro en inspirant profondément pour bien étirer chaque syllabe en passant ma commande. Encore aujourd'hui, mes amis me taquinent en disant qu'il faut «rabaisser le canard à Justin» s'ils ont l'impression que je laisse quelque chose me monter à la tête. Ça me replace toujours les pieds sur terre. Au fil des années, peu importe si j'étais étudiant ou professeur, moniteur de camp de vacances ou chef de parti, ces amis m'ont toujours traité de la même façon. À leurs yeux, je suis et serai «leur» Justin.

J'ai toujours aimé ces deux langues, mais je me suis rendu compte qu'elles étaient très différentes l'une de l'autre, non seulement dans la façon dont elles permettent d'exprimer sa pensée, mais aussi dans la manière dont elles guident la création de la pensée. Pour bien le comprendre, il faut voir la différence qui existe dans la structure des phrases. La grammaire française exige qu'on sache comment une phrase va se terminer avant de commencer à parler ou à écrire, ce qui impose une certaine rigueur dans la façon de s'exprimer. Si une phrase commence comme ceci, elle devra se terminer comme cela. C'est pourquoi tant d'intellectuels français semblent entrer en contact avec leur Proust intérieur, et ce, même lorsqu'ils s'adressent en toute simplicité à un grand public à la télévision.

En anglais, peu importe comment on a commencé une phrase, on peut se rendre à peu près à n'importe quelle conclusion. Au beau milieu de l'élaboration de sa pensée, on peut changer de direction sans enfreindre trop de règles. L'anglais permet un laisser-aller que le bon français n'admet pas. Ce qui explique peut-être pourquoi mon père, qui ne mâchait jamais ses mots pour ce genre de choses, m'a dit un jour qu'il me trouvait plus banal quand je parlais en anglais qu'en français. Bien des années plus tard, j'ai repensé à son commentaire quand j'ai participé à un débat en français à l'Université McGill. À la fin, mes coéquipiers m'ont dit que j'étais bien meilleur pour débattre en français qu'en anglais. Étant donné que ce compliment venait d'anglophones, il m'a paru à double tranchant.

Comme bon nombre de personnes bilingues, j'ai un bouton interne qui me permet de passer d'une langue à l'autre d'une façon qui peut sembler arbitraire. Par exemple, quand j'ai des calculs à résoudre, je les fais toujours en français, parce que tous les cours de mathématiques que j'ai suivis étaient dans cette langue. Quand j'enseignais le français dans l'Ouest canadien, où c'était tout un défi d'intéresser des adolescents de Vancouver à l'étude d'une langue qui leur semblait très éloignée de leur vie quotidienne, j'avais pris l'habitude de souligner les aspects romantiques de la langue française. Ainsi, on dit « Tu me manques », alors qu'en anglais on dit *I miss you*. En français, le sujet de la phrase est la personne à qui on s'adresse, alors qu'en anglais, le sujet est «je», et tout tourne autour de celui qui parle. La différence peut sembler subtile, mais des adolescents bourrés d'hormones comprenaient très bien de quoi il était question.

JE TIENS À PRÉCISER QUE MES THÉORIES SUR LA LANGUE de l'amour ne m'ont pas aidé à me faire une copine au cours de mes premières années passées à Brébeuf. Dans ce rayon, je me suis épanoui plutôt tardivement.

J'ai déménagé à Montréal au tout début de mon adolescence et je me suis retrouvé du jour au lendemain à fréquenter une école de garçons dans une ville où je ne connaissais aucune fille. Quand des filles se sont finalement jointes à nous, pour les dernières années, j'ai compris que les habitudes sociales qui me rendaient populaire auprès des filles à l'âge de 10 ans étaient tout sauf *cool* pour des filles de 16 ans.

Jusqu'en 5ᵉ secondaire, il n'y avait que des gars à Brébeuf. Imaginez un peu : du jour au lendemain, 60 filles venaient s'ajouter à un groupe de 140 garçons. À l'époque où cette décision a été prise, ça devait être vu comme une idée brillante et progressiste, mais de l'intérieur, ça ressemblait davantage à une expérience sociologique planifiée par des scientifiques qui voulaient étudier les habitudes d'accouplement et les stratégies d'avancement au sein d'un groupe d'adolescents.

Je me souviens d'une fille qui s'appelait Geneviève et

que j'avais connue au lycée Claudel, une école française que j'avais fréquentée pendant un an à Ottawa. À l'époque, sans être ma copine, elle était assurément une amie. Quatre années seulement s'étaient écoulées depuis notre dernière rencontre, mais les années entre 12 et 16 ans constituent sans doute la période la plus importante du point de vue du développement de la maturité et de la personnalité. Quand je me suis avancé vers elle, je me suis rendu compte que j'avais perdu toute habileté à communiquer avec des filles. À la seule idée d'avoir à ouvrir la bouche, j'étais terrifié. On peut dire que « je ne l'avais pas ». Et je ne l'ai pas du tout impressionnée, évidemment.

J'ai décidé qu'il me fallait trouver une façon bien à moi d'établir mon identité sociale dans ce nouveau milieu. Quelque chose qui me ferait remarquer et qui montrerait que je n'étais pas un mouton qui suivait le troupeau, et ce, peu importe de quel troupeau il s'agissait. C'est alors que j'ai commencé à porter des bretelles vert fluo, un jean et une cravate avec des flamants roses – sûrement pas la meilleure décision de ma vie. Mon but était d'adopter une attitude ironique, mais je n'y suis jamais tout à fait arrivé. J'aimais aussi me donner en spectacle et j'apportais des balles de jongleur, un ensemble de magie ou un même monocycle (!) pour impressionner mes amis. À l'époque, ça me paraissait très *branché*. Avec le recul, beaucoup moins, mais je trouve encore du plaisir à pédaler sur un monocycle et à jongler !

Et ce qui n'arrangeait rien, ma peau était dans un état terrible. J'avais hérité ce problème de mon père, qui avait vécu la même chose à l'adolescence. En quelques mois, je suis passé du gars qui était, ou qui essayait d'être, bien dans sa peau au gars maladivement complexé. La situation est devenue si grave qu'on m'a prescrit de l'Accutane, un médicament très fort contre l'acné. Mon père, que sa nature stoïque empêchait même de prendre une aspirine à l'époque, n'était pas d'accord pour que je prenne ce médicament. Ça a donné lieu à une nouvelle dispute entre mes parents, que ma mère, à ma plus grande joie, a gagnée. J'ai dû faire le traitement deux fois pour m'en débarrasser.

Aujourd'hui, quand on me complimente sur mon physique, ça me fait plaisir, mais j'ai toujours le sentiment que les gens le font par simple politesse. Ce sont des blessures de mes années d'adolescence à Brébeuf, et j'imagine que c'est assez fréquent chez ceux qui n'aimaient pas leur apparence à l'adolescence.

Jusqu'à l'arrivée des filles à l'école, ce qui rendait un gars populaire à Brébeuf, c'était son talent sportif ou scolaire. Ainsi, le capitaine de l'équipe de hockey se trouvait plus ou moins à égalité avec l'enfant le plus brillant de la classe. Quand les filles sont arrivées, tout a changé. Les bons résultats scolaires ne comptaient plus. Les prouesses athlétiques, l'aisance sociale et le talent comique venaient de prendre énormément de valeur. Les gars qui brillaient par leur intelligence et ceux qui étaient du type boute-en-train étaient laissés de côté. Les règles du jeu avaient changé du tout au tout.

À la même époque, plusieurs cliques se sont formées parmi les gars de Brébeuf. Il y avait ceux qui faisaient partie du club d'échecs, les sportifs, les *jet-set*, etc. Mon groupe se composait des gars bilingues avec qui je m'étais lié au cours de mes premières années à l'école. J'avais quelques qualités qui me permettaient de me joindre occasionnellement à d'autres groupes. J'étais assez athlétique pour être accepté par les sportifs à l'extérieur du terrain de sport, assez brillant pour me joindre à l'occasion aux *bollés* et j'avais assez voyagé pour faire parfois la fête avec ceux qui skiaient en Europe. Mais mes vrais amis – Marc Miller, Ian Rae, Mathieu Walker, Greg Ohayon, Allen Steverman et Navid Legendre – étaient ceux que j'avais rencontrés pendant mes premières années à Brébeuf et n'appartenaient à aucun groupe en particulier.

Notre groupe n'avait pas de véritable leader, il était plutôt la somme de nos différentes personnalités, mais souvent, c'était moi qui arrivais avec un plan ou un projet. J'ai proposé que nous formions un groupe de musique pour un concours d'amateurs organisé à Brébeuf. Je nous ai menés dans des aventures dans des immeubles abandonnés et j'ai même organisé une expédition dans le réseau d'égouts pluviaux d'Ottawa. C'est dans ce groupe de gars avec de fortes personnalités que j'ai appris que pour être un meneur, ne serait-ce que pour de courts moments, il faut des habiletés et des idées, car l'autorité est rarement accordée par les autres.

UNE BONNE PARTIE DE NOS ACTIVITÉS SOCIALES AVAIENT lieu dans la maison de Mathieu Walker, sur l'avenue Marlowe, dans le quartier Notre-Dame-de-Grâce. Les parents de Mathieu ne semblaient pas dérangés par la présence d'un groupe d'adolescents dans leur maison. Et il y avait toujours beaucoup de «cochonneries» à manger chez eux, ce qui rendait leur maison d'autant plus attrayante. (Ironie du sort, Mathieu est aujourd'hui cardiologue.) Quelques années plus tard, la maison de Mathieu est devenue notre camp de base pour nos expéditions dans la vie nocturne de Montréal.

Il m'était toujours possible d'inviter mes amis chez moi, même si ce n'était pas quelque chose que mon père encourageait. Ce n'était d'ailleurs pas si intéressant. Notre maison sur l'avenue des Pins était une demeure art déco austère sur le flanc de la montagne et dont l'entrée se trouvait à l'étage supérieur. L'étage juste dessous était celui de mon père – où personne n'avait le droit d'aller à part lui – et s'y trouvaient sa chambre, son bureau, la bibliothèque et un long couloir décoré de photos et d'autres souvenirs de dirigeants de différents pays. Sous l'étage de mon père se trouvait celui de mes frères et moi, puis il y avait un sous-sol avec un passage souterrain qui menait à la piscine dans une annexe séparée. Et pour ajouter à cette atmosphère peu accueillante, mon père imposait des règles concernant la langue qui devait être parlée à chaque étage. À l'étage supérieur, par exemple, tout se passait en français. S'il nous entendait, mes amis et moi, parler en anglais dans la cuisine ou le salon, il nous réprimandait. Moi qui avais vécu toute ma vie avec cette discipline plutôt arbitraire, je n'y trouvais rien de spécial. Mais pour mes amis, c'était étrange.

La piscine intérieure que mon père avait fait construire comprenait un plongeoir ainsi que des cordes et des anneaux suspendus au plafond qui nous permettaient d'exécuter des tours d'adresse. Sacha, Michel et moi avions un étage à nous où se trouvaient nos chambres et une pièce de séjour. Dans cette partie de la maison, il y avait toujours beaucoup de jeux, de bruit, de disputes et de rires ; bref, une vraie énergie de frères. Même si en vieillissant, nous devenions des personnes très différentes, le lien entre nous était solide et nous étions souvent ensemble pendant notre adolescence. Mais ça n'empêchait pas mes amis d'être surpris par ce qui se passait dans la salle de séjour. La pièce était remplie de sofas et de tapis rembourrés que mon père avait achetés pour nous permettre de nous adonner à notre passe-temps favori : les jeux de bagarre. Nous faisions beaucoup de judo, nous luttions, attrapions des bâtons ou des épées en bois et nous lancions les uns sur les autres d'une manière plus ou moins maîtrisée. Il y avait peu de règles, à part l'interdiction de frapper au visage et de mordre, et dès que quelqu'un se faisait mal, nous arrêtions. La première fois que mes amis nous ont vus nous battre, ils ont été surpris de l'intensité de nos combats. À l'époque, il était déjà clair que Sacha, Michel et moi avions des personnalités très différentes. Nous bagarrer a toujours été notre manière de se mesurer entre nous.

Il arrivait que nos disputes prennent des proportions démesurées. Je me rappelle une fois où nous avions pris la Volvo de mon père pour nous rendre au chalet de ma mère, au lac Newboro. J'étais au volant. J'avais environ 18 ans,

Sacha en avait 16 et Michel, 14. Pour je ne sais quelle raison, nous nous sommes mis à nous disputer pour savoir qui allait commander les vitres de l'auto. C'était idiot, le genre de querelles pour lesquelles seuls des adolescents peuvent s'emporter. Nous nous sommes tellement énervés que je me suis arrêté sur le bord de la route et que nous sommes tous descendus de l'auto pour nous battre, pas par jeu cette fois, mais sérieusement. Michel et Sacha se sont alliés pour me clouer au sol, nous nous sommes engueulés et insultés, puis nous nous sommes suffisamment calmés pour arriver à nous supporter et faire le reste de la route.

Quand nous sommes rentrés à Montréal et que nous avons raconté l'incident à mon père, il est devenu furieux. «Peu importe ce qui arrive, vous devez vous tenir ensemble», nous a-t-il dit avant d'ajouter qu'il ne tolérerait pas d'autre événement de ce genre. Nous avons fait de gros efforts par la suite pour éviter les batailles au bord de la route par égard pour lui.

Ce n'est que lorsque j'ai eu des enfants que j'ai pu comprendre comme il est douloureux pour un parent de voir ses enfants se disputer et pourquoi notre escarmouche l'avait tant dérangé.

En arrivant à Brébeuf, je suis resté un grand adepte de sports. J'ai fait de la crosse, participé régulièrement à des parties de football américain improvisées… J'ai même fait un petit passage dans l'équipe de gymnastique. Mais à Brébeuf, comme partout au Canada, le hockey était le sport par excellence. On pourrait croire que mon père, qui était l'archétype du Canadien amateur de plein air, nous aurait encouragés à mettre nos jambières et à saisir un bâton de hockey quand nous étions encore à la garderie. Ça n'a pas été le cas. Il a toujours mis l'accent sur l'importance de se mettre au défi individuellement, de voir comment on pouvait se débrouiller seul. Il avait aussi décidé qu'il n'allait pas passer des heures à geler, tôt le matin, sur le bord d'une patinoire en regardant un groupe de joueurs de niveau pee-wee aller et venir en patinant « sur la bottine ». Plusieurs des familles de mes amis avaient opté pour le hockey, mais nous avions préféré le ski de fond et alpin, selon le souhait de notre père, et parce que c'était des sports que nous pouvions pratiquer en famille à l'extérieur.

Il y avait autre chose qui déplaisait à mon père dans le hockey. Il n'a jamais aimé subir l'imposition de règles arbitraires, comme celle du hors-jeu, du dégagement interdit et de la passe deux-lignes. Cela heurtait sa sensibilité universaliste. En tant qu'amateur de plein air, il lui semblait plus important de suivre les lois immuables de la nature plutôt que celles imposées par un homme armé d'un sifflet et vêtu d'un maillot rayé. Quand nous avons appris à patiner, c'était sur le canal Rideau, sans rondelle ni bâton de hockey.

Les choses se sont aggravées quand je suis arrivé à l'école avec mon équipement de hockey. Pour un étudiant du niveau secondaire au Canada, posséder un bâton de la marque à la mode est une façon de montrer qu'il est *cool*. J'avais espéré que mon père m'emmènerait dans un magasin d'articles de sports pour m'y acheter un bâton de la bonne marque, ce qui m'aurait permis de m'intégrer aux autres jeunes, et ce, malgré mes pauvres talents de hockeyeur. Mais non, il a préféré sortir de son débarras un étrange bout de bois bleu qu'il avait reçu lors de sa visite d'État en Tchécoslovaquie plusieurs années auparavant. Il m'a assuré qu'il s'agissait bien d'un bâton de hockey, et même que c'en était un bon. J'avais des doutes. Je ne me souviens plus de la marque, mais seulement du fait qu'elle était imprononçable et que les lettres étaient ornées d'accents étranges. Ça n'allait pas me rendre *cool*.

Sur la patinoire de l'école, je me sentais comme le petit gars dans l'histoire de Roch Carrier, *Le chandail de hockey*. Au lieu de porter le mauvais chandail, je maniais le mauvais bâton. Dès que mes amis ont jeté un coup d'œil au bâton, ils ont su que je ne ferais pas partie de l'équipe de hockey de l'école.

La rigueur et les exigences des études à Brébeuf ainsi que l'environnement dans lequel j'ai grandi m'ont énormément apporté. Pourtant, malgré ma bonne éducation, et comme beaucoup de garçons adolescents, mes efforts étaient inégaux. Je travaillais fort dans les cours que j'aimais et, dans ceux qui ne m'intéressaient pas, je faisais le minimum. Quand je m'ennuyais en classe, il m'arrivait d'ouvrir un roman sur mes cuisses pour fuir la monotonie du cours. Je savais que je pourrais obtenir un résultat correct à l'examen et, en général, c'était le cas. Mais je faisais du surf sur la vie. Mes professeurs le savaient, et moi aussi.

Un jour, ma professeure de mathématiques a décidé que c'en était assez. Après avoir vu comment je m'acquittais d'une série de devoirs sans m'appliquer, elle m'a convoqué dans son bureau pour une bonne conversation. «Justin, a-t-elle dit, j'ai observé comment tu faisais preuve de laisser-aller dans chacun de tes cours. Tu es assez intelligent pour t'en sortir, mais tu ne travailles pas assez fort.»

Je me suis mis à penser à autre chose. J'avais entendu plusieurs fois déjà différentes variations sur le même thème, et ses paroles ne m'impressionnaient pas vraiment. Puis, elle a lâché sa bombe.

«Tu sais ce que je crois, Justin?» Elle a fait une pause, sachant très bien que ce qu'elle allait dire allait me piquer. «Je crois que tu penses ne pas avoir à travailler fort à cause de ton père.»

J'avais 15 ans, j'étais en 3e secondaire, et c'était la première fois qu'on me disait quelque chose de ce genre. Je suis convaincu que d'autres professeurs avaient pensé la même chose, qu'ils avaient tourné autour du pot quand ils m'avaient critiqué pour ma paresse, mais personne jusqu'ici ne m'avait ouvertement accusé de faire mes études sur le pilote automatique en me fiant à ma capacité d'absorption, ou à cause de mon nom de famille.

J'ai réagi à son accusation avec colère, et j'ai lâché: «C'est ridicule!»

Sa remarque, qui m'avait paru être un coup bas, m'avait offensé. Mon père avait bien pris la peine de nous inculquer comme principe que le nom Trudeau ne devait pas servir à obtenir du mérite, mais que c'était plutôt un insigne qu'il fallait porter et dont il fallait se montrer responsable. Si la professeure m'avait accusé d'avoir jeté un discrédit sur le nom Trudeau, cela m'aurait peut-être paru raisonnable. Mon père m'avait plusieurs fois fait part de la déception que lui procuraient mes résultats scolaires à Brébeuf. Mais suggérer que je n'avais pas besoin de travailler à cause de l'identité de mon père, eh bien, c'était tout simplement faux.

Cependant, plus je pensais à ce qu'elle m'avait dit, plus je me rendais compte de l'importance de ses paroles, même si j'étais profondément en désaccord avec ce qu'elles suggéraient. J'ai compris alors que même si je n'essayais pas d'exploiter mon nom de famille, il était normal que des gens puissent croire que c'était le cas. Cet échange m'avait bouleversé et avait mis au jour une présomption que je ne pourrais plus ignorer tant que je n'aurais pas au moins essayé de réaliser pleinement mon potentiel.

Par la suite, j'ai terminé mes études à Brébeuf et obtenu deux diplômes universitaires. Pendant toute cette époque, mon manque de constance sur le plan scolaire a préoccupé non seulement mes professeurs, mais moi aussi. J'ai fini par me rendre compte que le problème prenait racine dans quelque chose de plus sérieux qu'une simple tendance à la paresse typique de l'adolescence. Quand j'ai échoué, presque intentionnellement, à mon cours de psychologie expérimentale (le cours était presque exclusivement axé sur la façon de produire des rapports de laboratoire normalisés, et ça m'ennuyait), ça a été un signal d'alarme, et j'ai compris qu'il me fallait m'occuper de certains de mes problèmes.

Je ne souffrais pas d'un déficit d'attention parce que j'étais amplement capable d'avoir une concentration soutenue lorsque je le souhaitais. En fait, j'étais si emballé par les cours qui m'intéressaient que je devenais souvent une sorte d'assistant informel du professeur, aidant les autres étudiants qui avaient des problèmes.

Mon échec au cours de psycho expérimentale a donné lieu à une discussion à cœur ouvert avec mon père dans son bureau de la maison de l'avenue des Pins au cours de laquelle il s'est produit quelque chose d'extraordinaire : il m'est apparu, et je lui ai annoncé, que je n'étais pas comme lui. Toute mon enfance, mon père avait été mon héros, mon modèle, mon guide, mon mode d'emploi pour la vie. Mais quand, croyant que ça m'aiderait, il m'a montré ses bulletins scolaires de Brébeuf, datant des années 1930, où il n'y avait qu'une longue colonne de A, j'ai compris que nous étions deux personnes très différentes et que nous n'avions pas la même approche de la vie.

Il était fier de cette reconnaissance, il était prêt à montrer à tout le monde comme il était intelligent et travaillait avec application pour y arriver. Je m'étais toujours dit que si je me décidais à travailler fort, ce serait pour d'autres raisons qu'une note sur une feuille de papier et l'approbation d'une autorité. Je refusais de faire des pieds et des mains pour faire plaisir aux autres et je détestais la compétition artificielle.

D'autre part, je savais que je me trouvais face à un problème. Je souffrais aussi d'une forme de perfectionnisme vaguement paralysant. Comme lorsqu'on dit que « le mieux est l'ennemi du bien ». Une légère panique s'emparait de moi chaque fois que je me trouvais devant une page blanche, que je me préparais à commencer un travail. L'idée de me lancer dans une dissertation qui ne serait jamais à la hauteur de mes attentes (sans compter celles des autres) me remplissait d'angoisse. Ce qui créait un mécanisme de défense inconscient qui fonctionnait ainsi : si je ne me donnais pas à fond dans un projet, on ne pourrait me juger négativement à la vue de mes résultats. Mon père avait fait des efforts pour atteindre des résultats incroyables et y était parvenu. Moi, j'avais choisi de ne pas en faire autant, ainsi, personne ne pourrait s'étonner que mes résultats soient inférieurs aux siens.

Mon échec au cours de psychologie expérimentale avait tué dans l'œuf tout espoir d'aller à la faculté de droit de McGill directement après le cégep, ce que faisaient tous les meilleurs élèves. Ça avait été un acte de sabotage, peut-être une façon de m'obliger, et d'obliger mon père, à accepter le fait que je n'aurais jamais des résultats scolaires aussi exceptionnels que les siens. Et que son chemin n'était pas le mien.

Je me savais tout à fait capable d'accomplir un bon travail. Chaque fois que j'ai eu à faire un examen normalisé dont l'enjeu était important, comme celui que l'on faisait passer comme test d'admission à Brébeuf, j'avais d'excellents résultats. J'ai obtenu 1400 au test SAT*, ce qui corres-

---

* Scholastic Assessment Test : épreuve que doivent passer les étudiants pour être admis dans certaines universités américaines et qui est reconnue par les universités anglophones canadiennes.

pond au 95ᵉ percentile, que j'ai passé au cégep. Cela suffisait pour que je sois admis à la faculté des arts de l'Université McGill malgré mes résultats scolaires inégaux. Quelques années plus tard, quand, sans trop y penser, j'ai passé l'examen d'admission pour la faculté de droit (LSAT), je me suis classé dans le 98ᵉ percentile.

Je savais donc que j'étais intelligent, il ne me restait plus qu'à trouver ma voie. J'ai alors choisi d'étudier en littérature, car je voulais concentrer mes énergies intellectuelles à quelque chose qui me passionnait : la lecture. Et me donner le temps et les outils pour arriver à mieux me comprendre.

QUAND JE SUIS ARRIVÉ À L'UNIVERSITÉ McGILL, à l'automne 1991, mon groupe d'amis de Brébeuf est resté au centre de ma vie sociale, mais je me suis aussi fait de nouveaux amis sur le campus, dont un qui, encore aujourd'hui, a une place importante dans ma vie.

J'étais à McGill depuis une semaine quand j'ai croisé Jonathan Ablett. Jon et moi avions fréquenté la même école primaire à Ottawa, et nous nous sommes rencontrés sur les marches du pavillon Shatner, situé au cœur du campus de McGill et où se rencontraient la majorité des groupes étudiants. Quand nous avons eu fini de rattraper les années manquées, il m'a demandé si je m'étais fait de nouveaux amis à McGill. J'ai haussé les épaules et lui ai répondu que, puisque j'étais un Montréalais, j'avais déjà pas mal d'amis dans le coin et que je ne cherchais pas à m'en faire d'autres.

En réalité, je ne savais pas comment me faire de nouveaux amis et je n'étais pas sûr de vouloir faire des efforts pour y arriver. Jon a regardé autour de lui, a fait un geste en direction d'un gars aux longs cheveux qui se trouvait tout près de nous et me l'a présenté. Il s'agissait de Gerry Butts, un brillant étudiant qui était vice-président du club de débat de McGill. Aujourd'hui, presque 25 ans plus tard, Gerald n'est pas seulement mon meilleur ami, c'est aussi mon plus proche conseiller depuis que je suis à la tête du Parti libéral du Canada.

À l'invitation de Gerry, je me suis joint au club de débat oratoire. Nous sommes rapidement devenus amis, et j'ai passé l'année qui a suivi à parfaire mon talent et à voyager pour participer à des débats. Ça a été presque un cours en soi : j'ai dû apprendre à réfléchir vite et bien, à trouver le point faible dans l'argumentaire d'un adversaire et à savoir l'exploiter avec logique tout en maniant bien la langue.

J'ai aussi appris que pour participer à des débats entre étudiants universitaires, il fallait avoir tout autant la vivacité d'esprit d'un humoriste que de la logique et de la rhétorique. C'était d'autant plus vrai lorsqu'il fallait débattre de sujets frivoles comme ce qui est mieux entre un bain et une douche ou encore ce qui est mieux entre l'hiver et l'été. Pour ce genre de sujets, les meilleurs orateurs sont ceux qui ont un talent d'humoriste. Il m'a fallu un peu de temps pour bien le comprendre, parce que mon sens de l'humour est plus du style ironique que du genre à faire rire aux éclats. Avec le temps, je me suis familiarisé avec cet art et j'ai ajusté ma façon de m'exprimer.

Ces débats m'ont également offert une fenêtre intéressante sur les enjeux importants dont on discutait beaucoup sur les campus au début des années 1990. Parmi les membres les plus marquants du club de débat de McGill, il y avait des femmes avec une forte personnalité et qui étaient militantes féministes. Je me souviens d'avoir longtemps discuté avec elles autour d'une bière de la possibilité pour un homme d'être réellement féministe. Certaines affirmaient que, par définition, le féminisme exigeait une perspective féminine, alors que moi, j'avançais que l'exclusion des hommes de ce mouvement était contraire au principe égalitariste à la base de la pensée féministe.

Certaines filles qui faisaient partie du club de débat militaient aussi pour l'Association des femmes de McGill et le Centre contre les agressions sexuelles de l'Association étudiante de l'université. Quand j'étais en deuxième année, le centre a commencé à recruter des gars comme porte-parole pour sensibiliser tous les étudiants. Une de mes amies, Mary-Margaret Jones, m'a encouragé à me joindre au projet. Les problèmes vécus par les femmes me touchaient tout particulièrement depuis l'horrible tuerie de Polytechnique, qui avait eu lieu quelques années plus tôt, à quelques pas du Collège Brébeuf. Je commençais aussi à me lasser d'avoir à débattre parfois dans un camp, parfois dans un autre ; j'avais envie de mettre mes talents de communicateur au service de quelque chose d'important.

En plus de sa ligne de soutien téléphonique, le centre contre les agressions sexuelles a créé un groupe de sensibilisation pour rencontrer les étudiants des fraternités et des résidences. J'ai fait partie des premiers hommes qui ont été formés pour se joindre aux militantes comme animateurs de groupes de discussion sur les agressions sexuelles et les viols commis par un proche. Nous utilisions des jeux de rôles et d'autres méthodes interactives pour que les étudiants développent une autre vision des agressions sexuelles. C'était important de présenter ce nouveau point de vue, car de nombreuses personnes croyaient que les viols étaient le fait d'un étranger qui apparaissait de derrière un buisson. Nous devions faire comprendre aux gens que la grande majorité des agressions étaient commises par une personne connue de la victime et qu'elles avaient autant à voir avec le pouvoir qu'avec la sexualité. Nous proposions des méthodes de communication qui aidaient les femmes à gérer les situations avant qu'il y ait usage de violence ou de force et apprenions aux hommes à saisir les messages que les femmes leur envoyaient. Il n'y a pas que «non» qui signifie non. «Je ne suis pas à l'aise avec ça», c'est aussi un non, tout comme «Peut-être que nous devrions retourner à la fête.»

J'aime à penser que notre travail au Centre contre les agressions sexuelles a fini par produire des résultats, si ce n'est sur le plan des institutions, du moins, pour les étudiants. Quand l'administration de McGill a procédé à une embauche quelque peu controversée pour le nouveau poste d'ombudsman responsable des agressions sexuelles, un autre étudiant et moi avons parlé au recteur de l'université de nos préoccupations. J'ai découvert alors à quel point les institu-

tions pouvaient être réticentes à aborder des questions déli-
cates : on nous a remerciés d'avoir exprimé notre point de
vue et poliment ignorés.

Il n'est pas surprenant de voir que mes années à
McGill ont été une époque de grande transformation
pour moi sur le plan social. J'ai pris de l'assurance en ce
qui concerne mon allure physique, me débarrassant de certaines des insécurités qui me suivaient depuis l'adolescence.
J'habitais encore avec mon père, qui avait commencé à relâ-
cher la bride, et je me suis plongé dans les plaisirs et les
périls de la vie sociale d'adulte.

Jusqu'à l'âge de 18 ans, ma consommation d'alcool se
limitait à un verre de vin occasionnel lors des repas en
famille. Mon choix de ne pas boire pendant les années de
secondaire avait fait de moi le chauffeur désigné pour toutes
les fêtes à Brébeuf ; j'étais celui qui disait « je n'ai pas besoin
de boire pour m'amuser », faisant lever les yeux au ciel aux
autres jeunes. Mais c'était vrai. Et ce l'est encore. À part à
quelques rares moments, comme dans les mois entourant la
mort de mon père, je n'ai jamais consommé beaucoup d'alcool. Une bonne bière froide de temps en temps, un verre
de vin avec un bon repas, bref, je ne bois pas beaucoup.

Ceci étant dit, j'ai eu une brève phase où j'ai beaucoup
fait la fête pendant mes études universitaires. Quelques-uns
de mes amis avaient loué un super appartement sur la rue
Émery, à un coin de rue du Théâtre St-Denis, où nous orga-

nisions de grosses fêtes. Un soir, je me suis retrouvé dans un état assez avancé pour enfiler le costume de la mascotte des Martlets de McGill – nom donné à certaines équipes sportives de l'université – et sortir dans la rue. La mascotte est à l'image des trois merlettes qui apparaissent sur l'écu héraldique de l'université. Ça ressemble à des hirondelles rouges sans pattes, et le symbole est qu'elles ne peuvent jamais se poser et doivent être perpétuellement en vol. La mascotte n'est pas qu'un simple oiseau, c'est un oiseau rouge d'une taille démesurée et à l'air furieux. J'ai pensé que de voir un oiseau géant foncer contre les fenêtres qui bordaient la rue, faisant sursauter les clients des cafés de la rue Saint-Denis, ce serait une des choses les plus hilarantes qui soient. Est-il besoin de préciser que ça ne s'est pas très bien passé ? Alors, mes amis m'ont rattrapé, m'ont promis que nous allions tous nous rendre à une fête encore plus *cool*, ont doucement enlevé quelques couches de peluches, ont hélé un taxi et m'ont installé sur le siège arrière en donnant mon adresse au chauffeur.

Quand je suis arrivé chez moi, mon père venait juste de rentrer d'un souper, et il n'était pas trop impressionné par mon état. Le lendemain matin, il m'a fait un sermon sur les dangers de l'alcool, que j'ai écouté jusqu'au bout d'un air grave, ne perdant pas de temps à lui expliquer que de ses trois fils, j'étais le plus raisonnable, et qu'il n'avait pas à s'inquiéter. Mais je n'étais pas en état de discuter.

C'est à peu près à la même époque que j'ai eu ma première copine sérieuse. Nous avons commencé à sortir ensemble quand nous étions encore à Brébeuf, et nous avons continué à l'université à fréquenter le même groupe d'amis. Avec toutes les nouvelles personnes que je rencontrais, ça me faisait du bien parfois de ne pas avoir à penser à mon nom de famille et à l'effet qu'il avait sur les gens quand je le disais pour la première fois. Je dois avouer qu'il m'arrivait, lorsque je rencontrais quelqu'un de nouveau, de glisser rapidement sur mon nom de famille. Je voulais avoir le temps de faire bonne impression grâce à ma personnalité avant que les gens n'entendent le nom de « Trudeau ».

Parfois, ça nécessitait un peu d'improvisation de ma part. Ma copine étudiait à Concordia, et je l'avais accompagnée à la soirée de sélection de leur club de débat, comme je venais tout juste de me joindre à celui de McGill. Le débat était autour d'une résolution pour la démolition du Stade olympique et l'utilisation de ses matériaux pour construire un pont entre le Québec et Terre-Neuve. Quand est venu mon tour de prendre la parole, j'ai dit que je m'appelais Jason Tremblay. C'était assez excitant : personne ne me connaissait, il ne pouvait y avoir de conséquence puisque je ne comptais pas faire partie du club de Concordia, et je pouvais parler sans que personne n'ait d'attentes vis-à-vis de ma performance. Personne dans la salle n'avait d'opinion sur moi. Peut-être que c'est cette absence de pression qui m'a permis de faire une bonne prestation. J'ai affirmé sans trop de sérieux que le pont était une bonne idée, puisque ça permettrait de bloquer le courant du détroit de Belle Isle, ce qui dévierait sûrement le Gulf Stream en direction du Canada et créerait un climat plus méditerranéen sur la côte Est. «Pensez-y un peu, ai-je dit, de l'huile d'olive de la Nouvelle-Écosse!»

À la fin de la rencontre, les organisateurs sont venus vers moi et m'ont demandé de me joindre à leur groupe. J'ai secoué la tête avec regret: «Je n'étudie pas à Concordia, ai-je dit, et, en passant, je ne m'appelle pas Jason Tremblay.» Je n'avais pas vraiment voulu cacher mon identité, mais j'ai trouvé agréable de m'en éloigner pour un court moment.

Il m'est arrivé une autre fois seulement de donner un faux nom. C'était quelques années plus tard, quand j'ai commencé à faire de la boxe dans l'est de Montréal, au Club Champion. Même dans les meilleures circonstances, c'est toujours un peu intimidant d'arriver dans un club de boxe pour s'y inscrire, et j'avais trouvé plus facile de m'inspirer du nom de fille de ma mère et de signer Justin St-Clair. C'était un endroit où l'ambiance était dure et où le fait d'être le fils d'un ancien premier ministre ne m'aurait pas rendu populaire, si ce n'est comme *punching bag*. Et puis, je préférais être d'abord connu pour mes habiletés et mes efforts, et non pour mes origines.

Après environ un an, mon entraîneur, Sylvain Gagnon, m'a dit qu'il avait deviné mon vrai nom, mais à ce moment-là, j'étais considéré comme un membre sérieux du club, et ça n'avait plus d'importance. C'est comme ça que je voulais que ça se passe: que les gens apprennent d'abord à me connaître, parce qu'après, s'ils apprenaient mon nom, ça ne changeait pas grand-chose.

Il arrivait aussi que des gens soient fascinés par mon nom de famille et qu'ils essaient de se joindre à mon cercle d'amis pour les mauvaises raisons. Je me suis accoutumé à ce genre de choses et j'ai développé un sixième sens qui me sert encore aujourd'hui. Sophie a aussi le meilleur des instincts quand il s'agit de saisir les gens qui nous entourent.

Que la réaction des gens à mon nom soit bonne ou mauvaise m'importait peu, je n'aimais pas qu'ils aient des attentes envers moi avant même d'avoir entendu ce que j'avais à dire dans un débat ou vu ce que je pouvais faire dans un ring de boxe. Dans l'une ou l'autre situation, certains de mes adversaires pouvaient chercher à m'épargner ou, au contraire, à tout faire pour me mettre au tapis. J'ai découvert que cette prudence pouvait servir dans toutes sortes d'occasions. Quand je rencontrais des gens dans des contextes sociaux, mon instinct me poussait à montrer une forte personnalité, soit pour me définir avant que les gens ne connaissent mon nom, soit pour balayer (ou du moins affaiblir) tout préjugé qu'ils pourraient avoir à mon égard s'ils le connaissaient déjà.

Je n'étais pas le seul à devoir vivre avec le défi que représentait le fait d'être «un Trudeau». Ça affectait également mes deux frères et, comme notre attitude envers notre nom était à l'image de notre relation avec notre père, ça faisait ressortir nos différences. Sacha, qui s'efforçait de suivre l'exemple de mon père comme intellectuel austère, prenait bien garde de protéger sa vie privée. Michel s'est rebellé contre l'influence intellectuelle de mon père et a tout fait pour vivre dans un anonymat presque total. D'abord, dans les camps de vacances, il se faisait appeler Mike, ensuite il est allé faire ses études de premier cycle à l'Université Dalhousie, et finalement, il a choisi d'aller vivre dans l'Ouest. Je me trouvais quelque part entre les deux. Faire partie de la famille Trudeau était une source de grande fierté, mais je voulais aussi qu'on me juge sur mes propres mérites, qu'on considère que j'étais quelqu'un dont le tempérament et l'orientation intellectuelle n'étaient pas automatiquement les mêmes que ceux de son père.

Il est arrivé quelques fois que mon passé et mon nom de famille soient la cause d'incidents comiques et surréalistes. Il y a ce jour, lors d'un voyage à Paris, où j'ai amorcé une discussion sur le boulevard Saint-Michel avec un professeur américain à la retraite qui s'était fait connaître pour ses traductions en français des poèmes de Robert Frost. C'était un personnage intéressant et remarquable qui, lorsque j'ai mentionné que je venais du Canada, s'est mis à s'extasier à propos «de ce merveilleux premier ministre que vous aviez dans les années 1970 et 1980, celui qui avait une splendide épouse qui l'a largué.»

Je n'ai pu résister. J'ai dit: «Vous parlez de maman?»

Un événement encore plus drôle s'est produit en 1992, quand mon père et moi sommes partis huit jours en rafting sur la rivière Tatshenshini, au Yukon, et dans le nord de la Colombie-Britannique. L'objectif de notre périple était d'éveiller les consciences aux dangers que représentait une mine de cuivre pour l'environnement de la région.

Papa et moi devions nous retrouver à Whitehorse. Je suis arrivé quelques jours plus tôt, prévoyant faire un peu de tourisme seul. J'y ai rencontré un groupe de gens venus en ville pour un rassemblement de motocyclistes et je me suis rapidement lié d'amitié avec eux. C'étaient tous de bons gars, même si physiquement, ils ressemblaient tout à fait à l'image qu'on peut avoir de motards un peu rustres qui s'apprêtent à rouler des milliers de kilomètres sur deux roues pour le simple plaisir de la chose. Celui dont je me suis le plus rapproché, c'était un certain « Big John » qui possédait un magasin de Harley Davidson près de Pittsburgh, en Pennsylvanie. Quand nous nous sommes présentés, je n'ai pas dit à Big John et à ses amis mon nom de famille. Comme ils étaient américains, je me disais que de toute façon, ça ne changerait rien pour eux.

Quand mon père est arrivé en ville quelques jours plus tard, nous sommes allés ensemble dans un bar bondé de Whitehorse. Comme nous nous dirigions vers notre table, j'ai entendu une grosse voix crier au loin : « HÉ, TOI ! On ne veut pas de monde de ton genre par ici. » C'était Big John qui gueulait dans notre direction de sa table, feignant la colère. J'ai jeté un coup d'œil vers lui et je l'ai vu sourire de sa blague. Mon père, quant à lui, était devenu raide comme un piquet, croyant que nous étions sur le point de nous faire attaquer verbalement (ou pire) par un électeur qui nourrissait des rancunes contre lui depuis des décennies.

Je l'ai mené jusqu'à Big John et ses amis et, quand il a compris que les cris s'adressaient à moi, il a pris la situation avec humour. Aussi sérieux qu'il pouvait paraître, il savait accepter le rôle de faire-valoir.

Quand nous sommes rentrés, mon père a raconté des détails du voyage à ma mère, puis a ajouté : « Tu sais, je ne m'en étais jamais rendu compte, mais Justin peut être très doué avec les gens. »

Au cours de mes études de premier cycle en littérature anglaise, j'ai lu des centaines de livres, écrit de nombreuses rédactions sur des auteurs aussi variés que William Blake, Aldous Huxley et Wallace Stevens, et j'ai, de manière générale, découvert les vastes horizons intellectuels d'une formation en arts.

Cela a aussi été une époque où j'ai soutenu et écarté différentes positions et idéologies politiques. Beaucoup de jeunes hommes et femmes se cherchent ainsi, vers le début de l'âge adulte, quand ils arrivent à l'université avec un état d'esprit idéaliste. Ils se mettent aussitôt à chercher des réponses à de grandes et graves questions comme *Quel est le sens de la vie ? Comment pouvons-nous bâtir une société meilleure ? Qu'est-ce qui entrave la justice sociale ?* Cette quête mène de nombreux étudiants intellectuels vers des idéologies totalisantes comme le marxisme dogmatique ou la théorie de l'objectivisme d'Ayn Rand.

J'étais tout aussi curieux que les autres étudiants à propos de ces questions, mais je suis toujours resté méfiant envers les mouvements sectaires et réductionnistes. Mon père adorait cette phrase de Thomas d'Aquin : *Hominem unius libri timeo* – «Je me méfie de l'homme d'un seul livre». J'ai fait mienne cette pensée, et chaque fois qu'un camarade de classe ou un ami essayait de me convaincre que les réponses aux grandes questions ou à des enjeux politiques importants se trouvaient dans le *Manifeste du Parti communiste*, *La Grève* ou dans quelque philosophie à pensée unique, j'étais sur mes gardes. Une des leçons que j'ai retenues de mon père, c'est que le monde est beaucoup trop complexe pour qu'il puisse tenir dans une seule idéologie qui engloberait tout. J'ai été en contact avec toutes sortes d'influences politiques sur le campus, mais à la fin de mes études, j'étais toujours le même homme modéré et ouvert d'esprit qu'à mon arrivée.

CE QUI A LE PLUS ÉVOLUÉ AU COURS DE MES ANNÉES UNI-versitaires, c'est ma vision du Québec, du fédéralisme et de la nature profonde du Canada.

J'avais entendu mon père décrire l'atmosphère politique qui régnait au Québec quand il était jeune et j'étais étonné des grandes différences qu'il y avait entre son époque et la mienne. Au cours des années 1940-1950, le nationalisme québécois était une grande force, cependant, il n'était pas lié à la souveraineté telle qu'on la perçoit maintenant, mais à quelque chose de très différent. Dans les jeunes années de mon père, l'élite politique et religieuse québécoise cherchait à protéger le caractère catholique et français de la province dans une Amérique du Nord en majeure partie protestante et anglophone. En gros, on cherchait surtout à conserver une société formée de cultivateurs et de bûcherons, sur laquelle veillait un petit cadre d'avocats, de curés, de médecins et de politiciens. L'argent et les affaires, on laissait ça aux «Anglais».

Cette situation est évidemment devenue intenable et, vers la moitié du XXᵉ siècle, des penseurs, des artistes, des auteurs (mon père faisait partie du lot) ont donné naissance à la Révolution tranquille, faisant de l'éducation, de l'urbanisation et de la laïcité les fondements du Québec moderne.

Le Québec a alors commencé à s'affirmer davantage, et le nationalisme qui s'est développé dans les années 1970, et avec lequel j'ai été en contact dans les années 1980 à Brébeuf, s'exprimait surtout par la recherche de plus grands pouvoirs gouvernementaux ainsi que d'une plus grande reconnaissance des particularités linguistiques et culturelles de la province. Le rapatriement de la constitution canadienne par le gouvernement fédéral sans l'accord explicite du Québec a engendré une mobilisation importante qui visait à trouver une façon de redistribuer les pouvoirs et de répondre aux préoccupations du Québec. Les politiciens et les avocats en droit constitutionnel ont cherché à pondre une sorte d'entente constitutionnelle, et cela a donné lieu, en 1987, à l'échec de l'Accord du lac Meech.

La campagne référendaire de 1992 en lien avec l'Accord de Charlottetown a coïncidé avec ma deuxième année à McGill et a scellé mon engagement dans la politique canadienne.

Une poignée de fédéralistes canadiens, dont faisait partie mon père, se sont opposés à cet accord en bonne partie parce qu'il leur apparaissait comme une capitulation face aux demandes croissantes du Québec. Dans la première partie, il était question d'amender la constitution canadienne de manière à stipuler que «le Québec forme au sein du Canada une société distincte». On y déclarait aussi que «la législature et le gouvernement du Québec ont le rôle de protéger et de promouvoir la société distincte». Au point 21, le Québec obtenait la garantie d'avoir au moins 25 % des sièges à la Chambre des communes, et ce, peu importe l'évolution de la population.

Je me suis toujours considéré comme un fédéraliste canadien. Comment est-ce qu'il aurait pu en être autrement? Mais au début des années 1990, cette étiquette ne suffisait pas parce que les différentes propositions de réformes nous forçaient tous à réfléchir à ce à quoi devrait ressembler la structure fédérale idéale. Pendant que se déroulait le débat au sujet de l'Accord, je me suis mis à étudier de près le document. Quand j'ai eu fini de marquer presque toutes les pages avec un surligneur, j'avais compris que les problèmes de cet accord n'étaient pas seulement liés au Québec. Ils concernaient une longue liste de concessions faites aux provinces, avec très peu en contrepartie pour le gouvernement fédéral. Pour moi, c'était ça, le principal enjeu. Je ne suis pas, et n'ai jamais été, un de ces fédéralistes qui croient qu'Ottawa devrait mettre son nez dans toutes les sphères de la politique. Mais cet accord aurait trop fait pencher la balance en faveur de la décentralisation, définissant les subventions que le fédéral devrait verser pour toutes sortes de programmes tout en limitant la capacité du gouvernement canadien d'imposer des normes nationales. Il y avait trop de détails qui clochaient.

Voici quelques exemples de points qui me dérangeaient : à l'article 38 de l'Accord, il est prévu que le gouvernement canadien acceptera d'abandonner son pouvoir de désaveu, qui permet au gouvernement fédéral de révoquer une loi provinciale qui irait à l'encontre d'objectifs nationaux. Et, à l'article 39, il est dit qu'Ottawa perdrait son pouvoir déclaratoire de classer certains secteurs d'activité, comme le contrôle d'une ressource vitale, comme étant de compétence fédérale. Il n'y avait rien de mal à proposer ces concessions, et elles étaient tout à fait défendables du point de vue des provinces, surtout qu'on ne s'est pas servi ni de l'une ni de l'autre dans les dernières années. Mais chaque fois qu'il était question de concessions de ce genre, je revenais avec la même question : *Qu'obtiendrait Ottawa en retour ?* Ce côté de la balance me semblait vide.

À mes préoccupations s'est ajoutée la frustration quand j'ai découvert que beaucoup de gens qui soutenaient cet accord admettaient ne l'avoir jamais lu, du moins pas avec la minutie dont j'avais fait preuve et qui me semblait essentielle. Je me souviens avoir reçu un dépliant en faveur de l'Accord des mains d'un étudiant de McGill membre des jeunes progressistes-conservateurs, qui cherchaient activement des appuis sur le campus. Après avoir lu le dépliant, j'ai demandé au jeune militant pourquoi lui et ses amis n'offraient pas aux étudiants le texte de l'Accord. Il a balayé ma remarque du revers de la main en affirmant que les points qui apparaissaient dans le dépliant étaient tout ce que les gens avaient besoin de savoir. Pourquoi devraient-ils lire tout ce document complexe alors qu'on avait pris la peine d'en ressortir pour eux les principaux éléments? Parce que, lui avais-je répondu, les gens étaient en train de prendre position sur une question qui allait influencer l'avenir du pays sans prendre la peine de s'informer de ce à quoi ressemblerait cet avenir. Et c'était impossible de résumer la question en une douzaine de points.

Cette année-là, j'ai été un véritable casse-pieds à McGill, me promenant partout sur le campus avec un exemplaire du texte de l'Accord de Charlottetown aux pages cornées, discourant devant mes amis au sujet de telle ou telle autre disposition. J'aimerais pouvoir dire que j'ai fait changer d'avis plusieurs personnes, mais la vérité, c'est que la majorité des gens avaient une position fondée sur leur affiliation politique. Les partisans des progressistes-conservateurs de Brian Mulroney étaient généralement pour l'Accord, alors que ses opposants étaient plutôt sceptiques. En fait, les partisans et les adversaires de l'Accord se départageaient en fonction de plusieurs critères. Les fédéralistes de l'Est soutenaient l'Accord, mais les partisans de Preston Manning et du Parti réformiste le rejetaient à cause du traitement préférentiel offert au Québec. (Ils n'aimaient pas non plus la portée des dispositions en vue de réformer le Sénat, ce qui montre à quel point c'est trop souvent du pareil au même en politique.)

Les souverainistes luttaient eux aussi contre Charlottetown, de sorte que certaines personnes ont mal compris la nature de ma position. Que conclure du fait que les péquistes et moi étions opposés au même projet ? Avais-je autre chose en commun avec les indépendantistes ? Je me rappelle une fois où le réalisateur d'une tribune radiophonique m'avait raccroché au nez parce qu'il refusait de croire que quelqu'un qui se disait fédéraliste puisse participer à un débat en ondes et y défendre une opinion contre l'Accord. En désespoir de cause, je me suis mis à porter un t-shirt sur lequel était écrit : *Mon Non est un Non fédéraliste*.

Finalement, l'Accord de Charlottetown a été rejeté au référendum d'octobre 1992 par 54 % contre 46 % des voix. Au Québec, le Non a obtenu 57 %, et le Oui 43 %. Les quatre provinces de l'Ouest ont rejeté l'Accord. J'étais content du résultat. Cette occasion de plonger dans un débat politique important, de rassembler les meilleurs arguments en faveur de ma position, de défendre celle-ci avec passion s'est avérée une expérience enivrante pour moi. Cet épisode de ma vie a précisé mes sentiments envers le Canada et mon désir de protéger ce qui constituait sa force, sa distinction et sa cohérence politique. Les mois que j'avais passés à me promener avec une copie très usée de l'Accord, prêt à discuter de ses défauts avec quiconque souhaiterait engager un débat avec moi, ont marqué une étape importante dans mon parcours vers la vie politique.

Trois ans plus tard, j'étais pris, comme tout le monde,

par une autre campagne politique. Cette fois, l'enjeu était plus important que quelques amendements à la constitution : il était question d'une possible dissolution du pays.

C'était en octobre 1995, et les Québécois devaient voter pour la deuxième fois à un référendum provincial. Si le Oui l'emportait, la province aurait le soutien de la majorité de ses citoyens pour négocier une séparation du reste du pays. Quand les sondages menés une semaine avant la tenue du vote ont montré que les souverainistes avaient une chance de l'emporter, plusieurs de mes amis et moi avons eu peur d'être en train de vivre les derniers jours du Canada tel qu'il existait.

Je me rappelle avoir été révolté par la façon dont les partisans du « Oui » utilisaient la propagande et la démagogie pour vendre leur idée. J'avais l'impression qu'ils ne se rendaient pas compte de la gravité de leur proposition. Quand on souhaite créer un nouveau pays, il faut avoir un soutien marqué de la population. Il ne faut pas avoir à faire preuve de ruse ni à enjoliver les choses, parce que les inévitables défis qui se présenteront durant la phase de transition nécessiteront un soutien sans faille de la population. Étant donné qu'un nouveau pays rencontre forcément de nombreuses difficultés, les gens doivent sentir que ça en valait la peine. Et il m'apparaissait qu'une éventuelle victoire du oui, avec une faible majorité obtenue grâce à la désinformation, aurait mené directement au soulèvement et au désordre.

Trois jours avant la date du référendum, mon ami Ian Rae et moi nous sommes joints à une foule estimée à une centaine de milliers de personnes pour prendre part à la

«Marche pour l'unité» qui demeure, encore aujourd'hui, le plus gros rassemblement politique de l'histoire canadienne. D'immenses drapeaux avec des feuilles d'érable flottaient partout, et la Place du Canada était envahie par des partisans du «Non». Souhaitant avoir la meilleure vue possible, Ian et moi nous sommes dirigés vers la tour CIBC et avons grimpé dans un échafaudage pour nous rendre à la terrasse du deuxième étage de l'immeuble. Si on regarde la célèbre affiche géante faite à partir d'une photo de l'événement prise en plongée, on peut nous voir près des deux tentes blanches des médias sur la terrasse de la tour. Ça a été un moment très émouvant de me trouver ainsi entouré d'un si grand nombre de Canadiens, et ça m'a aidé à apaiser mes nerfs fédéralistes à vif.

Le soir du référendum, mes frères et moi avons regardé les résultats à la maison avec notre père (il avait alors adouci sa position anti-télévision). Le clan du Non a gagné par une très faible marge, avec seulement 50,58 % pour l'option fédéraliste contre 49,42 % pour le «Oui», ce qui constituait une différence d'à peine 54 288 votes. Pendant toute la soirée, mon père est resté étonnamment imperturbable, et quand les résultats officiels ont été annoncés, il a hoché la tête, a dit «bon» et est allé se coucher.

Mais là, il y avait vraiment de quoi célébrer. J'ai retrouvé mes amis dans un bar de la rue Metcalfe. Quand nous sommes arrivés, nous avons entendu des rumeurs selon lesquelles des groupes souverainistes planifiaient d'envahir les rues de la ville, de la rue Atwater, à l'ouest, jusqu'au parc

Maisonneuve, à l'est. La rumeur n'était pas fondée. Si les péquistes et leurs partisans avaient vraiment planifié une protestation, ils en avaient sans doute été découragés par les policiers antiémeutes attroupés dans le centre-ville. Leur présence menaçante avait renforcé notre sentiment qu'on venait d'éviter un résultat désastreux.

BIEN DES ANNÉES PLUS TARD, IL M'ARRIVE ENCORE DE repenser à cette journée de temps en temps et d'imaginer comment notre pays aurait changé si à peine quelque 27 145 partisans du «Non» avaient choisi le camp des souverainistes. Le Canada n'existerait probablement plus. Et quel message aurions-nous envoyé au reste du monde? Si même un pays aussi respectueux de la diversité que le nôtre n'avait pas réussi à concilier ses différences, quel espoir le reste du monde aurait-il eu de s'entendre?

Encore aujourd'hui, c'est cette question qui me motive à aller de l'avant.

CHAPITRE TROIS

Un voyage vers l'Est,
un départ vers l'Ouest

———

APRÈS AVOIR OBTENU MON DIPLÔME DE McGILL, en 1994, je me suis retrouvé à la croisée des chemins. J'avais 22 ans et un baccalauréat en littérature anglaise en poche. Comme à Brébeuf, mes études universitaires avaient été ponctuées de quelques difficultés sur le plan des résultats. Cela dit, mes notes au baccalauréat étaient assez bonnes pour que plusieurs options s'offrent à moi pour la suite.

J'avais choisi de faire mes études de premier cycle en littérature pas seulement à cause de mon amour de la lecture, mais aussi parce que c'était une façon de garantir que j'allais continuer mes études. Si c'était un très bon premier diplôme universitaire, ça ne pouvait pas être le dernier. Le problème, c'était que je ne savais toujours pas en quoi continuer mes études.

Voyant probablement le problème venir, j'avais planifié, avec quelques-uns de mes amis de Brébeuf, un voyage pour l'année suivant notre baccalauréat. Jusque-là, j'avais visité plus de 50 pays, principalement avec mon père, mais c'était enfin une occasion que ça me serve. J'ai mis quelques trucs dans mon sac à dos (c'est incroyable le peu de choses dont on a réellement besoin lorsqu'on a compris que c'est impossible d'apporter tout ce qu'il faut pour vivre quatre saisons sur trois continents) et j'ai traversé l'Atlantique.

J'ai passé l'été en France, en bonne partie seul, voyageant de la Provence à la Normandie, pour finir à Paris. J'y passais la majorité de mes journées dans les musées et les bibliothèques. Maintenant que je me trouvais loin des gens et des choses qui formaient mon environnement naturel, et comme ma timidité m'empêchait de me faire des amis facilement, j'avais beaucoup de temps pour penser à ma vie et à mon avenir.

Je pensais à ce que mon père avait accompli à mon âge : un parcours scolaire incroyable à Brébeuf, une première place à la faculté de droit de l'Université de Montréal, une maîtrise à Harvard, puis d'autres études encore, mais aucun diplôme de la London School of Economics de Londres ou de la Sorbonne. Au cours des années qui ont suivi, il avait voyagé de par le monde, travaillé quelque temps comme avocat, participé à la fondation de la revue *Cité libre*, une revue intellectuelle révolutionnaire pour l'époque qui a contribué à l'avènement de la Révolution tranquille, écrit un ou deux livres, enseigné quelques années le droit constitutionnel, puis, dans la mi-quarantaine, il s'était présenté aux élections. Je m'étais déjà éloigné de la voie qu'il avait suivie, et mon introspection m'avait confirmé que je n'allais pas devenir ce grand intellectuel participant à la vie publique, ni suivre le même chemin sinueux qui avait été le sien.

Ma mère avait obtenu un diplôme en sociologie de la toute nouvelle université Simon Fraser, à Vancouver, puis avait déménagé dans l'est du pays pour ensuite se marier et avoir des enfants avec mon père. Pourtant, si je souhaitais fonder un jour une famille, je savais que je ne voulais le faire ni à un âge aussi avancé que mon père, ni à un aussi jeune âge que ma mère.

C'est un jour de cet été-là, pendant que je réfléchissais tranquillement sur une colline, que j'ai décidé de ce qu'allait être ma prochaine étape : j'allais devenir enseignant. Ce serait ma façon d'avoir un apport positif dans le monde. J'allais ainsi réunir toutes mes forces : ma capacité d'apprendre, de partager et de comprendre les gens. Ce qui était important pour moi, c'était que tout ça m'appartenait ; ce serait l'occasion de me libérer de ma famille et de notre passé.

Tout excité, j'ai appelé au Canada pour annoncer que j'avais eu une révélation. Ma mère partageait mon enthousiasme : « Justin, c'est merveilleux. Tu sais que tu descends d'une longue lignée d'enseignants, en Écosse. »

Tant pis, ai-je pensé, au moins ça faisait une cassure avec le passé familial récent. Ayant décidé de retourner aux études à l'automne suivant à la faculté d'éducation de l'Université McGill, je pouvais maintenant me concentrer sur l'année que j'allais passer à voyager.

En septembre, j'ai retrouvé à Londres trois de mes meilleurs amis, Mathieu Walker, Allen Steverman et Marc Miller, et nous nous sommes lancés dans une merveilleuse aventure. Nous nous sommes joints à un groupe hétéroclite formé de Britanniques, de quelques Australiens et d'un Finlandais pour une expédition par voie terrestre en Afrique. Nous avons traversé la France et l'Espagne en quelques jours, campant derrière les aires de repos des autoroutes, impatients de quitter le sol européen. Nous avons appelé nos familles une dernière fois de Gibraltar, puis nous sommes montés à bord d'un traversier qui se rendait au Maroc.

Le Maroc, c'était les médinas de Fès et de Marrakech, les randonnées dans les montagnes de l'Atlas et la cueillette de moules pour déjeuner dans les rochers du Sahara occidental, là où le désert rejoint l'Atlantique. Nous avons ensuite traversé une partie dépeuplée du Sahara jusqu'en Mauritanie, où je me souviens surtout d'avoir eu à pousser notre camion dans les dunes, d'avoir été atrocement malade après avoir mangé des restes de salade de thon, d'avoir pris un grand plaisir à manger des plats coréens chez un pêcheur où nous avions atterri par hasard et de ne pas avoir réussi à cacher nos dernières caisses de bière aux yeux des douaniers.

J'étais content de passer de l'Afrique du Nord à l'Afrique

de l'Ouest. Le Mali était un pays accueillant avec une grande diversité mais, aussi, un côté dangereux. Matt s'est fait agresser et asperger de poivre de cayenne à Bamako, on lui a pris quelques dollars, mais rien de plus. Marc a vaincu l'homme fort du village au tir au poignet après une randonnée dans les ruines d'une ancienne civilisation. Nous avons également visité une communauté quasi abandonnée où on nous a montré un arbre sous lequel, il n'y a pas si longtemps, on sacrifiait des enfants dans le cadre de cérémonies religieuses.

Nous avons continué vers le Burkina Faso, la Côte d'Ivoire, le Ghana, le Togo et le Bénin. Encore une fois, des pays de contrastes avec des paysages magnifiques, des gens accueillants, mais où on a aussi été en contact avec des facettes de l'horreur de l'Histoire, comme les forts négriers depuis lesquels on envoyait outre-Atlantique des millions d'Africains condamnés à une vie de servitude, et des excès actuels comme cette cathédrale vide plus grande que Saint-Pierre de Rome et un palais présidentiel avec des douves remplies de crocodiles.

À la fin décembre, nous sommes arrivés à la frontière du Nigéria d'où nous avons entrepris la deuxième partie de notre voyage. Nous avons pris un vol de Cotonou à Helsinki, avec escale à Malte et à Moscou. Marc est rentré à Montréal pendant que le reste de la troupe et moi avons fait une demande de visa à l'ambassade de Chine. Nous sommes restés quelque temps dans le studio d'une tante de notre compagnon de voyage finlandais à Helsinki, où nous avons fêté Noël. Au Nouvel An, nous traversions les steppes à bord du Transsibérien.

Ça a été une autre expérience inoubliable, malgré la mauvaise qualité de la nourriture et du service à bord. Il faut dire que la chute de l'URSS, qui n'était réputée ni pour sa gastronomie ni pour son service à la clientèle, était encore récente, et que l'idée de répondre aux attentes des clients demeurait un concept extraterrestre.

Au moment où nous avons fait ce voyage, le train était rempli d'étudiants chinois qui rentraient chez eux pour les vacances du Nouvel An. J'ai passé une bonne partie de la semaine à admirer le paysage, à dessiner des croquis et, puisque c'était de circonstance, à lire *Guerre et Paix*. La veille du Nouvel An, le conducteur du train, désireux de pratiquer son anglais tout à fait fonctionnel, nous a invités à boire de la vodka russe en grande quantité et à discuter de l'état du monde. Si le récit de ses années en Afghanistan dans les rangs de l'armée soviétique était impressionnant, son racisme envers les autres passagers l'était beaucoup moins. Quand le soleil s'est levé, le 1er janvier 1995, j'ai fait la promesse solennelle de ne plus jamais boire de vodka et je l'ai tenue.

Le voyage s'est terminé par un trajet sur une ligne secondaire jusqu'à Beijing, à 9 000 kilomètres de Moscou. De là, nous avons exploré Shanghai, Hong Kong, Hanoi, Bangkok et quelques destinations intermédiaires, en terminant notre périple par la magnifique île thaïlandaise de Ko Samui, où mon père nous avait emmenés, mes frères et moi, quelques années plus tôt. Comme souvenir de ce voyage, je me suis fait tatouer un globe terrestre sur l'épaule gauche par un artiste local.

C'est vers la fin du printemps que j'ai commencé mon voyage de retour. Je me suis d'abord arrêté à Vancouver, pour rendre visite à la famille de ma mère, puis à Whistler, où Michel vivait et travaillait à l'époque. Mon retour au Canada m'a porté à réfléchir à toute cette année passée loin du seul pays que je considérais comme le mien.

Il est impossible de ressortir inchangé d'un tel voyage, et je n'ai pas fait exception à la règle. Comme la plupart des Canadiens qui ont la chance de voyager à l'étranger, je suis revenu avec le sentiment très fort que les qualités de notre pays en faisaient un endroit unique. Je ne pouvais détailler chaque expérience et dresser la liste de ses incidences sur ma vision des choses. C'était plutôt un changement global, qui m'a convaincu de la nécessité de comprendre les gens de différentes origines et de voir que l'humanité que nous avons en commun peut atténuer les différences si on choisit de voir les choses sous cet angle. Ça m'a mené aussi à la conclusion assez évidente que les communautés où les gens sont ouverts à la différence, aux autres, sont plus heureuses et plus dynamiques que celles qui sont plus bornées et fermées.

L'incroyable diversité avec laquelle j'ai été en contact pendant mon voyage d'un an en Orient m'a fait remarquer ce que je tenais pour acquis auparavant. Partout où j'allais, il y avait une population locale et elle constituait la majorité. Et toutes les minorités, que ce soient les Nord-Africains à Paris, les expatriés européens au Burkina Faso, les Libanais propriétaires de supermarchés en Côte d'Ivoire, les étudiants chinois en Russie, les Australiens en Thaïlande, ou même les tribus ou les minorités culturelles qui forment une grosse tranche de la population de leur pays, sont considérés comme « les autres », une exception à la normalité, à l'identité nationale.

Ici, notre identité canadienne moderne n'est plus basée sur l'ethnie, la religion ou un espace géographique. Les Canadiens sont de toutes les couleurs, de toutes les cultures et croyances, ils continuent de célébrer leur diversité et de s'en réjouir. Nous avons su créer une identité nationale basée sur des valeurs communes comme l'ouverture, le respect, la compassion, la justice et l'égalité. J'ai visité près de 100 pays au cours de ma vie, et bon nombre de ceux-ci aspirent à ces valeurs. Le Canada est à peu près le seul endroit qui se définit par celles-ci. C'est pourquoi notre pays est un des seuls à être fort non pas malgré ses différences, mais grâce à elles.

Au cours de l'été et de l'automne suivants, que j'ai passés à Montréal chez mon père, j'ai eu l'occasion de connaître un peu plus ma demi-sœur, Sarah. Sa mère, Deborah Coyne, était une avocate constitutionnaliste et une bonne amie de mon père.

J'ai vu Sarah quelques fois quand elle était bébé, et j'ai été ravi de la rencontrer encore quand elle est devenue une jeune fille alerte et intéressée. Honnêtement, c'était un vrai plaisir de voir mon père, à près de 80 ans, porter Sarah sur ses épaules comme il l'avait fait avec mes frères et moi quand nous avions son âge. En septembre 2000, quelques jours avant la mort de mon père et après sa dernière visite avec Deborah, j'ai emmené Sarah faire de l'escalade, une activité que mon père aurait adoré me voir faire avec elle.

Après les funérailles, nous avons malheureusement perdu contact. Cela dit, je demeure fier de ma demi-sœur et j'espère sincèrement que nous aurons l'occasion de renouer un jour.

Après mon retour, ma première année à McGill s'est bien passée, avec mes cours en éducation et de nouveaux amis, mais lors de la seconde année, j'ai commencé à perdre ma motivation. J'adorais les cours et l'enseignement, mais après mûre réflexion, je me suis rendu compte que je vivais dans une sorte de facilité. J'habitais toujours avec mon père et, malgré tout l'amour que je lui portais, je me devais de quitter sa maison et de commencer à vivre ma vie. Pour ce faire, j'ai compris qu'il me fallait aussi quitter Montréal.

Le voyage avait eu un plus gros effet sur moi que je ne l'avais cru. Quand on s'éloigne d'un endroit où on a passé de nombreuses années pour voyager, on laisse derrière soi un espace vide. Quand on revient, on s'attend à occuper ce même espace – et tout le monde s'attend à ce que ce soit le cas –, mais on ne réussit pas à le remplir parce qu'on a changé. Ce malaise, ce n'est pas que nous qui le ressentons, mais aussi ceux qui nous connaissent bien.

Il était clair au retour de mon voyage que je n'étais plus le même qui avait quitté Montréal. Noël 1996 approchait.

C'était non seulement mon 25ᵉ anniversaire qui arrivait avec, mais aussi ce qui pouvait être un bon moment pour quitter l'espace confortable que mes amis, ma famille et mes expériences avaient façonné pour moi à Montréal.

Réaliste et lucide, mon père a compris et accepté mon choix. Et comme Sacha vivait toujours avec lui dans la maison de l'avenue des Pins, il ne serait pas seul après mon départ. Mais où aller?

La réponse m'est venue facilement.

Avec tous les voyages en famille en Colombie-Britannique que nous avions faits au fil des ans, j'avais toujours rêvé de vivre sur la côte Ouest. Quand j'étais petit, la démesure de l'Ouest me semblait à la fois intrigante et intimidante avec sa côte, ses montagnes et ses arbres immenses, les sapins de Douglas géants de Stanley Park que trois jeunes Trudeau ne pouvaient encercler de leurs bras tendus. Mais le véritable attrait de l'Ouest, c'était la famille. Mes racines Sinclair, et le fait que Michel vivait désormais en Colombie-Britannique. En janvier 1997, je suis parti en direction de Vancouver, puis de Whistler. Je voulais trouver du travail comme moniteur de planche à neige.

Dans la famille, on avait le ski dans le sang. Nous étions tous de bons skieurs, et nous avions chacun notre style. Celui de mon père était puissant, agressif et maîtrisé. Ma mère, qui avait appris à skier à Whistler lorsqu'elle était enfant, avait un style élégant. Elle se vantait de ne jamais tomber et, en effet, je ne me rappelle pas l'avoir vue chuter. Sacha, Michel et moi avons appris à skier dès le plus jeune âge. De nous trois, je dois avouer que Michel était le meilleur : en faisant son possible pour suivre ses frères aînés, il a acquis des compétences que nous n'avions pas eu besoin d'acquérir. Sacha a suivi les traces de notre père en toute chose, y compris le ski, et il a acquis une technique des plus élégantes. Mon approche était plus rudimentaire. Je n'ai jamais vraiment compris le rythme esthétique des virages. Mon but, c'était d'arriver au bas de la piste le plus rapidement possible ; ce qui a généré une interminable série de chutes spectaculaires. Quelques décennies plus tard, Sophie m'aiderait à raffiner un peu mon style.

Lorsqu'il est devenu évident que je ne me distinguerais jamais au sein de la famille Trudeau grâce à mes habiletés de skieur, j'ai décidé d'essayer quelque chose de nouveau. À 14 ans, j'ai été ébahi par la première scène du film *Dangereusement vôtre* dans laquelle James Bond arrache un ski d'une motoneige et s'en sert comme d'une planche à neige. J'avais commandé une planche du Vermont par la poste et appris seul à en faire au Mont-Tremblant. Quand je suis allé m'établir en Colombie-Britannique dans la vingtaine, j'avais l'intention de reprendre la planche à neige tant pour le plaisir que pour faire un peu d'argent.

Pour devenir moniteur, il fallait obtenir le certificat de niveau 1 dans ce sport, ce qui prenait du temps. Pour payer ma chambre et mes repas (ce n'était pas tant une chambre qu'un matelas dans le studio d'un ami, et pas vraiment des repas, mais plutôt quelques tranches de pizza par jour), j'ai réussi à me faire engager comme portier dans un bar populaire, le Rogue Wolf. J'aimais bien cet emploi, que j'ai conservé même après avoir obtenu mon certificat et commencé à travailler à l'école de planche à neige. J'avais un emploi du temps extrêmement chargé. Six jours par semaine, j'étais à l'école de planche à neige, de tôt le matin jusqu'à 18 h. Et quatre nuits par semaine, après trois heures de repos, j'allais au Rogue Wolf, où je travaillais habituellement jusqu'à 2 h ou 3 h du matin.

J'adorais cet horaire. Responsable des enfants toute la journée, responsable que tout se passe bien la nuit. Et jamais il n'a été question de mon nom de famille.

De tous les gars qui travaillaient comme portier au Rogue Wolf les soirs de grande affluence, j'étais le moins costaud. L'un d'eux, Pete Roberts, qui est resté un de mes bons amis, avait fait partie des Forces canadiennes et avait même formé Sacha à la base de Gagetown quand il était dans la réserve. Par sa seule présence, Pete imposait le respect. Pour ma part, je devais faire appel à d'autres qualités. Malgré ma stature plus modeste, on me désignait généralement comme « premier intervenant » lorsque la situation tournait au vinaigre. Si un motard entrait sans payer les 5 $ de droit d'entrée, c'était moi qu'on envoyait récupérer l'argent. Je pense que les premières fois, c'était une forme d'initiation, mais par la suite, on m'envoyait parce que j'arrivais normalement à mes fins sans confrontation. Pas besoin de préciser que ce travail m'a beaucoup appris sur la nature humaine.

Dans ce bar, j'ai découvert que pour être un bon portier, il faut savoir se montrer diplomate et établir clairement qu'on ne se laissera pas intimider. Il est également important, bien sûr, d'être sobre au sens propre comme au sens figuré. Si on conserve sa présence d'esprit, on arrive presque toujours à éviter les confrontations physiques. Dans mon cas, ma présence d'esprit était mon principal atout. Les «armoires à glace» qu'on voit devant les boîtes de nuit à la mode ne s'inquiètent pas trop d'en venir aux mains ; ils n'ont qu'à empoigner les indésirables, les transporter jusqu'à la porte et les jeter dehors. Je ne pouvais pas faire ça et je voulais éviter les coups. Si on s'en prenait à moi, c'était que j'avais échoué : je n'avais pas réussi à résoudre la situation de façon ferme mais pacifique.

Ma phrase préférée quand j'avais affaire à un soûlard qui semblait vouloir se battre : «Écoute, mon vieux, ne t'en prends pas à moi ici, parce que les deux autres vont te tomber dessus. Si tu sors avec moi, on va régler ça entre nous.»

Cherchant la bataille, ou du moins quelque chose s'en rapprochant, le gars s'exécutait et se dirigeait vers le stationnement, où il criait à qui voulait l'entendre qu'il allait me flanquer une volée, m'en coller toute une ou quelque autre expression pour décrire ce qu'il allait me faire. En réalité, je ne lui en donnais pas l'occasion. Je lui jetais son manteau, lui souriais et lui souhaitais bonne nuit, ce qui l'incitait généralement à jurer encore plus fort et à me traiter de poule mouillée.

«Tu as raison, disais-je, je ne veux pas me battre. Maintenant, rentre chez toi et dors là-dessus. On se revoit demain soir.»

Les leçons tirées de mon expérience au Rogue Wolf étaient suffisamment vastes pour que je leur trouve des applications pratiques en politique. En effet, qu'on essaie de faire valoir son point de vue à l'occasion d'une bagarre dans un bar ou d'une altercation politique, le plus gros obstacle à surmonter, c'est l'ego humain. Une fois la dispute commencée, personne ne veut reculer. L'astuce, c'est de permettre à son adversaire de sauver son intégrité, comme je laissais le soûlard agressif le poing levé en signe de triomphe, mais sous la pluie. Pendant ce temps-là, on est à l'intérieur, bien au chaud, et on fait ce qu'on a à faire.

En plus de la possibilité de mettre au point et d'affiner des tactiques psychologiques de base, mon emploi au Rogue Wolf m'a donné un aperçu des façons dont les jeunes s'auto-détruisent en consommant de l'alcool et de la drogue. J'ai vu trop de personnes faire beaucoup de choses idiotes par pur ennui et j'ai vu trop de jeunes hommes bourrés de testostérone partir du principe qu'une soirée n'est réussie que si elle finit par une bagarre. Compter sur la drogue ou l'alcool pour être heureux est un piège qui a gâché beaucoup de vies, et j'ai décidé il y a longtemps que cela ne gâcherait pas la mienne.

J'ai appris des tactiques tout aussi précieuses en enseignant la planche à neige. Nous, les moniteurs, faisions partie du programme « Ride Tribe », un programme d'entraînement novateur de Blackcomb destiné aux ados. Ce programme n'était pas très populaire au début : il était considéré comme un endroit pour les jeunes qui n'avaient pas d'amis avec qui faire de la planche à neige et qui étaient trop vieux pour avoir envie de faire de la planche avec leurs parents qui skiaient. Mon ami Sean Smillie a changé cette image avec un programme qu'il a créé de A à Z. Il a commencé par choisir quelques moniteurs qui aimaient enseigner aux jeunes, puis il leur a montré de nouvelles façons de transmettre leurs connaissances à leurs élèves. La réussite du programme de Sean m'a appris qu'avec des méthodes d'enseignement créatives et un personnel enseignant énergique, on pouvait motiver les élèves les plus blasés.

Sean a fondé son programme sur l'expérience qu'il a acquise dans un camp de surf. Il a compris qu'on n'était pas obligé de calquer l'enseignement de la planche à neige sur le vieux modèle d'école de ski : « virage-arrêt-virage-arrêt-on-répète ». La planche à neige est un sport grisant, peut-être même le plus grisant des sports d'hiver. Dans le bon contexte et avec le bon enseignement, il présente une courbe d'apprentissage plus abrupte que la plupart des sports. Au bout d'une semaine, la plupart des débutants sont capables d'exécuter des virages et des figures simples. C'est d'ailleurs pour ça que ce sport a pris de l'essor aussi vite vers la fin des années 1990. Sean a misé sur ce phénomène en recrutant des moniteurs dont les techniques de planche agressives stimulaient les élèves.

Et cela a fonctionné. Les jeunes qui ont suivi notre programme ont commencé à en parler à leurs amis et bientôt, nous avons su que des programmes copiés sur le nôtre avaient été lancés à des endroits comme Vale et Aspen. Le programme «Ride Tribe», qui avait toujours été déficitaire, est devenu lucratif du jour au lendemain. Le magazine *Teen People* a même fait un reportage, une sorte d'aubaine promotionnelle que mes collègues d'Ottawa qualifieraient de «publicité gratuite».

Tout enseignant vous dira que les moments les plus gratifiants du métier sont les moments d'«illumination», où on voit un élève subitement comprendre quelque chose. En planche à neige, j'avais plusieurs moments d'illumination par jour, et chaque fois, ça me motivait. Les moniteurs de ski communiquent des astuces à leurs élèves. Or, pour que les élèves arrivent à manier leur planche, les moniteurs de planche à neige doivent leur révéler des *secrets*. Les astuces, c'est bien, mais les secrets, c'est sensationnel. Quand les jeunes arrivaient à traduire un secret en nouvelle figure, ils étaient fous de joie. Sur le plan de la satisfaction du professeur, c'était comme voir toute une classe soudainement comprendre la trigonométrie.

Un des plus gros défis auxquels j'ai été confronté en tant que moniteur de planche à neige, c'était de faire comprendre à des ados qui pensaient tout savoir ce qu'ils *ne savaient pas* sur ce sport et le monde alpin en général. Ça illustrait une autre différence importante entre le ski et la planche.

Il faut des années pour maîtriser le ski, ce qui permet aux apprentis skieurs de se familiariser avec les risques et le rythme de la circulation sur une piste bondée. Ce n'est pas le cas des apprentis planchistes, dont certains dévalent les pentes intermédiaires et difficiles à toute vitesse après quelques jours seulement. Ils ne connaissent pas encore les règles de bienséance lorsque des pistes se rejoignent, ni les endroits où il est sécuritaire de s'arrêter sur une piste raide. C'est pour ça que les skieurs se plaignent souvent des mauvaises manières des planchistes. Ce n'est pas que les planchistes soient naturellement plus grossiers; c'est qu'ils ont moins d'expérience en milieu alpin (et le fait d'avancer de côté crée un angle mort, ce qui n'améliore pas les choses). Chaque fois que je prenais le télésiège avec mes élèves, je leur demandais de regarder en bas et de prédire où tel skieur ou tel planchiste irait, qui s'arrêterait pour se reposer et qui avait le plus de chances de tomber. Comme un moniteur d'école de conduite expliquant la prévention routière, je voulais que mes élèves aient conscience de tout ce qui les entourait.

Mon expérience à Blackcomb m'a permis de développer l'art de contrôler de grands groupes de jeunes. Les parents commençaient à déposer leurs enfants avant 8 h, mais nous ne montions pas sur la montagne avant 9 h. Il fallait donc passer une heure avec tout un troupeau de jeunes âgés de 12 à 16 ans. C'est bien connu, les adolescents ont tendance à lever les yeux au ciel devant une figure d'autorité avant de s'éloigner ou de foutre le bordel. J'organisais toutes sortes d'activités pour eux, mais je savais que mon rôle principal consistait à projeter de l'assurance et du leadership. Si je faiblissais, ne serait-ce qu'un instant, il y avait de bonnes chances que je perde l'attention du groupe avant même de faire une descente. Au bout du compte, j'ai découvert que j'étais doué pour motiver les jeunes.

Mon expérience de moniteur de planche a eu comme principal effet de me rassurer dans mon choix de carrière. La joie, la satisfaction, le sentiment d'accomplissement que je ressentais à la fin de chaque journée de cours m'ont convaincu que j'avais beaucoup à offrir comme professeur et que l'enseignement avait beaucoup à m'offrir. J'avais été moniteur de camp, guide de descente en eau vive, moniteur de planche à neige, barman et portier. Après ça, je me demandais si j'allais obtenir un jour un « vrai travail ». L'enseignement était un vrai travail, et j'avais hâte de commencer.

Quand j'ai discuté de mon regain d'intérêt pour l'enseignement avec ma tante Heather, elle m'a dit que je pourrais être admissible au programme de formation en 12 mois de l'Université de la Colombie-Britannique (UBC). C'est à ce moment-là que tout est devenu clair. À la fin de la saison de ski, je suis retourné à Montréal suivre quelques cours préalables à McGill, puis j'ai dit au revoir aux amis et à la famille, et je suis reparti à Vancouver avec un nouvel objectif.

J'AI NOUÉ DE NOUVELLES AMITIÉS AU COURS DE MES études en enseignement à Vancouver. Nous formions un groupe varié et plein d'entrain et, dans la mesure où les cours étaient surtout fondés sur la formation interactive en classe, nous avons eu largement l'occasion d'apprendre les uns des autres.

Cette première année à Vancouver est passée très vite. La semaine, je travaillais fort pour assurer l'obtention de mon diplôme en éducation à UBC. La fin de semaine, je m'évadais à Whistler. Le temps de le dire, ou presque, j'étais diplômé et j'étais professeur suppléant à Coquitlam, puis on m'a offert un poste de professeur à temps plein à West Point Grey Academy (WPGA), non loin du campus de UBC. West Point Grey était une école privée mixte et avait été fondée deux ans auparavant sur le modèle de la St. George's School, une école bien établie de Vancouver. Il y avait beaucoup d'élèves, mais tous n'étaient pas issus de l'élite fortunée de la ville. C'était donc une bonne affectation pour un professeur fraîchement diplômé. C'est un camarade de classe de UBC, Chris Ingvaldson, qui avait décroché un poste de professeur dans cette école et qui m'a présenté au directeur de West Point Grey. Après l'obtention de mon diplôme, j'avais emménagé dans un grand appartement sur Granville Street avec Chris et sa femme, et nous avons partagé les frais pendant quelques années.

Plus de 10 ans plus tard, lorsque je suis revenu dans l'Est et que je me suis lancé en politique, j'ai reçu un coup de fil une nuit qui m'a appris une nouvelle choquante : Chris avait été arrêté pour possession de pornographie juvénile. Il a fini par plaider coupable et a été condamné à trois mois de prison. Tout comme sa femme, et tous ceux qui avaient connu Chris à UBC et dans son travail d'enseignant, j'étais en état de choc. Chris a perdu son poste de professeur, son mariage et la plupart de ses amis, y compris moi.

Quand les médias annoncent qu'une personne fait face à des accusations en lien avec de la pornographie juvénile ou des infractions similaires, ils incluent généralement des entrevues de voisins ou de collègues qui affirment que l'accusé n'avait rien laissé paraître de ses inclinations sexuelles pathologiques. Comme tout le monde, j'étais plutôt sceptique devant ces témoignages. Je partais du principe qu'on doit le savoir quand on se trouve en compagnie d'un pédophile ou d'une personne aux tendances repoussantes du même type. Avec l'histoire de Chris, j'ai compris que c'était faux. Ça explique aussi pourquoi les policiers et les procureurs doivent travailler d'arrache-pied pour protéger nos enfants de ce type d'exploitation. Ni la femme de Chris ni son ancien colocataire ne pouvaient imaginer le parcours sinistre qu'il prendrait et qui le perdrait. Ça a été une dure leçon pour moi, une leçon qu'il faut partager avec le plus grand nombre de gens.

J'AI PASSÉ DEUX ANS ET DEMI À WEST POINT GREY Academy, où j'ai enseigné différentes matières, surtout le français et les mathématiques, mais aussi, de temps en temps, la création littéraire, le théâtre et un cours de droit en 12ᵉ année.

En classe, j'ai essayé d'éviter la méthode de « maître du jeu » que j'avais connue à Brébeuf en intégrant aux leçons des exercices intellectuels coopératifs. Il s'agissait notamment d'énigmes mathématiques et de casse-têtes, qui ont toujours été une sorte d'obsession pour moi. Peu après mon arrivée à Vancouver, je me rappelle avoir découvert le problème 7-Eleven, bien connu des mathématiciens. Le voici :

un client entre dans un dépanneur, il choisit quatre articles et regarde le caissier faire le total sur une calculatrice de poche. Quand le caissier annonce que le total est de 7,11 $, le client fait valoir que le caissier n'a pas additionné, mais multiplié les prix. Le caissier s'excuse, il prend soin d'additionner les prix, cette fois, il appuie sur la touche « total » et découvre à sa grande surprise que le total est toujours de 7,11 $. Le défi consiste à trouver le prix exact des quatre articles de sorte à obtenir 7,11 $ en les additionnant ou en les multipliant. La solution n'est pas évidente, et si vous n'êtes pas amateur d'énigmes mathématiques, ça vous est sans doute égal. Mais si vous aimez ce type de casse-tête, vous pourriez passer des jours à chercher la solution. Comme je l'ai fait.

Mais voilà où je veux en venir : si j'arrivais à générer chez mes élèves la même motivation pour leurs leçons que celle que moi j'avais eue à résoudre le casse-tête du 7-Eleven, ça devrait créer chez eux ces mêmes illuminations que j'aimais tant voir dans les cours de planche à neige.

Certaines des techniques employées étaient simples, mais efficaces. Par exemple, quand j'enseignais les maths, je commençais le cours en demandant pourquoi notre système de numérotation était sur une base de 10. Pourquoi pas une base de 8, 6 ou 12 ? Presque toutes les cultures du monde ont basé leur système de numérotation sur 10. « Pourquoi ? », disais-je, avant de demander aux élèves de lever les mains et de regarder autour d'eux. Un à un, les élèves se rendaient compte que leurs mains levées et leurs 10 doigts ne voulaient pas dire qu'ils savaient la réponse… ils étaient la réponse.

Les casse-têtes fonctionnaient bien en algèbre. En voilà un que je racontais à mes élèves : un père et sa fille vont pêcher. Au moment de rentrer, le père demande à sa fille de lui donner un des poissons qu'elle a attrapés. « Comme ça, on en aura le même nombre », précise-t-il.

La fille répond que si son père lui donne un poisson, elle en aura deux fois plus que lui. Combien de poissons ont-ils attrapés chacun ?

On trouve la solution grâce à deux équations algébriques simples à deux variables. Bien sûr, il y a des façons plus intuitives de résoudre le problème, et les élèves qui trouvaient la réponse le plus rapidement n'étaient pas toujours des génies en maths. L'idée, c'était de les motiver, de les conduire au moment « Ah ! », au moment d'illumination où leurs visages s'animent.

J'ai essayé d'adopter la même approche pour enseigner l'anglais. Pour leur montrer l'aspect rythmé de la poésie, j'écrivais *toobie hornet toobie* au tableau et j'attendais de voir qui reconnaîtrait les mots malmenés de la réplique d'Hamlet *To be or not to be*, même si ma phrase en changeait complètement les accents toniques. Il y avait un peu d'André Champagne dans mon approche. Tout comme lui, je voulais que les élèves réfléchissent aux choses qu'ils tenaient pour acquises, comme notre façon de compter ou de prononcer des mots simples. Mon but n'était pas uniquement d'inculquer certaines connaissances aux élèves ; c'était aussi de développer leur esprit critique, une compétence nécessaire pour résoudre eux-mêmes des problèmes une fois leurs études terminées.

Si mon approche déconcertait quelque peu la direction de l'école, elle avait la cote auprès des élèves. Ils savaient que j'étais toujours prêt à me lancer dans un bon débat et ils arrivaient parfois à me détourner du programme en m'entraînant dans une discussion philosophique. Ce n'était pas toujours facile à gérer. Quand je devais appliquer des mesures disciplinaires aux élèves, ils l'interprétaient parfois comme une sorte de trahison de ma part.

Je leur répondais toujours: «Je vous apprécie et vous respecte, c'est pour ça que j'attends beaucoup de vous. Si vous ne faites pas vos devoirs ou que vous ratez un examen, il y aura des conséquences. Vous devez savoir ça. Vous devez avoir conscience des attentes auxquelles vous devrez répondre dans la vie. C'est mon rôle de vous aider à composer avec ces réalités en vous apprenant à être responsables de vos actes.»

PARMI LES GENS QUI NE SONT PAS DANS L'ENSEIGNEMENT, beaucoup considèrent qu'il est plus facile d'enseigner dans une école privée bien financée que dans le système public. C'est en partie vrai: les écoles privées sont mieux loties sur le plan de l'équipement (haut de gamme et neuf) et il y est normalement plus facile de faire la discipline. Mais il y a aussi des aspects négatifs, surtout lorsqu'il s'agit de collaborer avec les parents pour obtenir le meilleur de leurs enfants. Lorsqu'ils ont payé des milliers, voire des dizaines de milliers de dollars de droits de scolarité, les parents peuvent se fâcher si les résultats (c'est-à-dire les notes) ne sont pas ceux auxquels ils s'attendaient. De leur côté, les enseignants doivent s'autocensurer dans les rencontres parents-enseignants, de peur qu'un parent en colère se plaigne à l'administration ou menace d'envoyer son enfant dans une autre école.

J'ai toujours préféré dire la vérité aux parents. Si j'estimais que l'environnement familial d'un élève avait une incidence négative sur sa performance scolaire, je ne me gênais pas pour le dire. Et ce n'était pas toujours apprécié.

Il est arrivé que mes méthodes d'enseignement me placent dans une position délicate avec la direction de West Point Grey, plutôt conservatrice. L'événement le plus marquant s'est produit avec un élève, que j'appellerai Wayne, qui aimait défier le code vestimentaire de l'école en portant sa cravate desserrée et une chaîne qui pendait à sa ceinture. C'était un garçon intelligent et sûr de lui qui avait choisi de jouer les rebelles. Après s'être fait réprimander pour la énième fois pour sa tenue, Wayne m'a dit: «Ce n'est pas juste. On me fait des histoires à cause de mon apparence, mais selon le règlement, le kilt des filles ne doit pas être plus de 2,5 centimètres au-dessus des genoux. Elles se moquent de cette règle et on ne leur dit rien. C'est deux poids, deux mesures.»

J'étais responsable du journal étudiant, rôle que j'avais endossé dans l'intention d'en faire quelque chose que les élèves auraient réellement envie de lire, pas juste une gentille brochure en papier glacé destinée à être lue par de fiers parents. J'ai suggéré à Wayne d'écrire un article sur ce système de deux poids, deux mesures qu'il considérait comme injuste. Il l'a fait, et son article suggérait que les enseignants, qui étaient majori-

23. On me voit ici avec Gerry Butts, sur les marches du Pavillon des arts de l'Université McGill, un bel endroit qui surplombe le campus et la ville et où il fait bon traîner avec les amis. Nous nous étions rencontrés sur des marches semblables près du Centre des étudiants quelques années plus tôt.

24. Ce camion nous a servi de maison pendant notre périple en Afrique, en 1994 ; c'est le meilleur moyen de visiter le continent.

25. Le soir du référendum de 1995, on me voit avec un grand sourire après avoir essayé de passer un bras autour des épaules du policier, qui m'a fermement repoussé.

26. Avec des élèves, à la West Point Grey Academy, à Vancouver, où j'ai enseigné à la fin des années 1990 et au début des années 2000.

27. En kayak avec Michel sur la rivière Rouge, que j'ai aussi descendue avec mon père (voir la photo 1).

28. Avec son chien Makwa, Michel a passé l'été 1998, après son accident de voiture, à reprendre contact avec la famille et à reforger des liens. Plus tard, nous avons compris que ça avait été le moment des adieux, puisqu'il est mort à l'automne.

29. La seule fois où mon père a visité le lac Kokanee. C'est en septembre, un peu moins d'un an après la mort de Michel, et il s'émerveille de la grande beauté qui entoure maintenant son plus jeune fils.

Sophie et moi adorons explorer et rester actifs. Autant elle aime m'appuyer en politique, autant elle s'avère une concurrente redoutable dans tous les sports.

30.

31.

32.

33. Je suis chanceux d'avoir les amis que j'ai. De gauche à droite: Ian Rae, Gregory Ohayon, Marc Miller, Mathieu Walker, Tom Pitfield, Gerry Butts, Seamus O'Regan, moi, Allen Steverman et Kyle Kemper. David Legendre et Sacha étaient aussi présents à la fête, mais on ne les voit pas sur la photo.

34. La merveilleuse famille de Sophie m'a également accueilli à bras ouverts.

35. Je suis toujours heureux d'avoir Sophie à mes côtés. Sur cette photo, elle est enceinte de Xavier.

36. Toute la famille au mariage de Sacha et de Zoë, en 2007. De gauche à droite : Sophie, Alicia, ma mère Margaret, moi, Zoë, Sacha et Kyle.

37. Arrivée de Xavier à la maison. C'est ce moment dans la vie de tout nouveau parent où il se rend compte qu'il est désormais responsable d'un petit être et qu'il n'a plus l'aide des infirmières de l'hôpital – c'est à la fois stressant et merveilleux.

38. Ella-Grace s'est jointe à la famille moins de deux ans après l'arrivée de Xavier, à notre plus grande joie.

39. Nous emmenons rarement les enfants dans le cadre d'événements politiques, mais lorsque nous le faisons, nous essayons de trouver un bon équilibre en passant du temps avec eux tout en travaillant.

40. Il est essentiel, étant donné le travail que je fais, de garder du temps pour la famille. Cela me recentre et me rappelle ce pour quoi on travaille quand on est sur la route. Ici, Sacha et moi sommes réunis avec nos familles ainsi qu'avec les parents de Sophie, Estelle Blais et Jean Grégoire.

41. Maman est heureuse de montrer aux enfants un magazine dans lequel on nous voit en photo. Ils ont toujours été fascinés par le fait que notre famille apparaît de temps en temps dans les journaux ou les magazines.

42. Mon père faisait ce genre de cascades avec nous, et j'imagine que c'est quelque chose qu'il m'a transmis. Les enfants ne s'en plaignent pas.

tairement de sexe masculin, n'osaient pas signaler à des filles adolescentes que leur jupe était beaucoup trop courte. C'est le genre de chose que tout le monde savait, mais que personne n'admettait, du moins jusqu'à ce que Wayne en parle.

Lorsque l'article de Wayne est paru, la direction de l'école n'a pas réagi aussi bien que je l'aurais souhaité. En plus de punir Wayne pour manque de respect, elle a cessé la publication du journal étudiant, ce qui m'a convaincu que West Point Grey n'était pas l'école idéale pour moi, ni moi l'enseignant idéal pour elle. Peu après, j'ai accepté un poste de professeur dans le système d'écoles publiques de Vancouver.

Je tiens à souligner, toutefois, que dans l'ensemble, j'ai aimé travailler à West Point Grey : les élèves et les enseignants étaient brillants et engagés, et les qualités de l'école étaient beaucoup plus nombreuses que les problèmes qu'on y rencontrait, même au tout début de son existence. Je suis très heureux de voir aujourd'hui que, au dire de tous, la West Point Grey Academy continue d'être considérée comme une des meilleures écoles de la Colombie-Britannique.

Mon expérience m'a révélé des aspects négatifs de l'enseignement privé que je n'avais pas remarqués pendant ma scolarité. À Brébeuf, l'admission reposait essentiellement sur le résultat obtenu par l'élève à un examen d'admission normalisé. À West Point Grey, comme dans beaucoup d'écoles privées canadiennes, le principal critère d'admission n'était pas les aptitudes de l'élève, mais la capacité de payer les droits de scolarité. Beaucoup d'élèves de WPGA menaient une vie de privilégiés : camps de tennis, voyages en

Europe et fonds fiduciaires bien garnis. Ils n'étaient pas plus difficiles à gérer pour autant; j'ai rencontré plein d'élèves extraordinaires dans cette école. Ce qui m'inquiétait, c'était le niveau de matérialisme. Je les entendais parfois parler de ce qu'ils feraient s'ils gagnaient à la loterie, ce que je trouvais bizarre puisqu'ils n'étaient pas issus de milieux défavorisés. Les gains dont ils rêvaient étaient toujours de 10 à 20 millions de dollars, jamais d'un seul million, avec lesquels ils caressaient l'espoir d'acheter des bateaux de rêve et des jets privés.

Quand j'évoque le problème de l'inégalité des revenus dans notre société, je pense aux enfants et aux parents que j'ai connus quand j'enseignais dans cette école. Les parents que j'ai croisés lors des rencontres avec les enseignants étaient des personnes travaillantes qui avaient réussi, mais certains affichaient une arrogance excessive. Et beaucoup d'élèves étaient peu exposés à la société qui dépassait leur cercle rapproché et aux difficultés du commun des mortels, ou ils en avaient une compréhension limitée.

J'ai connu beaucoup d'enfants issus de familles aisées pendant mon enfance, et j'admets avoir moi-même eu beaucoup d'avantages, notamment l'occasion de voyager avec mon père. Mais papa n'a jamais dit que la richesse était le principal objectif dans la vie. Il aurait été horrifié d'apprendre que je rêvais de posséder des jets privés et de vivre dans les Antilles, et ce ne fût d'ailleurs pas le cas. Le jour où un journaliste lui a demandé quelles valeurs il souhaitait transmettre à ses enfants, mon père a répondu : «J'aimerais qu'ils ne soient pas esclaves des biens matériels. Pouvoir apprécier un bon repas, un beau livre, des vacances, c'est merveilleux, mais souffrir si on en est privé, je trouve cela une sorte d'esclavage.» Une chose est sûre, c'est qu'il a réussi à transmettre ces valeurs à ses fils.

Le système d'écoles publiques n'était pas non plus totalement exempt du type de raisonnement qui perturbait mon père. À l'école secondaire Sir Winston Churchill de Vancouver, où j'ai enseigné après West Point Grey, les enfants étaient généralement issus de familles moins riches, mais beaucoup semblaient tout aussi prisonniers de leurs obsessions matérialistes.

À Sir Winston Churchill, j'ai entendu un élève dire à un autre : «Mon père a un nouvel emploi, alors il s'est acheté une Mercedes.» Il était ravi, fier et voulait partager sa joie.

«Parlons-en un peu, lui ai-je dit. Une belle nouvelle voiture, c'est super. Mais au bout du compte, n'oublie pas que ce n'est qu'une voiture, un moyen d'aller d'un point A à un point B.» J'ai ajouté : «Et parfois, une promotion de ce genre s'accompagne de sacrifices sur le plan du style de vie. Il aura plus de responsabilités, mais aussi plus de stress. Il aura peut-être plus d'inquiétudes en lien avec son emploi. Il est possible qu'il doive travailler plus fort et rester plus tard au bureau. Il y a une plus jolie voiture dans la cour, mais tu passes moins de temps avec ton père. Il y a toujours des compromis à faire dans la vie, il faut donc décider quels rêves en valent vraiment la peine.» J'ai tenu ce discours, à quelques variations près, à des dizaines d'enfants et j'ose espérer en avoir fait réfléchir quelques-uns.

L'ÉVÉNEMENT LE PLUS MARQUANT, LE PLUS TROUBLANT, de ma carrière dans l'enseignement s'est produit le 11 septembre 2001. Ce matin-là, j'ai été réveillé à 6 h par mes colocataires qui frappaient à la porte de ma chambre. « Allume la télé », m'ont-ils dit. Je l'ai allumée juste à temps pour voir le deuxième avion foncer sur la tour. Je me suis habillé et suis parti à l'école, sachant que tous les élèves auraient vu les mêmes images que moi.

« De toute évidence, on ne va pas parler de grammaire française aujourd'hui », ai-je dit à mes élèves de 9ᵉ et 10ᵉ années. « Parlons plutôt de ce qui est arrivé il y a quelques heures. »

Un élève m'a demandé : « Ça veut dire qu'il va y avoir une Troisième Guerre mondiale ? » Dans la mesure où la principale théorie avancée était l'attaque de terroristes islamistes, c'était une question plus que légitime. D'autres élèves estimaient que les événements de New York ne concernaient pas vraiment le Canada. L'un d'eux a demandé : « En quoi ça va changer notre vie ? » Au même moment, un avion qui volait à basse altitude faisant un bruit qu'ils n'avaient jamais entendu est passé. C'était sûrement un avion militaire, parce que l'espace aérien avait été fermé aux appareils civils. Un silence inquiétant pesait sur la classe. J'ai répondu à l'élève : « Cette peur que tu viens de ressentir, c'est ça qui est nouveau. » Nous avons parlé du terrorisme, de la nécessité de le combattre et de veiller à ce que la vigilance ne se transforme pas en paranoïa dirigée contre tous les musulmans. Les élèves étaient vraiment secoués par les événements et nous, les enseignants, avons fait de notre mieux pour les rassurer et les ramener dans le train-train quotidien. Ça a été une période difficile.

Plus tard, j'ai reçu un appel de mon ami Gerry Butts, qui était en Californie avec son épouse, Jodi, et qui devait rentrer au Canada. Comme l'espace aérien américain était fermé au trafic civil, Gerry et Jodi avaient loué une voiture pour revenir par voie terrestre. Ils devaient laisser la voiture dans la dernière ville avant la frontière et se rendre en taxi au point de passage, où j'allais les attendre.

En arrivant à l'Arche de la Paix, c'était la cohue, avec des files de voitures à perte de vue du côté américain. Gerry et Jodi ont marché le long de l'autoroute avec leurs valises et ont traversé la frontière à pied, jusqu'à ma voiture. Quand ils sont montés dans l'auto, nous avons eu un doute et quelqu'un a dit : « Euh, on ne devrait pas s'adresser à un douanier ? » Nous sommes descendus de la voiture et avons tourné en rond jusqu'à ce que nous trouvions une personne habilitée à valider le passage des piétons, une formalité qui n'a pris que quelques secondes. En partant pour Vancouver, j'ai regardé dans le rétroviseur, j'ai vu cette longue file de voitures et j'ai pensé à toutes ces familles avec des enfants à l'arrière qui devraient attendre des heures, voire des jours, alors que mes amis avaient traversé la frontière à pied comme si elle n'existait pas. Cet incident symbolise la nature désorganisée de la réponse immédiate en matière de sécurité aux événements du 11 septembre.

Vancouver est une ville magnifique, à des années-lumière des points chauds de la planète. À Vancouver, comme

presque partout au Canada, il est facile de se sentir en sécurité et détaché. Avec la nouvelle ère lancée par le 11 septembre, j'ai compris qu'aucun endroit sur terre n'était à
l'abri des menaces contre la paix dans notre monde. Depuis
ce jour, beaucoup de nations, dont le Canada, ont combattu
avec succès les activités d'Al-Qaïda et d'autres groupes de
même tendance. Mais la menace demeure, et c'est pourquoi
j'ai exhorté mes élèves à ne jamais oublier où ils étaient le
11 septembre 2001 lorsqu'ils ont appris la terrible nouvelle.
Nos souvenirs de cette tragédie, aussi douloureux soient-ils,
demeurent le meilleur moyen de rester vigilants dans notre
combat contre le terrorisme.

CHAPITRE QUATRE

Les bois sont beaux, sombres et profonds

———

EN NOVEMBRE 1998, J'AI TRAVAILLÉ UNE SEMAINE comme professeur suppléant à la Pinetree Secondary School, à Coquitlam, qui est à environ une demi-heure de voiture à l'est de Vancouver. J'avais eu un bon groupe d'élèves et j'étais désolé de les quitter si vite. Le vendredi 13, à la fin de la journée, après leur avoir fait mes adieux, je suis retourné à mon appartement. J'ai soupé, puis je me suis couché. Je me suis endormi sans savoir que plus tôt, ce jour-là, j'avais perdu mon petit frère Michel.

Mon téléphone a sonné à 5 h du matin. C'était ma mère qui appelait pour me dire qu'il y avait eu un accident et j'ai tout de suite compris, au ton de sa voix, qu'il était question d'un de mes frères. Mon cœur s'est arrêté. «Nous ne sommes pas sûrs encore, parce qu'ils ne l'ont pas retrouvé, a dit ma mère. La GRC nous a seulement dit que Michel a été pris dans une avalanche à Kokanee.»

Au moment de mourir, Michel était en train de faire ce qu'il aimait le plus, être en plein air et faire du ski hors-piste avec des amis dans le sud de la Colombie-Britannique. Pendant que je me trouvais devant un tableau noir, une avalanche avait emporté mon frère Michel et un de ses amis dans le lac Kokanee. Ils étaient en train de traverser la pente raide qui le surplombait. Son ami Andy a réussi à nager jusqu'à la rive. Pas Michel, il était trop loin. Il a fallu des heures à ses autres amis pour se déterrer et contacter la GRC. Pendant ce temps-là, moi, je vivais une journée normale, comme le reste de ma famille dans l'est du pays, ignorant ce qui venait de se passer.

Une part de moi était sûre que Michel était toujours en vie. Il m'était impossible de concevoir un monde dont il ne faisait pas partie.

Je me suis soudain senti coupable. Que faisait Michel là-bas, sur ce glacier? Pourquoi n'avais-je pas su le protéger, moi, son grand frère? Nous vivions dans la même province. J'aurais dû l'avoir visité plus souvent, l'avoir appelé plus souvent, avoir veillé davantage sur lui, être intervenu d'une manière ou d'une autre pour le tenir à l'écart des dangers.

Michel venait de vivre une année éprouvante. Au printemps, pendant qu'il traversait le Manitoba, il avait eu un accident. Un conducteur imprudent avait foncé sur lui, détruisant complètement sa camionnette. Michel s'en était sorti sans blessures graves et s'était surtout inquiété pour son chien, Makwa, qui s'était sauvé et qui n'avait pas été retrouvé avant une semaine. En plus, quand les policiers sont arrivés sur la scène de l'accident, ils ont trouvé du cannabis dans la boîte à gants, ce qui a donné lieu à des accusations. Dans les mois qui ont suivi, peut-être parce qu'il était passé à deux doigts de la mort, Michel a passé une bonne partie de l'été à reprendre contact avec la famille, à rebâtir les liens d'affection que nous avions laissés se défaire en raison de la distance et du travail.

Quand l'automne est arrivé, nous sommes partis, les trois frères, chacun de notre côté, et ça a été la dernière fois que je l'ai vu, même s'il n'habitait pas loin de chez moi et qu'il travaillait sur les pistes de ski à Rossland.

Je lui avais parlé le lundi précédant sa mort. Je l'avais appelé principalement par culpabilité. Je m'en voulais de ne pas lui avoir téléphoné pour son anniversaire, début octobre, et une amie m'avait rappelé que lorsqu'il est question de la famille, il n'est jamais trop tard pour reprendre contact. Elle avait raison, c'était clair, et j'ai appelé mon frère plus tard au cours de la journée. Nous avons parlé de choses et d'autres, comme le font normalement deux frères. Tout ce dont je me souviens clairement, c'est qu'il m'avait fait part de son plan de passer trois jours cette semaine-là dans le parc de Kokanee Glacier.

«On est en début de saison, a-t-il dit, donc on devra être prudent.»

J'ai répondu d'un ton assuré, comme un parent préoccupé ou un frère aîné : «Oui, tu dois faire particulièrement attention à ce moment-ci de l'année.» Il a éclaté de rire. En fait, il savait que je ne connaissais pas grand-chose aux dangers des avalanches et à ce qu'il fallait faire pour les éviter. Je savais seulement qu'il y avait toujours des risques d'avalanches dans cette région de la Colombie-Britannique. J'en ai appris beaucoup plus quand, après la mort de Michel, j'ai siégé à la Fondation canadienne des avalanches et que j'ai commencé à militer pour augmenter le financement des programmes de sensibilisation aux avalanches.

Quand la nouvelle de la disparition de Michel s'est répandue au cours de la journée, les médias de tout le pays ont envahi Rossland, cherchant à parler à des gens qui connaissaient Michel. Tous les commentaires allaient dans le même sens : c'était un gars qui prenait la vie comme elle venait, qu'on connaissait sous le nom de Mike, il était populaire auprès de tous, bon vivant, il avait le sourire facile et un tempérament heureux. Ils ont tous été surpris d'apprendre que ce jeune homme sans prétention que tout le monde aimait et qui adorait explorer des coins sauvages en skis était le fils d'un ancien premier ministre.

Michel avait construit sa vie autour de la neige, du grand air, des montagnes et des gens qu'il aimait. C'était un esprit libre, épris de la culture autochtone dont sont imprégnés les plus beaux lieux du Canada, un gars beaucoup plus en paix avec lui-même que Sacha et moi l'étions à l'époque.

Après avoir réservé une place à bord d'un vol pour

Montréal, j'ai appelé mon père pour lui dire que j'arrivais et lui demander s'il avait eu des nouvelles de Michel. Mon père n'a jamais été du style à se créer de faux espoirs et cette fois ne faisait pas exception. « Non, m'a-t-il répondu tristement, et il n'y en aura pas, parce que Michel est parti. Tout ce qu'il reste à savoir, c'est s'ils vont retrouver le corps. »

Michel s'était rendu dans le parc Kokanee parce que c'était un endroit qui possédait tous les attraits qu'il recherchait dans la vie : c'était un lieu sauvage et isolé, avec un paysage époustouflant, des terrains accidentés pour le ski et un calme qu'on trouve rarement dans notre monde si mouvementé. Skier sur le glacier qui surplombait le lac Kokanee par une belle journée ensoleillée était ce qui, pour Michel, se rapprochait le plus du paradis. Le lac Kokanee est un joyau alpin d'environ un kilomètre de long et de 400 mètres de large, très profond et entouré d'escarpements abrupts où les éboulements sont fréquents. Je comprends ce qui y avait attiré Michel et j'imagine que, malgré son rire devant mes préoccupations, il avait évalué les risques de skier à cet endroit en début de saison, quand la neige pouvait fondre. Mais le danger n'entrait pas en ligne de compte. Si mon frère souhaitait se mettre au défi et satisfaire son besoin d'aventure, il y serait allé, peu importent les circonstances. C'est ce qu'il a fait.

Michel avait sans doute depuis longtemps accepté les risques que courent les aventuriers dans cette région sauvage du Canada où il se sentait chez lui. Quelques années avant son décès, Michel avait regardé avec une amie un documentaire sur les rites funéraires en Asie. Pendant l'émission, il avait dit d'un ton détaché : «Quand ce sera à mon tour de partir, laissez-moi au pied de la montagne où je serai mort.»

Le lac Kokanee se trouve au pied de la montagne, et l'avalanche avait surpris Michel et l'avait emporté dans les profondeurs du lac. Si ça s'était passé plus tard dans la saison, le lac aurait été gelé, et Michel et son ami auraient simplement attendu, en sécurité au centre du lac, que le traîneau glisse jusqu'à eux. Ça ne change rien. Son souhait s'est avéré prémonitoire. Les plongeurs n'ont jamais retrouvé son corps, et il est resté au pied de la montagne.

Michel s'était frayé un chemin bien à lui dans la vie. Pendant que Sacha et moi fréquentions McGill, pas trop loin de papa, Michel avait été plus à l'Est pour étudier la microbiologie à l'Université Dalhousie, à Halifax. Ensuite, il est parti vers l'Ouest, où il a vécu loin des attentes que les gens pouvaient avoir à son égard.

Pendant ma troisième année à McGill, je suis allé passer quelque temps avec lui à Halifax. Petits, nous étions proches, mais nous l'étions moins depuis qu'il était parti à l'université. Là-bas, il semblait s'être défait de l'influence de ses frères et de son père, et il se réjouissait de cette liberté! C'est lors de cette visite à Halifax que j'ai compris son désir de forger sa propre identité.

Il me manque encore. Je crois qu'il va toujours me manquer. Michel n'avait que 23 ans au moment de sa mort, mais il avait déjà trouvé une zone de paix en lui, un espace serein que beaucoup de gens ne trouvent jamais au cours de leur vie. Si Michel était vivant, je l'imagine avec des enfants adolescents, et je nous vois, Sophie et moi, lui rendre visite avec nos enfants chaque année à Noël. Peut-être que Michel aurait lancé son entreprise touristique de ski ; il adorait ce sport et je pense qu'il avait la bosse des affaires. Dans ses temps libres, il aurait trouvé une façon d'exprimer sa créativité par la peinture ou l'écriture. Peu importe ce qu'il aurait choisi de faire, il aurait été heureux.

QUAND J'AI FRANCHI LE SEUIL DE LA MAISON DE MON PÈRE à Montréal vers la fin de l'après-midi, le jour où nous avons appris la mort de Michel, j'ai serré papa très fort. Nous avons à peine eu le temps d'échanger quelques mots que le téléphone sonnait. Quand mon père a fait un geste vers le téléphone, je l'ai arrêté et lui ai dit : « Non, papa, c'est pour ça que je suis ici. »

Une fois rendue publique, la nouvelle de la mort de Michel s'est répandue d'un bout à l'autre du pays comme une traînée de poudre. Pendant que mon père vivait sa peine, moi, j'ai passé le reste de la soirée à recevoir les condoléances des amis de la famille. Le téléphone a continué à sonner pendant plusieurs jours. C'étaient des appels sincères et touchants et ils m'ont aidé à composer avec mon immense douleur. J'aidais mon père à vivre les pires moments de sa vie et, en accomplissant ce devoir, j'allégeais la peine que me causait la perte de mon frère. Sacha était en train de filmer un documentaire dans l'Arctique quand il a appris la nouvelle. Il a aussitôt pris un vol pour la Colombie-Britannique où il a fait office de représentant de la famille auprès des gardes forestiers et des plongeurs qui se chargeaient des recherches dans le lac Kokanee. Il a pris la peine de remercier tous les participants aux recherches en notre nom. Ma mère était à Ottawa, effondrée, accompagnée par Fried, Kyle et Ally qui tentaient de se réconforter les uns les autres.

Je suis resté à Montréal avec mon père pour l'aider à organiser le service funéraire de Michel à l'église Saint-Viateur d'Outremont. Ces préparatifs m'ont aidé, en me gardant occupé pendant quelques jours, mais quand la réalité m'a rattrapé, j'ai été submergé par la douleur. Sacha a prononcé un très beau, émouvant, mais aussi déchirant éloge funèbre. J'étais incapable de trouver les bons mots, alors j'ai lu une prière autochtone que Michel adorait.

Il y avait ensuite une réception au club Mont-Royal, où quelques amis de Michel ont présenté une vidéo en hommage à mon frère. Il m'a semblé d'abord absurde que cette vie si vibrante et un peu rebelle soit célébrée dans un club très huppé sorti tout droit de l'âge d'or de Montréal. Mais au fur et à mesure que la pièce se remplissait des amis de Michel, il est devenu clair que le code vestimentaire du club Mont-Royal, avec ses costumes en tweed faits sur mesure et ses cravates italiennes en soie, ne serait pas de mise ce jour-là. Les amis de Michel, de Dalhousie, du camp Ahmek, de l'Ouest, sont arrivés habillés selon leur convenance, et personne ne s'en est plaint. L'ambiance était à la fois triste et belle, et l'air était rempli d'une odeur de patchouli. De me retrouver ainsi entouré de personnes qui étaient profondément attachées à Michel m'a réchauffé le cœur.

Au cours des semaines qui ont suivi, Sacha est devenu le principal soutien de mon père, car j'étais retourné à Vancouver pour reprendre mon travail d'enseignant et ma vie, essayant de tirer un trait sur la tragédie. Mais à Noël, nous avons eu d'autres mauvaises nouvelles quand mon père a été hospitalisé parce qu'il souffrait d'une forme grave de pneumonie.

C'est du moins le diagnostic qu'il a reçu. Je crois plutôt que les lumières de l'âme de mon père ont faibli quand Michel est mort. Il s'est remis de sa pneumonie en quelques semaines et a même voyagé un peu par la suite. Mais du moment où nous avons enterré Michel jusqu'à sa propre mort, deux ans plus tard, mon père n'a plus été le même homme.

La douleur qu'a ressentie ma mère après la mort de son fils était terrible, impossible à vivre. Ses problèmes de santé mentale se sont intensifiés à la suite de cette perte. Ma mère a vécu une période extrêmement difficile au cours des cinq ou six années qui ont suivi la mort de Michel, et toute sa famille a uni ses efforts pour lui venir en aide.

La mort de Michel et son effet sur mes parents m'ont profondément affecté. J'ai passé de longues journées dans un état contemplatif et de longues nuits à vivre avec la douleur que me causaient la perte de Michel, l'état de ma mère et la détérioration de la santé de mon père, qui m'avait jusqu'ici paru invincible. J'ai demandé de l'aide et j'en ai reçu beaucoup, d'un peu partout : de la foi, de la thérapie et, surtout, de mon merveilleux cercle d'amis. J'ai compris alors que l'amitié ne consistait pas à être là pour les bons moments, pour s'amuser, vivre des aventures, mais plutôt à être pré-

sent les uns pour les autres dans les moments les plus difficiles, où on se sent seul. C'est pendant cette période sombre
que j'ai pu voir que ces personnes merveilleuses que sont
mes amis font de moi l'être le plus chanceux du monde.

AU COURS DE LA DERNIÈRE ANNÉE DE SA VIE, MON PÈRE
souffrait de mélancolie et d'un malaise existentiel. Il se tor-
turait l'esprit avec des questions sur la mortalité humaine et
le destin de l'âme. Il semblait parfois en colère contre Dieu,
ne comprenant pas pourquoi Il avait pris son fils, si plein de
vie, au lieu de lui-même. Sa foi a décliné. Un jour, quelque
temps après la mort de Michel, il a confié à ma mère : « S'il
n'y a pas de vie après la mort, alors, rien de ce que j'ai fait
dans ma vie n'a de valeur. » C'est sans doute la chose la plus
profondément triste que mon père ait jamais dite.

C'est à la même époque que je me suis mis à réfléchir sur
ma relation avec Dieu. Mon père avait été toute sa vie un
fervent catholique. Quand nous étions petits, il nous emmenait à la messe le dimanche aussi souvent qu'il le pouvait et,
au début de ma vie d'adulte, j'accomplissais les rites religieux tels qu'on me les avait enseignés. Avec les années, ces
rituels me laissaient de plus en plus souvent avec un sentiment de vide, l'impression qu'il y était beaucoup plus question de cérémonies que de substance. Étais-je trop jeune
pour en apprécier la signification ? Peut-être que oui. Les
enfants vêtus de leurs plus beaux atours pour aller à la messe
le dimanche ne sont, après tout, que des enfants. Quand

Sacha, Michel et moi assistions à la messe avec notre père, pour tromper notre ennui nous jouions à essayer de faire rire les deux autres sans rire soi-même.

À 18 ans, j'ai eu une longue conversation avec mon père au sujet de ma position par rapport à la religion. Je lui ai dit que je croyais, comme c'est toujours le cas, en l'existence de Dieu et aux valeurs et principes qui sont universels aux grandes religions, mais que j'avais de la difficulté à accepter les dogmes du catholicisme, surtout celui voulant que si on n'était pas un catholique sincère et pratiquant, on ne pouvait entrer au paradis. Ça me paraissait étrange et inacceptable. Mon père a répondu à mon questionnement : « Tu dois faire tes propres choix. » J'en avais compris qu'il était content de savoir que j'avais au moins une connaissance de base du christianisme et que je pourrais retourner aux enseignements plus tard, si j'avais un élan de foi.

La mort de Michel a poussé mon père à remettre sa foi en question, mais sur moi, elle a eu l'effet contraire. Au milieu de l'immense peine que je ressentais, j'ai eu une sorte de révélation, le sentiment que malgré tous les tourments et la confusion dont nous souffrions dans cette *valle lacrimarum*, il existait dans l'univers un ordre divin qui était au-dessus de nous. Avec cette révélation, j'ai eu ce sentiment étrangement libérateur que ma vie, comme celle de tout le monde, était entre les mains de Dieu. Cette conscience ne m'a pas déchargé de la nécessité de lutter pour améliorer le monde et m'améliorer personnellement, mais elle m'a aidé à vivre avec les choses que je ne pouvais changer, comme la mort. Ça m'a aussi aidé à réaffirmer les fondements de la foi chrétienne que je porte encore en moi.

Pendant la crise spirituelle à la suite de la mort de Michel, je me suis lié d'amitié avec Mariam Matossian, une Canadienne d'origine arménienne qui était enseignante à l'époque, mais qui a plus tard connu du succès comme chanteuse folk. Mariam et moi avons développé une amitié sincère, nous parlant souvent, principalement de la foi. J'étais un catholique non pratiquant, et elle, une chrétienne évangélique avec des doutes, et tous les deux nous traversions une période de réflexion personnelle.

Quand Mariam m'a invité à m'inscrire avec elle à un parcours Alpha, un programme de formation dans le cadre duquel les participants sont guidés dans des discussions sur le sens de la vie d'un point de vue chrétien, j'ai hésité. Je craignais que le cours serve à endoctriner les gens en faveur d'une religion en particulier, mais j'ai découvert que ce n'était pas du tout le cas. On y parlait plutôt de l'importance de développer l'humilité nécessaire pour admettre qu'il n'est pas possible de traverser seul les moments les plus durs de la vie. Il arrive qu'on ait besoin de Dieu. J'étais conscient que j'étais justement dans une période difficile, et ce cours m'a aidé à accueillir la présence de Dieu dans ma vie.

En septembre 2000, les Jeux olympiques de Sydney étaient diffusés à la télévision quand mon père est mort. Encore aujourd'hui, le souvenir du drapeau canadien en berne le lendemain de sa mort dans le village olympique m'émeut aux larmes. Dick Pound, le vice-président du CIO, a dit en ondes que son ami Pierre Trudeau « n'avait pas été vieux longtemps », phrase qui résume bien la fin de mon père. Papa est resté un grand amateur de plein air jusqu'à un âge assez avancé, il était capable de surmonter presque tous les obstacles qu'il rencontrait. Il avait plus de 70 ans quand il s'est déchiré un genou en mettant le pied dans un trou lors de vacances dans les Caraïbes ; à peine quelques années plus tard, il dévalait les pistes les plus difficiles de Whistler. Dans notre famille, nous riions en racontant comment papa insistait, quand il allait au cinéma, pour obtenir le tarif réduit pour personnes âgées. Il était difficile de le percevoir comme une personne âgée ; c'était une des personnes les plus robustes que je connaissais. Jusqu'à ce que, du jour au lendemain, il cesse de l'être.

Quelques années avant sa mort, quand je venais d'avoir 25 ans, j'ai eu LA discussion avec lui, sur l'insistance d'un bon ami. Il était alors en pleine santé, mais en tant que fils aîné, il me semblait que je devais avoir avec lui une discussion sur les questions de fin de vie avant que ce ne soit pressant. Je lui ai demandé quel type de soins il souhaitait recevoir et jusqu'où il voulait qu'on intervienne quand son corps commencerait à défaillir. Il a dit qu'il voulait retrouver ses parents et grands-parents dans le tombeau familial, dans la petite ville de Saint-Rémi sur la rive sud de Montréal, et que le fait que ses funérailles risquaient d'être très publiques, sans doute des funérailles d'État, ne le dérangeait pas, mais qu'il tenait à ce que ce soit à Montréal.

La conversation avait été difficile pour moi, mais il a été très patient. J'imagine que ce n'est jamais facile d'avoir ce genre de conversation avec un parent qui vieillit, mais au bout du compte, je me considérais chanceux de ne pas avoir, comme d'autres gens devant la mort imminente d'un parent, à régler des choses en lien avec notre relation. Ça a été une conversation très pratique, très terre-à-terre, et le fait que nous ayons eu cette discussion a changé beaucoup de choses quand il est tombé malade.

De tous les souvenirs que j'ai de lui et de notre relation, le plus tendre et le plus poignant remonte à la dernière année de sa vie, quand il est venu me visiter à West Point Grey, à Vancouver, où j'enseignais. C'était un vendredi après-midi tranquille, et il prenait plaisir à rencontrer mes collègues et à faire le tour de l'école avec moi. J'étais heureux de lui montrer ma salle de classe et de lui expliquer ce que je faisais dans ma vie professionnelle.

Quand nous avons eu fini la visite de l'école et que nous nous apprêtions à quitter l'immeuble, j'ai entendu quelqu'un arriver derrière nous en courant. Nous nous sommes arrêtés, retournés et avons vu une de mes élèves, presque à bout de souffle, qui courait pour nous rejoindre. En arrivant à notre hauteur, elle a dit nerveusement : « Monsieur Trudeau... »

J'avais vécu cette scène des milliers de fois. Partout où j'allais avec mon père, je voyais des enfants ou des adultes éblouis s'approcher de lui pour lui demander un autographe, lui donner la main ou lui demander de poser avec eux pour une photo. Chaque fois que ça se produisait, je reculais et souriais en silence pendant que mon père répondait poliment à la demande. Cette fois aussi, j'ai reculé.

Cette jeune fille, qui devait être née à peu près l'année de la célèbre balade sous la neige de mon père, ne lui a même pas jeté un coup d'œil et m'a dit: «M. Trudeau, je voulais vous dire que je serai en retard à votre cours de français cet après-midi parce que je dois donner un coup de main au gymnase.» J'ai hoché la tête, je l'ai remerciée; puis elle s'est retournée et est repartie.

Cette rencontre m'a laissé un peu navré. Cette enfant était la fille d'immigrants qui faisaient partie de cette vague de gens qui étaient venus dans ce pays et y avaient réussi grâce, en partie, aux politiques d'ouverture que mon père avait instaurées quand il était premier ministre. Et maintenant, il venait d'être traité comme s'il avait été n'importe qui. Je me suis un peu raidi avant de me retourner vers mon père, ne sachant quoi dire.

J'étais ravi de voir qu'il affichait un immense sourire. Après toutes ces années où il avait reçu de la reconnaissance et de la gratitude pour tout ce qu'il avait fait pour le Canada, il n'avait pas besoin d'un autre geste de reconnaissance de la part d'une jeune Canadienne. Il avait plutôt ressenti une fierté paternelle à voir que son fils perpétuait l'héritage familial de travail au service du Canada, dans ce cas en tant que professeur auprès de jeunes. Désormais, c'était moi, et non Pierre Elliott, qui était «M. Trudeau» pour une nouvelle génération d'enfants, et il en était fier. Ça a été un beau moment de tendresse entre nous.

Et ce fut un des derniers. Au printemps 2000, comme je terminais l'année scolaire à West Point Grey, Sacha m'a appelé pour me dire que notre père était en train de mourir. Il souffrait de la maladie de Parkinson et venait de guérir d'une pneumonie. Il allait encore une fois s'en sortir, me suis-je dit. Mais il avait beau être solide, mon père n'était pas indestructible. Sacha m'a révélé que papa avait reçu un diagnostic de cancer de la prostate il y a quelque temps et qu'il avait décidé de ne pas recevoir de traitement. Il paraissait maintenant être dans la phase terminale de la maladie.

J'ai réagi avec colère. « Quoi ? ai-je presque crié au téléphone. Pourquoi ne m'en as-tu pas parlé ? »

Sacha m'a expliqué que c'était papa qui avait demandé à ce qu'on ne me dise rien. Mon père savait que je laisserais tomber tout ce que je faisais à Vancouver pour rentrer à Montréal dès que je serais au courant de son état. Il ne voulait pas que j'abandonne mes élèves avant la fin de l'année scolaire. Je sais qu'il avait voulu être prévenant, mais j'étais quand même fâché. De manière irrationnelle, je pensais que j'aurais pu réparer l'irréparable si j'avais été mis au courant plus tôt. Une fois calmé, j'ai fait mes bagages et, encore une fois, j'ai pris un vol, long et triste, en direction de Montréal, où j'allais passer l'été avec mon père, à lui lire ses pièces favorites de Shakespeare, de Racine et de Corneille, à rester assis auprès de lui.

La mort de Michel avait été soudaine et bouleversante. Celle de mon père a été graduelle, une semaine à la fois, pendant que Sacha et moi restions à ses côtés. Vers la fin de septembre, par un calme après-midi, le temps était venu, et il s'est laissé aller.

Au milieu de notre douleur, je savais que toute l'attention des médias allait se tourner vers nous dès l'annonce de sa mort. La maison familiale de l'avenue des Pins allait se retrouver entourée de journalistes, comme ça avait été le cas quelques semaines plus tôt quand son état avait été annoncé. Nous ne pourrions plus aller et venir sans avoir les caméras dirigées sur nous, nous privant de toute intimité. Sacha a choisi de rester cloîtré dans la maison, mais moi, j'ai pris le téléphone.

J'ai appelé mon vieil ami Terry DiMonte, un animateur de radio, et lui ai dit que j'allais m'installer chez lui pour la fin de semaine. J'aimais l'idée de me cacher des journalistes dans un endroit où on ne viendrait jamais me déranger : chez un des leurs. Pendant quelques jours, si ce n'est des rencontres au centre-ville pour discuter des détails des funérailles d'État avec mon frère, avec des gens du Bureau du protocole du gouvernement et avec quelques vieux amis de mon père, j'ai pu vivre mon deuil en paix, entouré seulement d'une poignée de mes amis les plus proches.

C'est pendant cette fin de semaine que j'ai écrit son éloge funèbre. Je savais que les journaux et les télévisions seraient remplis de ses réalisations politiques, alors je souhaitais parler d'un côté de mon père que les gens avaient perçu sans vraiment le connaître : je voulais parler de l'excellent père qu'il avait été. Mes amis m'ont aidé à retrouver quelques anecdotes pour servir de base au texte, j'ai ajouté des références aux valeurs et à la vision du Canada qui avaient inspiré non seulement une génération, mais aussi ses fils, et j'ai essayé de boucler la boucle en tenant compte de l'élan de soutien qu'on avait vu jaillir partout au pays et en offrant une occasion de pleurer un bon coup, une dernière fois.

Le mardi matin, avant le service, pendant que je me pré-parais pour me rendre à la cathédrale Notre-Dame, je pen-sais à Shakespeare, aux « hommes honorables » qui étaient les adversaires politiques de mon père, à l'idée de lui faire un éloge et non de l'enterrer, et j'ai décidé, sur un coup de tête, de commencer mon discours d'une façon originale, par un petit coup de coude – je peux l'admettre aujourd'hui – mais à l'époque, ça me semblait la chose à faire.

Pour la conclusion, je ne voyais qu'une possibilité : dire à mon père et au monde entier combien je l'aimais.

Et je l'aimerai toujours.

Le Canada a perdu Pierre Elliott Trudeau à l'au-tomne 2000. Sacha, Sarah et moi avons perdu notre père. Il nous avait bien préparés à cette éventualité, mais on n'est jamais réellement prêt à perdre un de ses parents. Personne ne l'est. C'est un des plus grands changements que la vie nous fait vivre. Les parents sont au centre du système solaire de chacun, même une fois adulte. Mon père avait un champ gravitationnel plus fort que celui de la majorité des gens, et son absence a forcément laissé un vide profond et persistant.

Les Canadiens ont fait preuve d'un immense soutien envers ma famille et moi. Je n'oublierai jamais à quel point les gens se sont montrés bons et chaleureux, tous, presque sans exception. Rares sont ceux qui ont la chance de compter sur l'appui de plus de 30 millions de personnes au moment de la mort de leur père. Du reste, le changement a été instantané et bouleversant. Quand mon père a quitté la vie publique, j'avais 13 ans. J'ai traversé l'adolescence et le début de l'âge adulte dans un anonymat relatif. Après les funérailles de papa, les gens se sont mis soudain à me reconnaître dans la rue.

J'ai ressenti avec une grande intensité l'absence de mon père. C'était triste et profond, mais aussi libérateur. J'ai dit dans mon éloge funèbre qu'il ne tenait qu'à nous, à nous tous, d'incarner les valeurs qu'il défendait maintenant qu'il n'était plus à nos côtés. Quand j'y repense aujourd'hui, je me rends compte que le conseil s'adressait à moi autant qu'aux autres.

On me demande souvent si je regrette le fait que mon père ne soit plus là pour me donner des conseils, surtout depuis que j'ai choisi de suivre ses traces en devenant chef du Parti libéral. Comme c'est le cas pour tous les gens qui ont perdu un parent, mon père me manque beaucoup, mais pas de ce point de vue là. Nous étions proches, et notre relation était profonde. Depuis que j'étais tout petit, il partageait avec moi ses valeurs, son point de vue, tout en m'enseignant à être rationnel, responsable et rigoureux. Et, grâce à cela, je sens qu'il me suffit d'être en contact avec ce qu'il y a au plus profond de moi pour entendre sa voix dans presque toutes les situations.

Il est toujours là en esprit, et son esprit est toujours encourageant.

CHAPITRE CINQ

Deux décisions déterminantes

———

PRÈS LE DÉCÈS DE MON PÈRE, LA DERNIÈRE chose à laquelle je pensais, c'était la politique. Je voulais rentrer à Vancouver, reprendre mon travail d'enseignant et assimiler le fait que mon père, qui avait occupé tellement de place dans ma vie, n'était plus là.

Je me rappelle vaguement avoir été approché, dans les jours qui ont suivi l'enterrement, pour me convaincre de me présenter pour les libéraux, mais j'ai répondu très clairement que ça ne m'intéressait pas.

J'aimais beaucoup mon travail d'enseignant. Je le faisais bien et ça me donnait l'impression d'accomplir quelque chose. La politique restait tout de même une possibilité pour moi, mais à condition que cela se fasse selon mes conditions. J'étais toujours resté loin de la politique traditionnelle : je n'avais jamais été membre des Jeunes libéraux ni même participé aux congrès du parti, ni à aucun autre de ses événements d'ailleurs. J'avais délibérément choisi de garder mes distances par rapport à ce monde, conscient qu'on accorderait plus d'importance à mon nom de famille qu'à mes paroles ou à mes actions, ce qui ne me plaisait pas.

Je suis retourné à l'enseignement, passant de l'école privée au système public, et j'ai repris ma vie normale. Mon image publique m'a permis d'appuyer des causes qui me tenaient à cœur comme la sensibilisation à la sécurité en matière d'avalanches, mais j'ai surtout tenté de me faire discret.

Un vieil ami de mon père, Jacques Hébert, m'a offert un poste au conseil d'administration de Katimavik. C'est lui qui avait fondé cet organisme qui se voulait un programme national de service volontaire pour les jeunes du Canada, à la fin des années 1970. Sincèrement, j'étais un peu surpris que le programme existe encore ; je me rappelais la grève de la faim qu'avait dû mener Jacques, alors qu'il était sénateur, pour empêcher son abandon par le gouvernement Mulroney. J'étais quand même conscient qu'un tel programme pouvait combler une lacune que j'avais constatée dans nos écoles secondaires, soit le manque d'occasions pour les jeunes d'entrer en contact avec la collectivité, d'y contribuer et de découvrir qu'ils peuvent changer le monde de façon concrète dès maintenant, sans avoir à attendre l'âge adulte.

À Katimavik, les jeunes bénévoles travaillaient pour des organismes sans but lucratif et suivaient un programme d'études qui mettait l'accent sur l'usage de la deuxième langue officielle, l'apprentissage de la gestion responsable de l'environnement, la découverte de la culture canadienne et le développement de compétences en leadership. Chaque année, plus de 1 000 jeunes Canadiens, logés dans des maisons Katimavik réparties dans tout le pays, travaillaient dans plus de 500 organismes partenaires. Depuis la création du programme, plus de 35 000 jeunes Canadiens ont participé à des programmes Katimavik dans plus de 2 000 collectivités différentes. Ça a eu un effet considérable sur notre pays, un effet qu'il ne faut surtout pas minimiser. Les participants, en plus de découvrir la valeur du bénévolat et de l'engagement civique, apprenaient beaucoup sur le Canada en passant plusieurs mois dans trois régions différentes avec des jeunes d'autres provinces. Fondamentalement, le but était d'enseigner aux jeunes Canadiens à construire un pays meilleur, une communauté à la fois.

Ma plus grande frustration par rapport à ce programme était son manque de financement. Chaque année, le programme recevait environ 10 demandes pour chaque place disponible ; 10 000 jeunes Canadiens, souvent indécis quant à leur prochaine étape après l'école secondaire, étaient prêts à consacrer leurs énergies et leurs efforts à servir leur pays, mais il fallait en refuser neuf sur dix. Tous les anciens de Katimavik vous le diront : cette expérience a changé leur vie. Le fait qu'un pays aussi prospère que le Canada n'offrait pas plus d'occasions du genre aux jeunes pour les aider à devenir des citoyens actifs et responsables envers la collectivité tout en aidant des organismes locaux était quelque chose que j'espérais changer. Et je le souhaite toujours.

Après avoir passé un an de plus sur la côte Ouest, j'étais prêt à rentrer chez moi, au Québec. J'adorais Vancouver et le style de vie qu'on y mène, j'avais un groupe d'amis fantastiques, j'aimais la montagne et l'océan, mais, à 30 ans, je commençais à sentir le besoin de m'établir et de fonder éventuellement une famille. Je ne pouvais m'imaginer le faire ailleurs qu'à Montréal.

Le fait de vivre en français au quotidien me manquait – l'enseigner ne suffisait pas – et j'avais de la difficulté à concevoir que je passerais le reste de mes jours avec une personne qui ne partagerait pas ma langue et ma culture. Je m'ennuyais aussi de ma mère, qui avait énormément de difficulté à retrouver l'équilibre après les deux décès dans la famille, et j'avais l'impression que je pourrais l'aider. En vivant à Vancouver, à des milliers de kilomètres d'elle, j'étais frustré de ne pouvoir lui offrir le soutien dont elle avait besoin.

Trouver un poste d'enseignant à Montréal était plus compliqué que je le pensais. Pour que mon diplôme en enseignement de Colombie-Britannique soit valide au Québec, il fallait que je procède à une mise à niveau de mes qualifications. Au moment où je m'informais des étapes pour y arriver, j'ai décidé qu'il me fallait un nouveau défi. À l'automne 2002, j'ai commencé à suivre des cours à l'École Polytechnique de Montréal pour développer mon côté scientifique en étudiant le génie.

J'ai toujours aimé le génie; cette application pratique

des maths et des sciences aux situations concrètes m'attirait profondément. Dès mon jeune âge, un de mes passe-temps favoris était de résoudre des énigmes et des problèmes de mathématiques et j'étais très heureux de pouvoir relever un nouveau défi intellectuel.

L'idée de surprendre par l'aspect totalement inattendu de la chose, du moins pour ceux qui me connaissaient moins, me plaisait aussi beaucoup. Depuis la mort de mon père, plusieurs cherchaient des signes que j'allais me lancer en politique, et ce détour imprévu me permettait de leur faire une sorte de pied de nez.

C'est pendant mes études à Polytechnique que j'ai rencontré Sophie.

EN JUIN 2003, ON M'A DEMANDÉ DE PARTICIPER À UN GALA DE la Fondation pour l'enfance Starlight. C'était une grosse production. Tony Bennett assurait l'animation musicale, et Belinda Stronach est arrivée en compagnie du prince Andrew. Je coanimais la soirée avec Thea Andrews, qui, à l'époque, était animatrice à Toronto, et une charmante présentatrice télé québécoise qu'il me semblait avoir déjà rencontrée. Elle s'appelait Sophie Grégoire, et je me suis surpris à la regarder en me disant : *J'ai l'impression de connaître cette femme.*

Alors que nous discutions, Sophie a confirmé pourquoi son visage m'était familier. Elle avait fréquenté la même école que mon frère Michel et nous nous étions rencontrés à quelques reprises à l'époque. Nous avions alors quatre ans de différence et quand on est adolescent, c'est énorme, mais maintenant, ces quatre années d'écart n'avaient plus d'importance.

Sophie avait connu Michel en troisième année à l'externat Mont-Jésus-Marie à Montréal. Ils se sont retrouvés au cégep à Brébeuf, où elle fréquentait un des meilleurs amis de mon frère. Sophie percevait alors Michel comme un rebelle au cœur tendre qui adorait le plein air et détestait les cliques. Brébeuf, je le savais très bien, pouvait être assez *snob*, mais Michel s'était forgé une réputation d'*anti-snob*.

Il s'était écoulé cinq ans depuis le décès de Michel, mais la blessure émotionnelle était toujours là. En fait, elle le sera toujours. Mais j'étais suffisamment guéri pour pouvoir rire et me remémorer avec Sophie les singeries de Michel au secondaire sans devenir macabre ni émotif.

Nous avons passé une très bonne soirée, même si nous avons eu du mal à faire taire quelques invités éméchés pendant le spectacle de Tony Bennett. Le fait de se retrouver au sein de ce chaos a créé un lien entre nous. Nous avons passé la majeure partie de la soirée à discuter et à flirter et j'ai réalisé que c'était une femme très spéciale. La soirée s'est terminée et elle est partie.

Elle m'a envoyé un bref courriel quelques jours plus tard, me disant que ça avait été très agréable de me rencontrer et m'offrant ses meilleurs vœux. J'étais enchanté de recevoir son message, mais trop poule mouillée pour y répondre : je sentais déjà qu'il ne s'agissait pas d'une rencontre ordinaire avec une femme ordinaire et qu'une simple invitation à prendre un café deviendrait probablement très vite un engagement pour le reste de ma vie.

Je me suis dit que si le destin le voulait, ça arriverait naturellement et qu'il n'était donc pas nécessaire de se presser.
En effet, quelques mois plus tard, vers la fin de l'été, comme
je marchais sur le boulevard Saint-Laurent, quelqu'un marchant en sens inverse m'a lancé un bref « Salut, Justin ».

Sophie! J'ai fait demi-tour et j'ai couru vers elle. Je lui ai
dit la seule chose qui m'est venue à l'esprit : « Je suis désolé
de ne pas avoir répondu à ton courriel! »

Elle a levé un sourcil, impressionnée malgré elle du fait
que j'étais conscient d'avoir été un peu ridicule de ne pas
avoir répondu à son message.

« Je vais me reprendre : laisse-moi t'inviter à souper »,
ai-je proposé.

« Écris-moi un de ces jours, on verra », m'a-t-elle
répondu, l'air désinvolte, en s'éloignant.

Il m'a fallu quelques semaines de conversations par courriel et au téléphone pour la convaincre, mais je ne me suis
pas découragé. Elle a fini par accepter un souper, à la condition que nous mangions dans un restaurant que ni elle ni
moi ne connaissions déjà. Pour sortir de ma zone de confort,
j'ai demandé à Sacha de me recommander un endroit. Disons
que ses goûts ont toujours été encore plus aventureux que les
miens. Il a donc suggéré le Khyber Pass, un restaurant
afghan sur la rue Duluth. Sophie a aimé l'idée, et nous nous
sommes entendus pour nous voir la semaine suivante.

Elle m'a indiqué comment me rendre chez elle, en ajou-
tant pour m'aider « juste en face de la roseraie Pierre-

Elliott-Trudeau ». Je ne le lui ai jamais avoué, mais il a fallu que je cherche où c'était.

On ne peut pas dire que je sois arrivé en grande pompe. J'avais conduit pendant des années une Volkswagen Jetta TDI avec laquelle j'ai fait les allers-retours entre Vancouver et Montréal quand je vivais en Colombie-Britannique, mais on me l'avait volée cet été-là et je ne l'avais pas encore remplacée. Je conduisais donc la vieille Ford Bronco de Michel, qui avait surtout une valeur sentimentale. Après son décès, elle avait passé tout l'hiver sous la neige dans un chemin forestier du parc provincial de Kokanee Glacier et, quoi que je fasse, je n'arrivais pas à me débarrasser de son odeur de moisi. Sophie ne s'est pas plainte, mais elle m'a bien taquiné.

Nous avons parlé de toutes sortes de choses pendant le souper, mais nous revenions toujours à Michel, à mon père et aux années 1980. En plus d'avoir connu Michel à l'école, Sophie avait croisé Sacha par l'entremise d'amis communs, souvent sur des pistes de ski.

C'est grâce à cet ingrédient, celui d'avoir plusieurs points en commun, que notre attirance mutuelle s'est vite transformée en amour véritable. C'est une chose d'être attiré par une femme, de la trouver pleine d'esprit, posée, intelligente ou belle, mais Sophie était tout ça à la fois et nous avons tous les deux pris plaisir à ce qu'elle appelle aujourd'hui « le superbe inconfort » du flirt. Mais si l'objet de notre attention ne comprend pas ce qui est important pour nous, l'attirance superficielle ne serait pas assez. Une des choses les plus importantes pour moi, c'est ma famille, y compris le père et le frère que je ne reverrai jamais. Ce n'est donc pas une coïncidence si j'ai été si fortement attiré par cette femme incroyable qui avait connu ma famille à une époque plus heureuse.

L'amour le plus durable se tisse à l'aide d'éléments enracinés dans le passé, y compris des valeurs et une culture communes. Ce sont des choses qu'on n'a pas à expliquer et qu'on ne pourrait probablement jamais expliquer. Ma rencontre avec Sophie ne signifiait pas tant que je devais apprendre à connaître quelqu'un de nouveau; c'était plutôt comme découvrir quelqu'un que je connaissais déjà, et dont j'avais aussi rêvé toute ma vie. C'est pour ça que j'ai commencé à croire, pendant le souper, que j'étais revenu à Montréal pour Sophie, avant même de connaître son nom.

Je ne voulais pas la faire fuir à coups de grandes déclarations romantiques, alors j'ai essayé de rester *cool*. Après le souper, alors que nous marchions dans la section piétonne de la rue Prince-Arthur en quête de crème glacée, Sophie a dit: «J'aimerais bien aller dans un karaoké. On va s'amuser! Allez!»

Le karaoké n'était plus à la mode et la plupart des bars s'étaient départis de leur machine. Mais je connaissais un bar asiatique, rue de la Montagne, qui accueillait encore les chanteurs amateurs; alors, nous y sommes allés avec le Bronco, nous avons réservé une cabine privée et nous avons chanté la bande originale de *Moulin Rouge*. Sophie chantait très bien; moi, pas vraiment. Mais peu importe, j'étais de plus en plus sous son charme. J'avais une impression de détente, de pouvoir me fier à mes sentiments comme je l'avais rarement fait auparavant. Je me sentais à la fois vulnérable et protégé, et ce mélange d'émotions heureuses m'a à ce point déséquilibré que j'ai foncé dans un lampadaire en sortant du bar. Comme c'était notre première sortie, je n'ai pas pu convaincre Sophie que je n'étais pas si gaffeur : il a fallu des années sans jamais refaire quoi que ce soit de la sorte pour qu'elle comprenne dans quel état je me trouvais ce soir-là…

Une fois chez moi, assis sur le sofa, nous avons discuté jusqu'aux petites heures du matin. Plus nous parlions de nous-mêmes, plus nous devenions proches et la conversation a fini par dériver sur des confessions tristes. Sophie m'a révélé son combat contre la boulimie et ses moments de grande solitude en tant qu'enfant unique, et je lui ai parlé de mon enfance tumultueuse.

Quand nous nous sommes quittés, j'ai eu la sensation étourdissante que Sophie était la bonne, je lui ai avoué : « J'ai 31 ans et ça fait 31 ans que je t'attends… » Puis, je lui ai demandé si nous pouvions sauter l'étape des fréquentations et aller tout de suite aux fiançailles, car je savais que nous passerions le reste de notre vie ensemble. La puissance de nos émotions nous faisait rire et pleurer en même temps. L'intensité et la clarté de ce moment nous ont laissés tous deux à court de mots. Je l'ai ramenée chez elle dans un silence rempli de tendresse.

Comme je l'ai déjà dit en racontant cette histoire, ça lui a pris quelques semaines pour se rendre compte que j'étais sérieux et quelques-unes de plus pour comprendre que j'avais raison. Ça a été un de ces moments de clarté totale dans ma vie, où j'avais une certitude tranquille, mais iné-branlable, à propos de la façon dont les choses allaient se dérouler.

Mes amis et ma famille ont adoré Sophie, et moi je me suis pris d'affection pour ses parents. L'année suivante, nous avons acheté un appartement ensemble près de l'avenue Van Horne. Pour la première fois de ma vie, j'ai emménagé avec ma blonde. Nous voyagions ensemble, nous nous stimulions l'un l'autre sur les plans physique, spirituel, émotionnel et intellectuel, et chacun a découvert des vérités sur soi grâce à l'autre.

Sophie est la personne la plus colorée, articulée, passionnée et profonde que j'aie jamais rencontrée. Sa personnalité complexe est remplie de contrastes. Elle est à la fois une skieuse extrême capable de s'attaquer aux pentes les plus abruptes et les plus dangereuses, et une femme avec une douceur, une grâce et un instinct maternel déconcertants. Son côté artistique et créatif, et son sens de l'humour se mélangent parfaitement à sa discipline et à sa détermination. C'est une enfant unique, mais elle a toujours été curieuse et elle a toujours eu de la sympathie pour les autres. Sa vulnérabilité, son intelligence et son intuition sont exaltantes, et je ne peux que l'aimer encore plus chaque jour.

Le 18 octobre 2004, j'ai emmené Sophie à Saint-Rémi voir la tombe de mon père, à qui j'ai discrètement demandé la bénédiction en ce jour qui aurait été son 85e anniversaire de naissance. Quelques heures plus tard, à la lueur des chandelles d'une chambre d'hôtel du Vieux Montréal décorée de pétales de roses, j'ai demandé à Sophie de m'épouser.

La fin de semaine précédente, j'avais rendu visite aux parents de Sophie dans leur demeure de Sainte-Adèle, dans les Laurentides. Dans un geste de respect un peu vieux jeu, je m'étais agenouillé devant son père dans les feuilles humides de l'automne, pendant une promenade dans les bois, pour lui demander la main de sa fille. Avec son humour habituel qui dissimule son côté sensible, Jean a répondu : «Oui, bien sûr, bien sûr. Maintenant, lève-toi ! Ton pantalon va être mouillé.»

C'est devant la cheminée que j'ai offert une bague à Sophie dans un antique écrin russe laqué que mon frère m'avait donné pour cette occasion. C'était un beau geste de la part de Sacha et sa façon de montrer qu'il approuvait mon choix d'inviter Sophie à se joindre à notre famille. Je n'oublierai jamais ce moment où le temps s'est arrêté pendant que j'attendais sa réponse. J'attendais, elle souriait et semblait faire oui de la tête, les yeux aussi mouillés que les miens, mais, en fin de compte, il a fallu que je la presse pour qu'elle se rappelle du besoin de me répondre. Elle a dit oui.

Moins d'un an plus tard, le 28 mai 2005, nous nous sommes mariés à l'église Sainte-Madeleine d'Outremont. Nous nous sommes engagés à nous soutenir mutuellement dans les épreuves, dans la fortune et l'adversité. Notre mariage n'est pas parfait et nous avons connu des moments difficiles, mais Sophie reste ma meilleure amie, ma partenaire, mon amour. Nous sommes honnêtes l'un envers l'autre, même quand ça blesse. Elle me ramène sur terre, m'inspire, me stimule et m'appuie. Certains jours elle me donne la force qu'il me faut pour lutter, d'autres jours la grâce dont j'ai besoin pour me retirer du combat. Nous avons la chance de partager notre vie : malgré les aléas du temps, notre amour nous rappelle ce qui compte vraiment.

Après quelques années à Polytechnique, j'ai reconnu qu'il s'agissait d'un caprice intellectuel. Je n'avais jamais eu l'intention de devenir un ingénieur professionnel, et non seulement mes autres projets prenaient-ils plus de mon temps, mais ils correspondaient mieux à mes aptitudes et à mes champs d'intérêt.

À cette époque, je présidais le conseil d'administration de Katimavik, qui avait réussi à obtenir du gouvernement Chrétien l'augmentation et la stabilisation de son financement à 20 millions par an et je donnais des discours dans des écoles secondaires partout au pays sur l'importance du travail communautaire et du bénévolat.

Je jouais aussi un rôle actif au conseil de la Fondation canadienne des avalanches. Je m'occupais de la promotion de la sécurité en matière d'avalanches dans le cadre d'événements dans des centres de ski de l'Ouest, je faisais pression sur les gouvernements de la Colombie-Britannique et de l'Alberta pour qu'ils contribuent au financement du Centre canadien des avalanches et de ses alertes publiques, et je participais à la collecte de fonds privés pour l'organisation. Pour la première fois, j'avais l'occasion de constater à quel point les gens de l'Ouest ont l'esprit philanthropique. En effet, nos activités annuelles de financement au zoo de Calgary attiraient toujours beaucoup de figures importantes de la province pétrolière de l'Alberta qui souhaitaient contribuer à une cause importante et louable.

Pendant un an, j'ai tenu une chronique hebdomadaire sur l'actualité à la radio francophone, sur les ondes de CKAC, en plus d'être le correspondant officiel de la station aux Jeux olympiques d'Athènes en 2004. J'ai ainsi eu la chance de découvrir la scène médiatique et culturelle québécoise de l'intérieur. Ça m'a aussi démontré le pouvoir de la radio comme moyen de joindre les gens. On ne peut pas être « faux » à la radio : la voix et le ton nous trahissent. Sans compter que personne ne s'intéresse au nom de l'animateur après les 10 premières secondes ; tout ce qui compte, c'est ce qu'il a à dire, sa façon de le dire et qu'il s'adresse aux gens plutôt que de s'écouter parler. C'est en partie pour ça qu'encore aujourd'hui, je préfère donner des entrevues en studio à la radio et discuter en direct avec l'intervieweur.

La Société pour la nature et les parcs du Canada (SNAP) m'a aussi demandé de participer à sa campagne *Nahanni pour toujours* visant la protection et l'extension du parc national Nahanni, dans les Territoires du Nord-Ouest. Après une descente de la rivière en canot avec plusieurs environnementalistes et journalistes, je me suis lancé dans une tournée nationale de conférences pour faire connaître la campagne de la Société.

On me demandait en fait de plus en plus souvent de donner des conférences sur la jeunesse ou l'environnement dans le cadre de congrès et d'autres événements, et bien que mon expérience en enseignement et mon travail auprès de Katimavik m'aient permis d'acquérir une certaine expertise sur le premier sujet, j'ai décidé à l'automne 2005 de reprendre encore une fois mes études – à la maîtrise cette fois – pour améliorer ma compréhension des questions écologiques. Je me suis alors inscrit en géographie environnementale à l'Université McGill.

C'est aussi cet automne-là que j'ai communiqué avec une agence de conférenciers pour m'aider à gérer toutes les requêtes que je recevais. J'avais jusque-là résisté à l'idée de demander des honoraires pour mes conférences, mais j'avais besoin d'aide pour la logistique et les conditions. J'ai aussi commencé à comprendre les forces du marché du monde des conférenciers, en particulier pour ce qui est de la collecte de fonds : le conférencier adéquat aide à remplir une salle et à vendre tous les billets pour une soirée de bienfaisance, les commanditaires sont plus qu'heureux de contribuer à un événement communautaire réussi en échange d'une certaine visibilité, et un bon conférencier aide à donner le ton et à catalyser le succès d'un congrès professionnel. Dans bien des congrès, les honoraires du conférencier font partie du budget au même titre que la location de la salle, le service de traiteur ou l'organisation du spectacle musical.

Bien entendu, j'ai continué à animer des conférences gratuitement pour diverses causes dans lesquelles j'étais personnellement impliqué, de Katimavik à la sécurité dans les sports d'hiver en passant par la protection du parc Nahanni.

Quand c'était possible, en traversant le pays, je m'arrêtais aussi dans les écoles des villes que je visitais pour leur proposer une activité gratuite durant la journée, puisque j'étais déjà sur place pour un engagement payé.

Plus je discutais avec les jeunes en parcourant le pays, plus j'envisageais de consacrer ma vie à défendre leurs droits. C'était de plus en plus évident pour moi qu'il fallait des voix plus puissantes pour faire entendre dans la sphère publique les questions qui les préoccupent – l'éducation, l'environnement et les perspectives économiques de leur génération. J'avais aussi l'impression qu'un changement générationnel approchait et qu'il donnerait lieu à de nouvelles possibilités. C'est dans ce contexte que j'ai fait mes premiers pas en politique.

APRÈS LA DÉFAITE LIBÉRALE AUX ÉLECTIONS DE JANVIER 2006, Paul Martin a donné sa démission comme chef et, au printemps, une course à la direction à 11 candidats était bien entamée. J'ai préféré garder mes distances, mais je me suis demandé si je n'avais pas quelque chose à offrir pour aider au renouvellement du Parti libéral étant donné mon expérience croissante en tant que conférencier sur la jeunesse et l'environnement, et mon message qui visait la participation des citoyens. Comme il s'agissait d'une grosse décision dont les conséquences pouvaient être importantes, j'en ai discuté avec Sophie ; nous étions tous deux d'avis que j'avais quelque chose à apporter et que je devrais donc au moins proposer mon aide.

Je ne savais pas par où commencer, mais j'avais entendu dire que Tom Axworthy, que j'avais un peu connu au fil des ans alors qu'il était l'un des conseillers de mon père, codirigeait la Commission du renouveau du Parti libéral. Je l'ai appelé et lui ai offert mon aide pour les questions liées à la jeunesse. Pendant que bien des membres du parti se concentraient sur la course à la direction, on espérait que la Commission permettrait à un certain nombre de personnes de travailler en retrait pour assembler une nouvelle boîte à outils remplie d'idées, de politiques et de principes dont le prochain chef pourrait s'inspirer pour reconstruire et renouveler le parti.

Cet été-là, j'ai traversé le pays pour écouter les opinions des jeunes sur la politique et sur le Parti libéral, en particulier. Le but était de produire un rapport présentant des recommandations sur la façon dont le parti pourrait amener les jeunes Canadiens à voter libéral. Après avoir écouté des centaines de jeunes, j'ai réalisé que notre défi le plus pressant n'était pas de les persuader de voter libéral, mais d'abord de les persuader de voter tout court. Dans notre rapport, mes collègues et moi avons suggéré que le principal objectif du parti était de vaincre l'attitude désengagée des jeunes et de les persuader de participer aux élections. Qu'ils choisissent ou non le Parti libéral une fois dans l'isoloir, c'était au parti et aux candidats locaux d'y voir.

Il y avait plein de jeunes militants passionnés au Canada. Cependant, la plupart d'entre eux préféraient s'engager au sein d'organisations non gouvernementales plutôt que dans des partis politiques. Voici un extrait de notre rapport : « Les jeunes préfèrent agir à l'échelle individuelle pour faire une différence dans la société et ont moins confiance à cet égard en l'efficacité des efforts collectifs canalisés par des initiatives démocratiques ou gouvernementales. » Nous ajoutions que les jeunes prenaient des mesures pour protéger l'environnement, comme le recyclage des déchets, mais qu'ils attachaient beaucoup moins d'importance aux élections et à l'exercice du droit de vote. Quand on travaille pour des organismes communautaires, une ONG ou pour défendre une seule grande cause, on a davantage l'impression d'aider à changer le monde de façon significative, bien que limitée. Quand on vote ou qu'on collabore à une campagne électorale, on participe à un système d'une manière qui pourrait un jour mener au changement, mais c'est loin d'être sûr, particulièrement si on tient compte du cynisme qui dominait la politique à l'époque. « Or, si nous sommes incapables de mobiliser les jeunes dès maintenant, le déclin du taux de participation ira en s'accentuant », concluait-on.

Parmi nos recommandations, nous suggérions que les politiciens se concentrent sur les principales préoccupations des jeunes Canadiens comme l'éducation, l'environnement, la politique étrangère et la protection des droits. Nous proposions également d'instaurer « une culture axée sur l'esprit civique » en créant et en finançant un programme national de bénévolat pour les jeunes et en demandant à Élections Canada d'élaborer un programme national d'élection simulée à l'intention des écoles secondaires.

J'étais convaincu – et je le suis toujours – que la participation active des citoyens au sein de leur communauté est à la fois une fin en soi et un moyen de résoudre les problèmes que nous affrontons en tant que pays. Nous avons de grands défis à surmonter et je pense souvent qu'à moins de revigorer notre démocratie, nous n'y trouverons jamais de réponses légitimes. Dans une démocratie moderne, on ne devrait pas uniquement marquer son appui à une vision et à un ensemble de solutions par son vote, mais aussi contribuer activement à l'instauration de cette vision et de ces solutions. C'est au cœur des questions de réforme démocratique. On en parle trop souvent comme d'un enjeu interne qui n'intéresse qu'Ottawa et ses politiciens. C'est une erreur de le voir ainsi : ceux qui ressentent le plus vivement les conséquences des lacunes de notre démocratie sont, tant physiquement que métaphoriquement, bien loin d'Ottawa.

Je commençais à peine à comprendre l'importance de cette question quand nous avons publié notre rapport, à l'automne 2006. J'ai rencontré certains des candidats dans la course à la direction du Parti libéral pour leur demander ce qu'ils pensaient de nos recommandations et savoir s'ils prenaient au sérieux les problèmes du parti face aux jeunes électeurs. Je cherchais aussi à déterminer qui avait vraiment compris le besoin de renouveau et le fait qu'une défaite électorale représentait une excellente occasion de moderniser le style et l'approche du parti. Ça faisait un moment que les membres du parti et les journalistes me demandaient mon avis à propos de la course à la chefferie et je voulais en savoir plus sur les candidats avant de me prononcer. Personnellement, j'estimais que le parti devait rompre avec les mauvaises habitudes du passé récent et qu'il était important de se défaire de cette attitude arrogante qui découlait de l'impression que les libéraux formaient le « parti gouvernant naturel du Canada. »

Finalement, j'ai choisi d'appuyer Gerard Kennedy, le ministre de l'Éducation de l'Ontario. J'étais impressionné par le fait que, contrairement à beaucoup de politiciens, Gerard Kennedy avait eu une longue carrière dans le service public en dehors du gouvernement; il avait dirigé la Daily Bread Food Bank de Toronto pendant presque 10 ans. Il comprenait la pauvreté, l'inégalité de revenus et le chômage, des questions qui occupaient une place croissante dans ma pensée politique. J'étais très emballé par ses convictions et ses réalisations, par l'importance qu'il accordait au renouveau en passant par la base et son éthique professionnelle évidente. Je croyais déjà alors que le Parti libéral s'était enfoncé plus profondément que plusieurs de ses membres l'admettaient et qu'il faudrait un chef d'une nouvelle génération, de l'extérieur du parti fédéral, pour le revigorer.

Pour ceux qui souhaitaient donner un nouveau souffle au Parti libéral, le congrès d'investiture de décembre 2006 était un événement inspirant. Il ne s'agissait ni d'un couronnement ni d'un duel entre deux vieux ennemis, mais plutôt d'une course haletante et imprévisible entre quatre candidats (Michael Ignatieff, Bob Rae, Stéphane Dion et Gerard Kennedy) qui avaient tous des chances de gagner. Les quatre autres candidats en lice (Ken Dryden, Scott Brison, Joe Volpe et Martha Hall Findlay) comptaient suffisamment de partisans pour avoir une incidence sur le résultat.

Cette fin de semaine à Montréal a été d'une grande importance dans ma transition vers la vie politique. Jusque-là, même si j'avais évolué un certain temps en marge du Parti libéral, je n'étais pas encore persuadé qu'une carrière en politique m'intéressait. J'adorais le monde d'idées, de valeurs et d'élaboration de politiques qui en formait la base, mais ma mère m'avait prévenu, avec ses mots et par son exemple, du coût personnel incroyable que peut avoir la vie de politicien. Et il y avait bien entendu un autre facteur à prendre en considération : entrer en politique au palier fédéral semblait indiquer que je suivais les traces de mon père, et on pouvait croire que je me donnais une certaine légitimité à le faire seulement du fait que j'étais son fils.

Or, pour moi, l'association avec mon père n'était pas une raison d'entrer en politique. C'était plutôt une raison pour ne pas vouloir y entrer. Depuis toujours, je vivais avec le fait que beaucoup de gens me jaugeaient non pas pour ce que j'étais, mais en tant que fils de mon père. J'avais mené cette bataille pendant tant d'années déjà et donc pourquoi, après tous ces efforts, faire un choix de carrière où on me comparerait forcément aux réalisations de mon père ? Il me semblait logique de rester à l'écart du monde politique pendant encore au moins 10 ans et de limiter les inévitables comparaisons. C'était mon état d'esprit à l'approche du congrès.

Les choses ont changé peu après l'ouverture du congrès au Palais des congrès. Alors que je me mêlais à la foule de libéraux, tous absorbés par l'avenir du parti et du pays, j'ai commencé à réévaluer ma peur des comparaisons avec mon père. Peut-être, me suis-je dit, avais-je sous-estimé les véritables différences entre mon père et moi en matière de politique.

Dès le début de sa carrière politique, mon père avait adopté une approche intellectuelle dans toutes ses activités politiques, y compris ses campagnes. Il ne se sentait pas fait pour les bains de foule et il évitait autant que possible le travail de terrain. En travaillant pendant le congrès, je me suis rendu compte qu'en matière de campagne politique, je n'étais pas le fils de mon père, mais bien le petit-fils de Jimmy Sinclair. Grand-papa Jimmy était le parfait exemple du politicien de terrain, un homme qui adorait socialiser avec les gens, serrer des mains, écouter et à son grand bonheur embrasser des bébés de temps en temps. Le contraste entre les deux hommes était saisissant, et plus ça devenait clair dans mon esprit, moins j'avais peur qu'on me compare à mon père.

J'ai été surpris et enthousiasmé par la réaction des membres du parti lors du congrès. Les organisateurs de Kennedy ont dû former une équipe chargée de m'aider à me déplacer sans difficulté dans la foule. J'ai vraiment aimé chercher des appuis pour Gerard pendant le congrès, essayer d'intéresser les délégués à sa candidature et tisser des liens avec d'autres libéraux. J'ai fait un bref discours d'introduction en son nom, je l'ai aidé à préparer son allocution à l'intention des délégués, puis je me suis installé pour regarder l'issue de la course.

Le moment du dépouillement du premier tour de scrutin est arrivé. Michael Ignatieff a terminé en première place avec 1 412 voix. Il n'y avait que 123 votes d'écart entre les trois suivants : Bob Rae avec 977, Stéphane Dion avec 856 et Gerard Kennedy avec 854. Scott Brison, Joe Volpe et Martha Hall Findlay ont abandonné la course, ce qui donnait environ 500 votes à répartir au deuxième tour de scrutin. Pour les quatre concurrents en tête, la course était donc loin d'être finie.

Le deuxième tour de scrutin a été désastreux pour Gerard. Il est resté en quatrième place, n'ayant récolté que 30 votes supplémentaires. Lorsque Ken Dryden, en cinquième place, a été forcé de renoncer, il a annoncé qu'il soutenait Bob Rae et a autorisé ses délégués à voter pour le candidat de leur choix. Gerard s'est délibérément retiré de la course et a apporté son soutien à Stéphane Dion. J'avais déjà décidé que si Gerard ne gagnait pas, je préférais que ce soit M. Dion, et je l'ai donc appuyé moi aussi. J'appréciais le fait que c'était à la fois un Québécois et un fédéraliste convaincu et réfléchi. Il avait de plus axé sa campagne sur l'environnement, ce qui correspondait à beaucoup des commentaires de jeunes que j'avais entendus en tant que président de la Commission jeunesse. Mais, surtout, c'était un gars sérieux. Il réfléchissait de façon rigoureuse et cherchait sincèrement à résoudre des questions complexes. C'est une chose qui me plaît encore beaucoup chez lui.

Au troisième tour de scrutin, M. Dion, qui avait plus que doublé ses voix, est passé devant M. Rae et M. Ignatieff. Lorsque Bob Rae a été forcé de se retirer, il a autorisé ses délégués à voter pour le candidat de leur choix. L'issue du vote a été incroyablement éloquente. Le gouffre entre M. Rae et M. Ignatieff était si profond que la grande majorité des délégués de Bob Rae a choisi de soutenir Stéphane Dion, qui a fini par remporter l'élection.

Le lendemain du congrès, j'ai appelé Stéphane d'un café sur l'avenue du Parc pour le féliciter. Je lui ai dit que j'avais été très heureux d'avoir contribué à cette étape de la reconstruction du parti, mais que maintenant que la course à la direction du parti était finie, je voulais retourner à ma vie normale. « Je vais m'éloigner un petit bout de temps, essayer de reprendre ma vie privée », ai-je dit. Ce à quoi Stéphane a répondu : « Ne vas pas trop loin parce que j'aurai besoin de ton aide pour nous débarrasser du gouvernement Harper. »

Il ne m'avait peut-être dit ça que par politesse, mais, après avoir raccroché, j'ai regardé Sophie de l'autre côté de la table et je lui ai répété les paroles de Stéphane. Nous avons compris qu'il nous faudrait prendre une grande décision.

L'EXPÉRIENCE DE CE CONGRÈS M'AVAIT APPRIS QUELQUE chose : quel que soit mon nom de famille, je possédais clairement des aptitudes pour la politique. Je ne prétendrai pas que mon nom n'avait aucune influence, mais ce n'était pas mon seul avantage. Loin de là.

J'ai passé les semaines suivantes dans de profondes discussions avec Sophie au sujet des défis, des sacrifices et des possibilités que peut entraîner la vie en politique. J'ai demandé conseil à mes amis et à ma famille et j'ai réfléchi longuement à l'impact que ça pourrait avoir sur la vie de chacun. Mais je sentais que le bon moment était arrivé.

J'avais terminé les cours de la maîtrise en géographie et il ne me restait plus qu'à rédiger mon mémoire. Si mon incursion en politique s'avérait infructueuse, je pourrais reprendre les choses là où je les avais laissées.

Jean Lapierre, député d'Outremont et ancien lieutenant de Paul Martin au Québec, avait annoncé à la suite du congrès qu'il ne se présenterait pas aux élections suivantes. Couvrant les flancs nord et est du mont Royal qui marque le centre de Montréal, Outremont représentait pour moi les racines familiales des Trudeau et mes sept années à Brébeuf, et c'est là où Sophie et moi avons d'abord acheté un appartement, puis la maison où nous vivions alors. Ça me convenait naturellement.

En outre, je savais que ce n'était plus une circonscription facile à remporter comme avant. J'allais devoir travailler fort pour gagner, mais aussi d'abord pour convaincre tous ces libéraux qui disaient que je n'avais pas encore fait mes preuves au sein du parti. Je savais cependant que c'était par un travail acharné que je pourrais leur démontrer que j'avais plus à offrir que mon seul nom.

Quelques jours avant Noël, j'ai de nouveau téléphoné à Stéphane pour lui dire que j'étais prêt à me présenter comme candidat pour lui et que la circonscription d'Outremont me semblait bien. Il m'a remercié et m'a dit qu'il me rappellerait.

Environ une semaine après le Nouvel An, Jean Lapierre a annoncé sa démission immédiate ; il allait donc y avoir une élection partielle dans Outremont. « Parfait ! », ai-je pensé un peu naïvement. Ce serait une lutte difficile qui attirerait beaucoup l'attention et nous allions prouver que le changement de génération au Parti libéral, c'était du sérieux.

En quelques jours à peine, cependant, le niveau d'intrigues à l'intérieur du parti au sujet de cette circonscription était passé du « simplement déplaisant » au « carrément malsain ». On a aussi fait savoir que l'association du comté d'Outremont s'opposait avec véhémence à la rumeur même de ma candidature, et que le bureau du chef n'était pas chaud à l'idée non plus. C'est vite devenu évident pour moi que je devrais trouver un autre comté.

Ça ne m'a pas affecté autant que ça aurait pu. La vérité c'est que, suivant les conseils de mon frère, j'avais déjà commencé à chercher d'autres circonscriptions à Montréal qui pourraient me convenir, et il y en avait deux qui se démarquaient clairement : Papineau et Jeanne-Le Ber. La première, plus au nord et à l'est qu'Outremont, entoure le parc Jarry, tandis que la seconde est située au sud du centre-ville, dans Verdun. Ce sont deux circonscriptions urbaines hétérogènes aux difficultés économiques considérables. Plus important encore, le Bloc Québécois avait remporté les deux circonscriptions l'année précédente ; une victoire dans l'une des deux signifierait non pas conserver un siège dans un fief libéral, mais plutôt en récupérer un des souverainistes. Quelle meilleure façon pouvait-il y avoir de prouver ma valeur ?

Des deux, Papineau me semblait convenir tout particulièrement. Je connaissais bien la grande diversité de restaurants ethniques de Parc-Extension, j'y avais assisté au mariage d'amis dans des églises orthodoxes, j'avais vécu de mémorables journées ensoleillées au parc Jarry et, comme bien des Montréalais, j'avais magasiné des rideaux sur la rue Saint-Hubert. Quand on traverse la circonscription en suivant Jean-Talon, on entend parler, en plus du français, l'anglais, le grec, le pendjabi, le bengali, le tamoul, l'urdu, l'espagnol, le portugais, l'arabe, le créole, le vietnamien et l'italien. Il me suffirait de sillonner la circonscription pour visiter le monde.

À la limite de l'est de Montréal et près du centre géographique de l'île, Papineau est limitrophe de l'ancienne circonscription de mon père, Mont-Royal à l'ouest, et de celle d'Outremont au sud. Avec une superficie de neuf kilomètres^2, Papineau est la plus petite circonscription fédérale du Canada. Au recensement de 2006, on y enregistrait le revenu familial moyen le plus bas au Canada, mais bien qu'il y ait une grande diversité de langues et de groupes ethniques, c'était aussi un comté résolument et indubitablement francophone. Longtemps libérale, la circonscription est passée au Bloc Québécois en 2006 lorsque Vivian Barbot, candidate vedette d'origine haïtienne, a défait le ministre libéral des Affaires étrangères, Pierre Pettigrew, dans une lutte serrée.

C'était exactement le genre de circonscription dynamique et multiculturelle que les libéraux devaient remporter s'ils voulaient devenir concurrentiels dans les grands centres urbains à la prochaine élection. On y trouvait les francophones que les libéraux devaient réussir à séduire pour reconquérir le Québec ; la taille compacte de Papineau était parfaite pour un candidat dynamique bien décidé à se déplacer à pied pour aller frapper aux portes de la circonscription.

Mais des membres de l'entourage de Dion m'ont indiqué que Papineau n'était pas l'endroit pour moi non plus, car ils réservaient la circonscription pour une candidate « ethnique ». Essayant clairement de me dissuader, ils m'ont dit que le processus de mise en candidature serait ouvert, laissant ainsi entendre qu'il leur semblait peu probable que je gagne une course à la candidature si elle était contestée.

Il est vite devenu clair que l'équipe de Dion était en faveur de Mary Deros, une politicienne municipale aguerrie et aimée des gens du coin qui représentait Parc-Extension au conseil municipal depuis la fin des années 1990. Je soupçonnais qu'on me voyait comme quelqu'un qui ne serait pas disposé à faire les efforts nécessaires pour remporter une circonscription aussi convoitée.

Aucun de ces obstacles ne me décourageait. Au contraire, je voyais là une excellente occasion de faire mes preuves dans une situation difficile. Je ne cherchais pas la facilité. Je voulais mettre mes aptitudes politiques à l'épreuve.

Mon éventuelle victoire dépendait assurément de mes aptitudes politiques personnelles, mais je savais qu'il me faudrait démontrer dès le départ que j'avais l'esprit d'équipe, et que la loyauté et le respect envers le chef étaient des valeurs auxquelles je croyais profondément et que je les considérais comme la meilleure façon, pour le parti, de regagner le respect des Canadiens.

La rumeur voulant que je me présente dans Papineau avait commencé à circuler vers la fin de février 2007. Je me suis tout de suite adressé à l'équipe de Dion pour savoir quoi faire. Ce n'était qu'une question de temps avant qu'un journaliste me le demande directement, et ma confirmation serait rapportée sur la scène publique. J'ai ressenti le besoin de coordonner le tout avec les responsables des communications du Parti libéral.

La réponse qu'on m'a donnée était assez directe, et un peu méprisante : ils m'ont dit de répondre aux questions des journalistes comme j'en avais envie. De plus, ils m'ont donné le net sentiment qu'ils me trouvaient un peu imbu de moi-même de les avoir contactés au sujet d'une question aussi insignifiante. J'ai poussé un soupir : de toute évidence, il m'en restait beaucoup à apprendre sur la politique.

Quelques heures plus tard, une journaliste de Radio-Canada m'a appelé chez moi pour savoir si c'était vrai que je pensais me présenter dans Papineau. Quand je le lui ai confirmé, elle m'a demandé une entrevue à la caméra. J'ai accepté à condition que ça ait lieu à l'aéroport, car je devais me rendre à un événement en lien avec la sécurité en matière d'avalanches dans l'Ouest.

À mon arrivée au terminal, les caméras de différents médias m'attendaient et j'ai donné une conférence de presse rapide. Dans le flot de questions et de réponses, je me rappelle avoir déclaré : «Évidemment, le nom de mon père a une influence autant positive que négative. Les attentes envers moi vont être si incroyablement élevées chez certains et si extrêmement faibles chez d'autres que je suis sûr de décevoir tout le monde également.» J'ai ensuite pris mon avion pour Vancouver avec l'impression que tout s'était bien passé.

Quand la presse a demandé ses commentaires à Stéphane Dion, il a confirmé ma décision et a dit qu'il admirait mon courage et que je prouvais que je ne choisissais pas «la voie de la facilité» pour me faire élire comme député.

Mais en arrière-plan, les membres de son entourage étaient furieux contre moi. Dion était à Montréal ce jour-là pour faire un discours important sur le terrorisme et tant les journaux que les bulletins télévisés en ont à peine parlé. On n'y parlait que de ma décision. Les jours suivants, plusieurs libéraux de haut rang m'ont accusé publiquement de voler délibérément la vedette à Dion alors qu'il essayait de s'imposer comme nouveau chef du parti.

Ça a été pour moi une introduction difficile, mais éclairante quant au fonctionnement du Parti libéral du Canada où les querelles internes, les objectifs personnels et le manque de cohérence étaient trop présents.

Loin de me rebuter, les défis qui m'attendaient m'ont plutôt aiguisé l'appétit. «Emmenez-en!», ai-je pensé. «On va s'amuser!»

CHAPITRE SIX

Papineau : le travail de terrain

―――

MA CARRIÈRE DE POLITICIEN A COMMENCÉ dans un stationnement. Un stationnement d'épicerie, pour être précis, en face d'un restaurant Shawarma et d'un salon de coiffeur. Les caméramans et les journalistes qui s'étaient précipités à l'aéroport pour annoncer que je comptais briguer l'investiture libérale dans la circonscription de Papineau brillaient par leur absence. J'étais seul, muni d'un calepin, à aborder des inconnus pour leur demander s'ils voulaient payer 10 $ pour devenir membres du Parti libéral. « Bienvenue dans le monde *glamour* de la politique canadienne », me suis-je dit.

Ce n'était pas la campagne électorale. C'étaient les premiers jours de la bataille pour l'investiture libérale dans

Papineau qui visait à choisir celui qui se présenterait sous la bannière libérale dans la circonscription au moment des élections. Je suis arrivé avec des moyens financiers limités, très peu d'expérience en politique de terrain, quelques amis devenus bénévoles et un seul employé, Sophie. Elle m'a offert son soutien inconditionnel et enthousiaste m'aidant à planifier ma stratégie et se joignant à moi de temps en temps sur le terrain.

La plupart des Canadiens ne sont pas au courant des affrontements qui ont lieu pendant le processus d'investiture dans les circonscriptions. Ce sont d'obscurs jeux de coulisse comparativement à l'engouement entourant une élection. Il arrive même que tout cela passe sous le radar lorsqu'un candidat sortant ou une vedette remporte l'investiture sans opposition. Mais, pour les aspirants candidats qui se lancent dans l'arène pour obtenir les votes des membres du parti, cela peut être une lutte difficile. Chaque candidat doit d'abord recruter le plus de membres possible. Ensuite, il doit convaincre ses partisans de se présenter dans une salle communautaire, une école ou un gymnase pour voter à l'assemblée d'investiture. Ça peut avoir l'air d'une corvée. Mais j'ai adoré ça.

Après l'agitation et les jeux de pouvoir du congrès d'investiture du Parti libéral en 2006, je trouvais cette politique de proximité très stimulante. C'est sans doute parce que je suis de nature sociable. Il se trouve que j'aime aussi l'activité physique, et ça tombait bien car la campagne dans Papineau était exigeante sur ce plan. Sillonner les rues toute la journée en quête de partisans était un véritable plaisir, et chaque jour j'avais hâte de m'y mettre. J'ai conscience de l'importance du travail par téléphone mais, tout bien considéré, pour une campagne je préfère user mes souliers, rencontrer des gens et effectuer le travail sur le terrain.

Ce travail était gratifiant pour une autre raison. La base du Parti libéral s'était affaiblie à cause d'une combinaison d'arrogance, de suffisance et de négligence. Dans bien des régions du Canada, les candidats libéraux ne prenaient pas la peine d'aller frapper à la porte des gens. À leurs yeux, le Parti libéral représentait davantage une marque que l'expression d'une vision politique, et cette attitude était souvent à l'origine de l'effritement de notre base électorale. Nous devions dépasser ce type de raisonnement. Nous devions rappeler aux électeurs les valeurs et la philosophie que représente le rouge libéral. Et surtout, il fallait que les Canadiens nous rappellent leurs espoirs et les attentes qu'ils nourrissaient envers leur communauté et leur pays. Ça peut paraître évident, mais il est incroyable de voir comme il est fréquent que les politiciens l'oublient.

On dit souvent de la politique que c'est un sport de contact ou qu'il faut savoir prendre les coups durs et ceux en bas de la ceinture. C'est parfois vrai. Ce n'est pas pour les âmes sensibles ni pour les gens trop délicats. Mais je vois les choses autrement : la politique est un travail de contacts. Il faut passer du temps, réellement, avec les gens qu'on souhaite représenter : dans les cafés, autour de tables de cuisine, dans des cours pendant des BBQ. Il faut écouter et assimiler les opinions et les valeurs de sa communauté. Il faut y mettre du sien. Le Parti libéral avait vraiment besoin d'une cure de rajeunissement et je pensais que cette méthode était ce dont nous avions besoin pour réussir. En tant que candidat néophyte, je ne pouvais pas changer grand-chose sur le plan national, mais je pouvais le faire localement, et j'ai décidé de le faire en livrant mon message d'une manière directe, dynamique et personnelle. Je savais que c'était la bonne approche.

Je savais aussi que ce serait particulièrement important dans la province où je vivais, le Québec. Le scandale des commandites et la commission Gomery avaient laissé mes concitoyens québécois avec une horrible image du Parti libéral, et ça faisait mal. Une des raisons pour lesquelles j'ai soutenu Gerard Kennedy dans sa campagne pour la direction du parti, en 2006, c'est parce qu'il pouvait voir, puisqu'il ne venait pas du monde de la politique fédérale, à quel point le parti était déconnecté et en péril. L'intégrité du parti avait été remise en question, et j'étais convaincu que la seule façon de régler ça, c'était en regardant les gens directement dans les yeux, en les écoutant et en leur disant la vérité.

Évidemment, l'enthousiasme et les bonnes intentions ne mènent pas si loin. Dans Papineau, cela menait jusqu'au stationnement de l'épicerie. Cette expérience contrastait de façon saisissante avec le congrès d'investiture du Parti libéral de 2006, où j'étais entouré de plusieurs centaines de libéraux. Nous ne soutenions pas tous les mêmes candidats, mais nous partagions la même allégeance politique et, au bout du compte, le même objectif général. Dans les rues de

Papineau, je ne pouvais jamais présumer de l'allégeance politique des gens. Je ne pouvais jamais présumer que leur réponse à ma salutation et à mon invitation irait au-delà d'un bref sourire et d'un hochement de tête.

Quand j'arrivais à persuader les gens de s'arrêter pour discuter avec moi, je leur faisais part de mes inquiétudes concernant l'approche de Stephen Harper en matière de leadership et la façon dont son parti dirigeait le pays. J'expliquais les idées sur l'éducation, la participation des jeunes, le bénévolat et l'environnement que j'avais développées pendant mes années d'enseignant et de président du programme Katimavik.

Plus important encore, j'ai beaucoup écouté les gens. La seule façon de mieux connaître leurs problèmes, c'était de les interroger sur les sujets qui les préoccupaient et d'écouter attentivement leurs réponses. J'ai entendu des parents me dire combien il était difficile pour leurs enfants de trouver un emploi. J'ai entendu des immigrants décrire combien il était difficile d'obtenir des visas pour les membres de leurs familles souhaitant leur rendre visite et j'ai entendu parler des difficultés économiques auxquelles les gens étaient confrontés jour après jour. Leurs dettes augmentaient, mais pas leurs revenus. Parmi les personnes qui sortaient de l'épicerie, beaucoup avaient à peine les moyens de nourrir leur famille.

J'ai aussi entendu parler des préoccupations de certains résidents du comté de Papineau concernant la nature changeante de la circonscription. Les communautés grecque et italienne de Papineau étaient bien établies et contribuaient largement à la vitalité de la circonscription. L'afflux de nouveaux arrivants avait engendré une explosion de restaurants ethniques, de festivals et de centres communautaires, qui renforçaient aussi la vitalité du secteur. Beaucoup de résidents de longue date, toutefois, m'ont confié qu'ils avaient peur que leurs amis et voisins soient écartés par les nouveaux arrivants.

J'étais constamment surpris par la diversité culturelle. Certains résidents m'ont rappelé que Villeray, un quartier de plus en plus latino situé au cœur de Papineau, était à l'origine un quartier d'agriculteurs et de manœuvres canadiens-français travaillant dans des carrières à l'époque des chevaux, des chariots et des calèches. Les Grecs de Parc-Extension voyaient leurs enfants et petits-enfants partir dans des banlieues lointaines, souvent consternés que leurs maisons soient rachetées par des immigrants d'Asie du Sud, tandis qu'à Saint-Michel, les nouveaux arrivants d'Haïti et d'Afrique du Nord s'installaient dans les secteurs traditionnellement italiens. À cela s'ajoutaient les problèmes d'emploi, pas seulement pour les nouveaux arrivants, mais aussi pour les jeunes. Ces dernières décennies, partout au Canada, les villes ont connu ce type de transformation, mais la mosaïque culturelle de Papineau était particulièrement complexe. J'adorais sa diversité, mais je m'inquiétais des tensions naissantes dans la circonscription.

J'avais deux adversaires dans la bataille pour l'investiture dans Papineau : Mary Deros, premier choix du parti, et Basilio Giordano, éditeur d'un journal italien qui, lui aussi, était soutenu par des libéraux influents. Tous deux bénéficiaient de machines politiques bien huilées qui recrutaient sans peine des groupes importants de membres en travaillant avec les dirigeants locaux. À défaut d'avoir ce type de contacts, je devais recruter des membres un à un pendant que mes concurrents les recrutaient par dizaines.

Pour couronner le tout, le président de l'aile québécoise du Parti libéral a annoncé dans un journal francophone que je n'avais pas ma place comme candidat, car je n'avais rien de spécial à offrir. Et ce n'est pas seulement l'*establishment* libéral qui avait fait une croix sur moi avant même que je commence : les commentateurs et les chroniqueurs politiques affirmaient que le fait que j'aie choisi une circonscription où je n'avais aucune chance de gagner – ne serait-ce que l'investiture et encore moins une éventuelle élection contre une vedette comme Vivian Barbot, du Bloc Québécois – démontrait que je n'avais pas les compétences nécessaires pour ce travail. En me plaçant devant un échec inévitable, disaient-ils, je prouvais que j'étais jeune, stupide et que je n'avais pas la moitié de l'envergure politique de mon père.

En effet, les chiffres ne semblaient pas pencher en ma faveur, et deux mois avant l'assemblée d'investiture, il est devenu clair que j'avais besoin d'aide. Cette aide est arrivée à la mi-mars lorsqu'une amie de longue date, Reine Hébert, a accepté de se joindre à notre équipe de deux. Reine était une conseillère politique aguerrie établie au Québec que j'avais connue lorsqu'elle travaillait pour le Parti libéral du temps de mon père. J'ai aussi recruté Franco Iacono comme directeur de campagne. Ensemble, ils m'ont aidé à accroître ma visibilité auprès des résidents de Papineau. Grâce à eux, j'ai réussi à retrouver tous les résidents de la circonscription qui avaient un jour été membres du Parti libéral. Lorsque nous leur avons rendu visite et que nous les avons encouragés à revenir au parti, quelques-uns n'ont pas démontré d'intérêt, mais beaucoup ont aimé ce que j'avais à dire et sont revenus. Le 29 avril, nous avions vendu presque 1 200 cartes du Parti libéral, soit à peu près le même nombre que les deux autres candidats. J'étais toujours dans la course. Nous considérions que le soir de l'assemblée, ce serait le candidat dont le discours convaincrait le plus de membres recrutés par les deux autres qui l'emporterait.

Plus l'assemblée approchait, plus j'étais optimiste. Fin avril, certains de mes détracteurs s'étaient laissé convaincre, notamment en voyant mon entêtement à conquérir la circonscription. Je crois aussi que j'avais une meilleure compréhension de la nature changeante de la politique et des médias que mes concurrents. Lorsqu'un blogueur local a posé à chaque candidat une série de questions sur la pauvreté, la politique identitaire, l'immigration et d'autres sujets, j'ai répondu en détail en me basant sur ce que j'avais vu dans la circonscription. Les deux autres ont choisi de ne pas répondre du tout, probablement parce qu'ils ont estimé que peu d'électeurs prenaient la peine de lire les blogues politiques. Mais déjà en 2007, je savais qu'Internet était un outil essentiel pour étendre la portée d'un parti politique, surtout auprès des jeunes partisans.

Pour mon plus grand plaisir, le blogueur, qui disait à ses lecteurs que ma candidature était vouée à l'échec, m'a fait un clin d'œil sur son blogue en guise de respect pour avoir pris le temps de répondre à ses questions. Je doute que ça m'ait rapporté plus d'une poignée de voix, mais cela a renforcé mes convictions que les militants et les partisans d'aujourd'hui attendent et méritent un engagement direct par l'entremise des médias numériques.

L'assemblée d'investiture avait lieu au Collège André-Grasset, juste au-delà des frontières de la circonscription. Malgré le caractère imprévisible de la situation, je me suis senti étrangement calme en entrant dans l'auditorium, rassuré par la présence des personnes que j'aimais le plus au monde. Ma mère était là avec Sophie, et Sacha est arrivé avec son fils de quatre mois, Pierre, dans les bras. Sacha étant débordé entre sa jeune famille et sa carrière de documentariste, son soutien m'était d'autant plus précieux.

On me donnait perdant depuis le début, et cela avait eu le mérite d'alléger la pression qui pesait sur moi. Je m'étais lancé dans une course serrée contre deux candidats chevronnés. Selon de nombreux observateurs, dans l'éventualité où je parviendrais au deuxième tour de scrutin, les partisans de Deros et de Giordano uniraient leurs forces pour me battre. Et cela semblait probable : après tout, c'était la rude école de la politique. Je voulais gagner, mais compte tenu des circonstances, il n'y aurait eu aucune honte à perdre.

En regardant la foule ce soir-là, j'ai réalisé à quel point j'étais différent de mon père. Il n'était pas du type à passer

43. Je suis en train de montrer à mes collègues du caucus qu'on peut vraiment faire du yoga n'importe où et n'importe quand.

44. Le côté multiculturel de Papineau m'émerveille encore; il n'y a pas de meilleur moment pour le voir de près que pendant une campagne. Ici, je suis dans un café portugais pendant la campagne électorale de 2011. Avec ses discussions politiques sans fin et ses nombreuses célébrations culturelles, Papineau est un véritable témoignage de la diversité canadienne.

45. La campagne dans Papineau m'a permis de définir ma vision de la direction que devait prendre le parti après l'élection de 2011 : beaucoup de travail de terrain et d'engagement dans la communauté.

46. Le jour de l'élection dans un comté, il ne suffit pas de faire sortir le vote, il faut aussi faire le tour des bureaux de scrutin et remercier les employés pour leur travail.

47. Je trouvais très drôle de mettre mon visage dans une des pancartes abîmées. Il ne faut pas se sentir visé personnellement par le vandalisme et les attaques ; il vaut mieux s'en amuser.

48. Ali Nestor Charles, avec qui je m'entraîne ici, est un boxeur que j'ai rencontré par son travail avec des jeunes de la rue et son engagement communautaire dans mon comté.

49. Les réunions et les séances d'information peuvent avoir lieu n'importe où, comme on peut le voir dans cette salle de bain/loge d'artistes avant le lancement de ma campagne à la direction où je me trouve avec, entre autres, Gerry Butts et Katie Telford.

50. Sophie donne souvent son point de vue sur mes discours. Que ce soit pour le ton, l'approche ou les idées, son opinion est essentielle pour moi car elle veille à ce que je vise juste tant sur le fond que sur la forme.

51. Les débats ont été ma première occasion de prendre part à un véritable échange d'idées à un très haut niveau. J'ai pris plaisir à défier les autres autant qu'à être mis au défi par eux.

52. Passage dans une bibliothèque pendant la campagne à la direction, à Brantford, en Ontario.

53. Je suis en train de jouer et de faire un combat d'épée avec les enfants juste avant mon discours final au congrès d'investiture à Toronto, pendant que Gerry consulte son compte Twitter.

54. Cette photo existe grâce à Alex Lanthier, qui s'est mis à danser devant nous juste avant le discours final. Il a toujours été un bon danseur et il savait quand nous aider à nous détendre avant un événement important.

55. Un dernier moment de tranquillité avant le discours où Sophie me calme et m'aide à me concentrer.

56. Après plusieurs versions et échanges, Gerry et moi intégrons les changements à mes discours, comme cette fois-ci alors que nous attendions les résultats de la course à la chefferie.

57. Depuis le début de la soirée, les enfants attendaient les résultats de la course, mais comme ils n'étaient pas capables de lire les résultats et que je ne réagissais pas, il leur a fallu un certain temps avant de comprendre. Une vraie photo de famille, avec ma famille, les parents de Sophie, ma mère et ma sœur, Ally, tous présents.

58. Ma première mêlée de presse en tant que chef du Parti libéral.

59. À mon premier jour en tant que chef du parti, j'appelle tous les premiers ministres libéraux provinciaux à partir de mon nouveau bureau.

60. Pour établir un lien avec des enfants, il est toujours bon de leur lire une histoire, surtout si on veut leur faire oublier tous ces gens qui ont envahi leur classe. Dans ce cas-ci, devant un beau groupe d'enfants, à Brandon, au Manitoba.

61. Travailler sur la Colline, ce n'est pas seulement participer à la période des questions et à des réunions de caucus. Les rencontres avec des visiteurs et des électeurs sont une bonne façon de se rappeler pourquoi on est là.

62. Il est important que les électeurs puissent rencontrer leur député et le voir travailler. Ici, des gens de Papineau sont venus passer une journée à Ottawa pour voir l'autre aspect de mon travail, quand je ne suis pas dans le comté.

beaucoup de temps dans les stationnements d'épicerie à rencontrer les électeurs ou à mener des combats d'investiture dans les auditoriums d'école. Bien sûr, c'était une autre époque. Les candidats vedettes provenaient de l'élite, de professions telles que banquier ou avocat. Ils gagnaient la confiance des électeurs grâce à leur statut dans la collectivité et ils avaient une vision qui allait bien au-delà de leur circonscription pour englober l'ensemble du Canada. Mon père correspondait parfaitement à cette description. Il se considérait comme un représentant des Canadiens et de leurs valeurs au sens large, et pas uniquement d'une circonscription. C'était un bon député, et les idées qu'il défendait correspondaient aux intérêts des électeurs de sa circonscription de Mont-Royal. Mais il n'aspirait pas à ce lien personnel avec les électeurs que j'étais déterminé à tisser dans les rues de Papineau.

C'est dans cette optique que je comptais au départ éviter toute mention de mon père dans mon discours, ce soir-là. Je me disais que ça me ferait du tort si les membres soupçonnaient que j'essayais de profiter de ce que mon père avait été.

Reine m'a conseillé le contraire. Elle m'a rappelé que certains secteurs de la circonscription moderne de Papineau faisaient autrefois partie de la circonscription voisine de Mont-Royal, ce qui voulait dire que dans la salle certains électeurs avaient été représentés au Parlement par mon père. Si je négligeais de le reconnaître, ce pourrait être considéré comme un manque de respect envers lui. Elle a ajouté que si je le faisais comme il faut cette fois, je n'aurais plus besoin de le mentionner avant longtemps. J'ai tenu compte des propos de Reine pour préparer mon discours.

J'ai commencé par un clin d'œil à l'histoire. «À l'automne 1965, les résidents de Parc-Ex ont contribué à envoyer Pierre Elliott Trudeau, qui se proclamait enseignant de profession, à la Chambre des communes pour la première fois. Les temps changent, tout comme les frontières des circonscriptions, mais ce à quoi vous avez participé il y a 40 ans a changé le Canada à jamais.» J'ai rappelé que ça faisait 25 ans que mon père avait doté le Canada de la Charte des droits et libertés, l'un des outils les plus précieux que le monde ait connus pour assurer la protection et le plein exercice des droits de la personne. «Aujourd'hui, nous sommes les enfants de cette Charte, ai-je ajouté. Ce dont nous sommes très fiers. Vous comprendrez donc que je sois extrêmement fier de dire que votre premier ministre Trudeau était aussi mon père.»

J'ai ensuite parlé avec passion de la circonscription de Papineau, en nommant et en félicitant les dirigeants de la communauté qui étaient le cœur et l'âme de ses quartiers et de ses communautés culturelles. Enfin, j'ai abordé les politiques du gouvernement conservateur auxquelles je m'opposerais en tant que député libéral: «Les conservateurs veulent nous diviser sur la justice sociale. Ils veulent nous diviser sur l'environnement, sur Kyoto, en mettant en péril l'avenir de nos enfants, de mon enfant. Ils veulent nous diviser sur notre rôle dans le monde avec une position plagiée sur l'extrême droite américaine.»

Pendant deux mois, j'avais parcouru chaque rue de la circonscription, visité chaque centre commercial, serré les mains de milliers de personnes et écouté d'innombrables histoires. J'avais l'impression d'avoir appris à connaître les gens de la circonscription et leurs préoccupations. Quelle que soit l'issue du vote, personne ne pourrait me reprocher ne pas avoir travaillé fort pour obtenir cette investiture.

En prononçant mon allocution devant l'assemblée, il s'est produit quelque chose. Partout où je regardais, je voyais des visages familiers, les visages de personnes avec qui j'avais discuté sur les trottoirs du boulevard Saint-Laurent, des rues Saint-Hubert et Christophe-Colomb, ou que j'avais rencontrées sur leur balcon rue Everett et avenue de Chateaubriand. J'avais créé un lien avec ces gens. Ils m'avaient souri. Plus important encore, ils m'ont soutenu au moment du vote.

J'ai été élu dès le premier tour de scrutin, avec 690 voix sur 1266, contre 350 pour Mary Deros et 220 pour Basilio Giordano. À l'annonce des résultats, j'ai serré Reine dans mes bras et jeté un coup d'œil à Sacha, qui retenait des larmes de joie.

Pendant qu'on célébrait la victoire, Stéphane Dion m'a téléphoné pour me féliciter. Lui et son équipe appuyaient plutôt la candidature de Mary, mais il n'a pas hésité, une fois le résultat connu, à m'offrir ses sincères félicitations. Et je me suis fait un point d'honneur de lui dire que je lui en étais très reconnaissant. Pendant la course à l'investiture, notre relation n'avait été ni chaleureuse ni froide. Nous n'étions tout simplement pas d'accord sur le choix de la meilleure candidature pour Papineau. Stéphane m'a traité avec respect et, pendant la turbulente année et demie qui a suivi ma victoire, j'ai pris soin de faire preuve du même respect à son égard.

PENDANT QUE JE CÉLÉBRAIS MA VICTOIRE CE SOIR-LÀ, JE savais que le combat ne faisait que commencer. Après tout, ce n'était qu'une escarmouche entre amis. La vraie bataille commencerait quand je me présenterais contre la députée bloquiste sortante, Vivian Barbot. Originaire d'Haïti, elle avait fait une brillante carrière comme éducatrice, féministe et dirigeante de la communauté haïtienne locale avant de remporter la circonscription de Papineau en battant Pierre Pettigrew, un célèbre ministre libéral. C'était une redoutable adversaire politique, et je savais que je n'avais pas de temps à perdre si je voulais la battre aux prochaines élections.

J'ai donc commencé par mettre sur pied une organisation, un réseau de personnes possédant l'expérience et l'intuition nécessaires pour mener une campagne efficace. Reine et Franco avaient fait un travail remarquable, mais ils avaient d'autres engagements. Familles et amis m'avaient apporté une aide précieuse pendant les dernières semaines de la course à l'investiture, mais je ne pouvais pas m'attendre à ce qu'ils soient disponibles pendant le marathon qu'est une élection fédérale.

Le premier poste à pourvoir était celui de directeur de campagne à temps plein, et j'ai découvert que la personne idéale se trouvait dans la salle avec moi le soir où j'ai remporté l'investiture. C'est Reine qui lui avait demandé de travailler comme scrutateur pour moi en raison de son expérience des campagnes et de la politique.

J'avais croisé Louis-Alexandre Lanthier à Ottawa pendant ma période Katimavik. Bien qu'il fût dans la trentaine, Alex avait déjà une solide expérience d'organisateur politique. C'était le digne héritier de sa mère, Jacline Lanthier, qui avait travaillé pour Jean Chrétien. J'ai été séduit par son expérience et sa détermination à nous faire gagner les élections. J'ai particulièrement aimé la façon dont il a résumé en une phrase la stratégie de la prochaine campagne : « Justin, jusqu'à la prochaine élection, tu vas agir comme si tu étais *déjà* député de Papineau. »

C'était la suite logique de la stratégie que nous avions utilisée avec succès durant la campagne à l'investiture. À chaque ouverture de restaurant, festival religieux, carnaval, collecte de fonds, parade, défilé de mode, exposition, bazar, assemblée publique ou à tout autre événement public ayant lieu dans Papineau, je serais présent, à serrer des mains et à parler aux gens. Je ne leur demanderais pas de voter pour moi : la date de l'élection n'avait pas encore été fixée. Je serais là pour me faire connaître, pour qu'ils mettent un visage et une voix sur le nom qu'ils verraient d'abord sur le matériel de campagne, puis sur leur bulletin de vote. Au moment de choisir leur candidat, ils se rappelleraient le gars qui leur avait serré la main, qui leur avait demandé comment ils allaient et qui voulait sincèrement en apprendre plus sur leurs préoccupations. C'était peut-être la forme la plus importante de politique de terrain et j'avais vraiment hâte de commencer.

Le grand-père d'Alex avait été propriétaire d'une buanderie dans Papineau pendant des années. Beaucoup d'habitants du quartier n'avaient pas les moyens d'acheter une laveuse et une sécheuse, et son commerce était devenu une sorte d'institution où les gens se réunissaient pour bavarder, tricoter, lire et, tant qu'à y être, laver leurs vêtements. Je ne voyais pas de meilleure expérience pour une personne dont le rôle était de me faire connaître auprès des électeurs.

Du printemps 2007 à l'élection générale d'octobre 2008, ma vie a consisté à participer à des événements et à discuter avec les gens. Je ne peux pas prétendre avoir rencontré tous les électeurs de Papineau, mais ce n'est pas faute d'avoir essayé.

Quel que soit le lieu, quelle que soit la personne avec qui je parlais, je prenais des décisions stratégiques sur la façon dont je devais faire passer mon message. La politique identitaire est un moyen de créer un lien avec les électeurs, mais pour moi elle faisait partie de la stratégie du «diviser pour régner» que semblaient affectionner les conservateurs de Harper. Je n'ai jamais eu l'intention de suivre cette voie. J'essayais d'établir un terrain d'entente autour des valeurs communes qui me semblaient largement partagées dans la circonscription. Peu importe l'origine, la langue ou les croyances des gens, j'étais convaincu que nous partagions certaines valeurs et je voulais souligner le lien qui nous unissait.

Le principal point de friction était le statut du Québec au

sein du Canada. Souvent, ça se passait ainsi : je frappais à une porte, on ouvrait et la personne qui apparaissait blêmissait dès qu'elle me reconnaissait. « Je ne voterai jamais pour vous, disait-elle tout de suite, je ne suis pas d'accord avec vous. »

« Ah !, répondais-je avec un sourire amical, vous n'êtes pas d'accord avec moi sur l'environnement ? Ou est-ce sur les programmes sociaux, l'éducation et les soins de santé ? Sur une économie qui offre des possibilités à tout le monde peut-être ? Ou sur mon désaccord avec M. Harper ? »

« Non, non, nous sommes d'accord là-dessus… Mais nous sommes en désaccord sur le Québec ! »

« Oui, bien sûr. Mais nous ne sommes pas en désaccord sur la nécessité de protéger la langue et la culture françaises au Québec. Là où nous sommes sans doute en désaccord, c'est sur le meilleur moyen pour y arriver : moi aussi je sais qu'il est important de renforcer et de partager notre langue et notre culture. Cependant, je crois que c'est en s'ouvrant vers l'autre et non en se refermant sur soi-même que nous réussirons. »

Peu importe la tournure que prenait la conversation, je disais à la personne que j'étais content de l'avoir rencontrée et que j'espérais devenir une voix pour elle sur des enjeux importants, qu'elle vote pour moi ou non.

J'ai toujours pris soin de ne pas dénigrer la députée bloquiste, Vivian Barbot. J'avais beaucoup de respect pour ce qu'elle avait accompli dans la vie et les attaques personnelles ne sont pas un bon moyen de gagner des votes. Ce n'est pas l'approche qu'elle a adoptée envers moi, mais je ne lui en veux pas.

J'en suis venu à la conclusion que le seul moyen de lutter contre l'option souverainiste, c'était en présentant ce qui nous unit en tant que Canadiens. Comme c'est le cas des autres forces de division au pays, l'attitude souverainiste consiste à mettre l'accent sur les quelques aspects qui nous divisent plutôt que sur tout ce que nous avons en commun. Quand on parle aux gens dans les différentes communautés du Québec et qu'on va au-delà de la surface, on découvre ces valeurs et ces aspirations communes. Comme je le dirai quelques années plus tard au moment de lancer ma campagne pour la course à la chefferie, je partage ces valeurs et je crois fermement que le Canada est l'endroit idéal pour les transformer en réalité.

J'ai réussi à créer un lien avec presque toutes les personnes que j'ai rencontrées dans Papineau, souverainistes ou non, en parlant de mon opposition au programme de Stephen Harper. Depuis qu'ils avaient pris le pouvoir avec un gouvernement minoritaire, en 2006, les conservateurs de Harper avaient déjà réussi à s'aliéner beaucoup de Québécois.

Mon style politique a commencé à être fortement influencé par Sophie. En plus d'avoir une compréhension profonde et intuitive du Québec, elle surveillait de près mon matériel de campagne et mes interventions dans les médias. Lorsqu'elle me voyait dévier un tant soit peu vers un style négatif, elle me le faisait savoir sans tarder. Sophie m'a aussi clairement fait comprendre qu'elle ne laisserait pas les petites querelles mesquines de la vie politique empoisonner ma personnalité. Elle me rappelait que si je m'étais lancé en politique, c'était pour servir tous les Canadiens et non pour lancer des pointes à mes adversaires dans les médias. Quand la politique est un gagne-pain, il est parfois facile de se laisser emporter dans le feu de l'action et d'oublier ses valeurs personnelles. Sophie ne les oublie jamais et, peu importe l'intensité de la situation, elle veille à ce que moi non plus, je ne les oublie pas.

Cela dit, il était parfois nécessaire de parler directement de Vivian Barbot. Lorsque c'était le cas, je soulignais que même si elle avait des qualités personnelles admirables, elle représentait, en tant que députée du Bloc Québécois, un parti dont l'objectif était de diviser les gens, et que la circonscription et le monde avaient davantage besoin de politiciens qui cherchaient à unir les gens.

J'ai appris à m'exprimer de façon claire et simple en parlant des politiques libérales dans les événements communautaires. Non pas parce que les électeurs ne s'intéressaient pas aux détails, mais parce que la plupart de mes interactions avec eux étaient brèves et que je devais présenter un argumentaire éclair sur notre plateforme électorale. Sophie était un atout inestimable dans ces moments-là. Avant un grand événement, elle me demandait de décrire point par point la politique libérale dans un langage simple et direct, et elle repérait tout ce qui pouvait sembler complexe ou confus dans mes propos. Et ça a marché. Finalement, je suis devenu capable d'expliquer des politiques complexes, comme le tournant vert de Stéphane Dion, en 30 secondes ou moins.

Les questions sociales revenaient souvent dans les discussions avec les résidents de Papineau, notamment chez les nouveaux immigrants, qui étaient souvent contre le mariage gai, l'avortement et la réforme de la loi sur les stupéfiants, notamment la marijuana. Quand ces questions étaient soulevées, il n'y avait pas lieu de céder à leur position : je devais défendre mes idées. Et dans le contexte d'une séance de questions-réponses dans une mosquée ou une église, ce n'était pas toujours facile. Je répondais systématiquement : « On n'est pas d'accord sur cette question, et comme on discute de ce qu'on considère comme des principes essentiels, il n'y a probablement pas de compromis possible. J'espère toutefois qu'il y a suffisamment de terrains d'entente sur d'autres questions pour que vous envisagiez de voter pour moi. » J'étais souvent surpris par la réaction des gens à ces propos. À tout le moins, ils appréciaient que je donne une réponse directe aux questions difficiles, même si ce n'était pas celle qu'ils voulaient entendre.

Une fois, rue Jean-Talon, dans une mosquée pakistano-canadienne située au deuxième étage d'un immeuble, je me suis retrouvé dans une situation qui allait devenir fréquente par la suite : j'étais avec des néo-Canadiens qui m'offraient leur appui, tout en étant très conservateurs sur le plan social. Alex avait suggéré que j'évite d'aborder le mariage gai, mais ça n'avait fait qu'augmenter mon envie d'en parler.

« Je sais que toutes les personnes ici présentes appuient notre Charte des droits », ai-je dit à la foule. « C'est le document qui constitue le fondement des droits dont nous jouissons tous, y compris la libre pratique religieuse. Mais vous savez quoi ? Ces droits qui vous protègent donnent aussi aux gais le droit de se marier et à vos filles le droit d'épouser un non-musulman. La Charte des droits protège les libertés de tout le monde. On ne peut pas choisir les droits qui nous conviennent et ignorer ceux qu'on n'aime pas. » C'était un public difficile, formé de vieux hommes barbus au visage sévère. Mais ils ont hoché la tête et se sont lancés dans une discussion enrichissante sur leur vision du pays et le futur qu'il réserve à leurs enfants.

Ma campagne dans Papineau m'a forcé à réfléchir sérieusement à la signification du mot « multiculturalisme » pour nous, Canadiens. Bien qu'il soit inscrit dans la Charte, ce concept est souvent très mal compris. Si on se contente d'écouter les tribunes radiophoniques et de lire les pages d'opinion dans les journaux, on peut penser que le multiculturalisme est une sorte de laisser-aller dans notre société, une excuse pour fermer les yeux sur des pratiques culturelles qu'on trouverait autrement répugnantes, voire criminelles (bien que certaines le soient). Mon expérience dans Papineau m'a appris que c'était un discours alarmiste et désinformé. La plupart des immigrants que j'ai rencontrés avaient conscience des normes culturelles dominantes dans notre pays, qu'il s'agisse de notre pluralisme religieux, de notre attitude vis-à-vis de l'égalité des sexes ou de notre rejet des discours haineux. Ils les acceptent entièrement. Ils comprennent aussi qu'au Canada, il n'y a qu'un ensemble de lois pour tout le monde. Quand il s'agit d'appliquer le Code criminel et les principes du droit de la famille, nous n'offrons pas de traitement de faveur en vertu de la race ou de la religion. Parmi les familles d'immigrants que j'ai rencontrées dans Papineau, beaucoup ont ramené de vieilles animosités de leur pays d'origine, mais elles ont accepté que les gens viennent au Canada pour fuir les querelles du vieux monde, et non pas pour les alimenter.

Donc, que signifie le multiculturalisme? C'est la présomption selon laquelle la société acceptera les formes d'expression culturelle qui n'enfreignent pas les valeurs fondamentales de notre société. Cela inclut le droit pour un Juif de porter sa kippa, un sikh son turban, une musulmane son voile ou un chrétien sa croix, même s'ils sont fonctionnaires de l'État. Quand j'ai commencé ma campagne, en 2007, les libéraux de Jean Charest étaient au pouvoir au Québec et le Parti québécois n'avait pas encore annoncé le projet de sa prétendue « charte de la laïcité ». Mais ces tactiques alarmistes en lien avec les immigrants faisaient déjà l'objet d'un débat public. En janvier 2007, au moment où la question des « accommodements raisonnables » battait son plein au Québec, la petite ville d'Hérouxville adoptait une résolution interdisant, entre autres, la lapidation ou l'immolation des femmes. Le plus surprenant, c'est que la petite ville en question ne comptait pas d'immigrants parmi ses habitants et n'avait jamais été le théâtre de conflits sociaux liés aux pratiques culturelles de minorités.

Je rejetais ce type de discours illogique à l'époque, et je le rejette encore aujourd'hui. En fait, je suis fier de dire qu'en 2013, j'ai été le premier chef de parti fédéral à me prononcer directement contre le projet de charte de la laïcité du PQ. Pourquoi exclure du secteur public une mère célibataire de Papineau sous prétexte qu'elle essaie de concilier son attachement à sa foi et son rôle de soutien de famille ? Si le PQ avait demandé aux résidents de Papineau de faire un choix, beaucoup n'auraient pas voulu renoncer à leurs signes religieux. Ils se seraient retrouvés exclus du secteur public, soit exactement l'inverse du but que nous devrions tous viser. Il faut que les nouveaux Canadiens – que tous les Canadiens – participent à la construction du Canada, et non qu'ils en soient marginalisés.

La meilleure façon d'envisager le multiculturalisme, c'est de le voir comme une sorte de contrat social. En vertu de ce contrat, les nouveaux arrivants promettent d'obéir à nos lois, d'enseigner à leurs enfants les compétences et le niveau de langue nécessaires pour s'intégrer à notre société, et de respecter, sinon d'adopter immédiatement, les normes sociales qui régissent les relations entre les individus et les groupes au Canada. En échange, nous respectons les aspects de leur culture qui leur sont chers et ne nuisent à personne. Forcer un joueur de soccer de neuf ans à retirer son turban, renvoyer une éducatrice en garderie parce qu'elle porte un hijab, interdire l'accès au bloc opératoire à un cardiologue parce qu'il porte une kippa : voilà des gestes qui ne respectent pas notre part du contrat social. Pas plus que les gestes qui vont à l'encontre de nos lois.

Le Canada est peut-être le seul pays au monde à être fort

en raison de sa diversité et non en dépit de celle-ci. La diversité est à la base de ce que nous sommes, de ce qui fait la prospérité de notre pays. Elle se vit partout, dans les petites et grandes villes d'un bout à l'autre du pays. C'est une de nos contributions au monde les plus importantes, les plus uniques. C'est pourquoi je suis aussi empressé à défendre les droits des minorités et à promouvoir la Charte des droits et libertés. Je pense que notre ouverture à la diversité est au cœur de ce qui fait de nous des Canadiens. C'est ce qui fait du Canada un des endroits les plus libres du monde, une des meilleures places où vivre.

MENER UNE CAMPAGNE RELÈVE AUTANT DE L'ART QUE DE la science. Certaines personnes sont naturellement douées, d'autres moins. Il y a quelques compétences de base à apprendre et à mettre en pratique.

Il fallait que j'apprenne à m'affirmer en m'adressant aux électeurs de Papineau. C'est bien beau d'être poli, mais ça ne sert à rien de se présenter à un événement pour faire tapisserie.

Au début de ma campagne, je me suis rendu dans une grande fête foraine où on présentait une pièce de théâtre pour enfants à l'extérieur. Beaucoup de gens étaient assis directement devant la scène. Derrière eux, il y avait un grand espace ouvert où adultes et enfants se promenaient pendant le spectacle. C'était l'occasion rêvée de socialiser avec des électeurs, mais je me retenais parce que je ne voulais pas détourner l'attention de la pièce. Alex a presque dû m'extirper de ma chaise et me pousser dans la foule, en me rappelant que c'était une ambiance décontractée et que j'étais là dans un but précis.

Personne ne s'est offusqué de ma présence ni de mes efforts pour engager la conversation. Pendant l'année et demie où j'ai fait campagne dans Papineau, je n'ai relevé aucune manifestation d'hostilité lorsque je saisissais des occasions de me présenter aux gens. Les électeurs d'aujourd'hui ont beau être sceptiques face à la politique, ils acceptent volontiers de jauger un politicien à l'ancienne en lui serrant la main et en bavardant un peu avec lui.

Après des mois de campagne, les politiciens ont tendance à penser que tout le monde les connaît. Or, il faut sans cesse se rappeler que beaucoup de gens ne nous connaissent pas. Beaucoup de Canadiens ne connaissent pas le nom de leur député, et encore moins celui de leur aspirant député. Par ailleurs, j'ai appris que le fait d'avoir un nom de famille connu n'y changeait pas grand-chose.

Alex avait des méthodes efficaces pour améliorer mon style de campagne. Un jour, à un événement, je traversais la foule en serrant des mains et en disant « Salut ! » « Bonjour ! » ou « Ravi de vous rencontrer ! » à tout le monde. Alex m'a observé un moment avant de me prendre à part pour me dire : « Bonjour. Je m'appelle Alex Lanthier. Et vous ? »

J'ai répondu : « Je m'appelle Justin Trudeau. »

Alex a souri et a dit : « Bien. Maintenant, dis ça à toutes les personnes que tu rencontres. À tout le monde. Il faut que tu dises ton nom. Si tu ne le fais pas, tu ne seras rien de plus qu'un hurluberlu qui leur a serré la main. »

Ce qui m'a toujours tenu à cœur, même comme politicien novice, c'est d'être authentique avec les gens. Ce n'est pas la peine d'aller à la rencontre des électeurs quand on n'a pas la patience de leur demander comment ils s'appellent et ce qu'ils pensent, et de ne pas les écouter quand ils répondent.

Cela dit, quels que soient les efforts déployés, la dure réalité, c'est qu'on ne peut pas convaincre tout le monde de partager la même vision. La plupart des réactions négatives provenaient d'électeurs qui, pour une raison ou une autre, nourrissaient du ressentiment à l'égard de mon père. Beaucoup étaient purement et simplement fâchés que j'aie le culot de frapper à leur porte. Je n'arrivais à rien avec eux, même si je m'efforçais de trouver des questions sur lesquelles nous aurions pu nous entendre.

Les médias qui m'accusaient d'essayer de profiter de mon nom de famille ne connaissaient pas le revers de la médaille. Quand le nom même d'un ancien politicien provoque l'indignation chez un électeur, on ne peut pas s'attendre à ce qu'il soit bien disposé envers son fils. Dans ce genre de situation, je disais : « Je suis ravi de vous rencontrer, même si vous ne pensez pas voter pour moi », puis je passais à la maison suivante.

Enfin, quand on fait campagne en tant que candidat d'un grand parti politique, il faut se rappeler que chaque syllabe prononcée en public sera passée au crible en quête d'erreurs, d'incohérences, de non-conformisme politique ou d'hérésies idéologiques. Même si on est plein de bonnes intentions, nos adversaires chercheront impitoyablement des bribes citées hors contexte pour nous discréditer. Pour leurs premières attaques contre moi, en 2013, les conservateurs ont utilisé une citation sortie de son contexte qu'ils avaient tirée d'une entrevue que j'avais donnée au sujet de mon père dans les années 1990. Tout ce qu'on peut faire dans de tels cas, c'est avoir confiance en l'intelligence des Canadiens et croire qu'ils sauront reconnaître cette tactique pour ce qu'elle est, et qu'ils sauront faire la part des choses quand viendra le temps de faire un choix.

Cela ne signifie pas qu'on ne doit pas (ou qu'on ne peut pas) se défendre. Beaucoup de gens entrent en politique en pensant que tout ce qu'ils ont à faire, c'est d'être respectueux des autres et de parler avec leur cœur. Oui, c'est nécessaire, mais ça ne suffit pas. Chaque phrase prononcée peut être mal interprétée, une fois sortie de son contexte et publiée sur Twitter ou sur d'autres médias sociaux.

Il arrive aussi que l'on s'attire des ennuis, tout à fait inutilement, en pavant la voie à ses critiques. Ça m'est arrivé souvent ayant un sens de l'humour bien à moi. Pendant ma campagne de recrutement dans Papineau, une élève a demandé sur mon site Web si un extraterrestre arrivé au Canada et devenu citoyen canadien serait protégé par la Charte des droits et libertés. Je pensais que c'était une très bonne question, en partie parce qu'elle touchait à la science-fiction, un genre que j'adore, mais aussi parce que j'étais touché par la réflexion et l'imagination que la jeune

fille avait mises dans sa question. Ignorant ceux qui me suggéraient de ne pas répondre, j'ai rédigé une réponse détaillée, mais un peu ironique, qui soulignait notre engagement
envers la diversité en disant que oui, tout extraterrestre qui
deviendrait citoyen canadien pourrait bénéficier de la protection de la Charte. (En passant, un ex-président de l'Association du Barreau de l'Ontario a écrit dans un blogue que
ma réponse « était tout à fait correcte sur le plan juridique »
et « soulevait la question intéressante des droits des non-
humains ».)

Tout ça n'a plus eu d'importance quand, quelques jours
plus tard, *La Presse* a publié une caricature où on me voit
dire à E.T. qu'il est protégé par la Charte, tandis que l'extraterrestre, auquel on a donné le visage de Stéphane Dion, fait
un geste obscène avec son célèbre doigt !

SI J'AI FAIT BEAUCOUP DE PORTE-À-PORTE ET QUE J'AI
assisté à différents événements organisés dans la circonscription, mon objectif premier était toutefois d'apprendre
à connaître les organismes et groupes communautaires qui
offrent leurs services aux gens de Papineau. C'était un choix
évident, pour moi. Mon expérience de l'action citoyenne et
du bénévolat c'était Katimavik, la sensibilisation à la sécurité en matière d'avalanches, la prévention des agressions
sexuelles et d'autres campagnes portant sur des questions et
des causes précises. Papineau abritait de nombreux groupes
communautaires dont les différents mandats touchaient

à presque tous les aspects de la vie des gens, notamment des nouveaux immigrants, qui n'avaient ni les moyens ni les contacts nécessaires en matière de logement, d'emploi et de service de garde.

La Maison de Quartier Villeray, située au cœur du quartier du même nom, compte parmi ces organismes. Sa mission est d'aider les personnes défavorisées et isolées à acquérir les compétences et la confiance nécessaires pour devenir des membres actifs de la communauté. Les bénévoles de l'organisme apportent des repas aux gens, ils les aident à se rendre à leurs rendez-vous médicaux, ils animent des ateliers éducatifs pour les parents et, de façon générale, ils tendent la main aux résidents qui risquent d'être laissés pour compte par la société. Les Canadiens relativement aisés qui n'ont pas besoin d'aide pour se nourrir ou aller chez le médecin n'ont généralement pas conscience de l'existence de ce type de services. Mais dans Villeray et dans d'autres quartiers semblables au Canada, c'est le ciment de la communauté.

Avec le temps, je me suis familiarisé avec le travail accompli par plusieurs de ces groupes. Un de leurs plus gros problèmes est que leur personnel doit passer énormément de temps à recueillir des fonds. Ces personnes ont choisi d'œuvrer dans le domaine du travail social pour aider les gens, et non pas pour passer leur temps à demander de l'argent afin de poursuivre leurs activités.

Le modèle de financement de ces groupes exige généralement qu'ils demandent des fonds chaque année. Autrement dit, la survie de ces organismes communautaires dépend des priorités changeantes des politiciens. Bien souvent, quand ils ont besoin d'argent, ils doivent élaborer un nouveau programme qui interpelle le député, le législateur provincial ou le conseiller municipal. Ces groupes n'ont pas d'autre choix que de réinventer la roue tous les 12 mois. Je leur ai dit qu'en tant que député de Papineau, je défendrais un modèle offrant un financement régulier et prévisible afin que le personnel puisse se consacrer à aider les gens.

Une partie du problème réside dans le fait que parmi les personnes qui travaillent dans ces organismes, beaucoup sont des bénévoles, un mot qui donne à certaines personnes l'impression (erronée) que leur rôle est optionnel. Mais ce n'est pas la réalité. Les bénévoles font un travail qui est *essentiel* dans des communautés comme Villeray. Beaucoup d'activités seraient paralysées si les bénévoles œuvrant dans les différents organismes offrant des services à la population cessaient de se présenter au travail.

En matière de bénévolat, je crois que les politiciens devraient prêcher par l'exemple. En 2007, quand un groupe de bénévoles – la Coalition des amis du parc Jarry – a organisé le nettoyage annuel du plus grand parc de la circonscription, je me suis présenté en jean et en t-shirt, avec quelques-uns de mes bénévoles, pour apporter ma contribution. Le maire de l'arrondissement était présent, ainsi que la députée et quelques conseillers municipaux, tous en habit. Nous avons mis des gants, pris des pelles, écouté un discours destiné aux bénévoles et posé pour une photo de groupe.

Après la photo, les organisateurs se sont tournés vers les élus en leur disant : « Merci d'être venus. » Pour Mme Barbot, le maire et les conseillers, c'était le signal du départ. À la stupéfaction générale, mon équipe et moi nous sommes dirigés vers le parc et avons passé les trois heures suivantes à aider les bénévoles à faire le ménage.

L'année suivante, à la date du nettoyage annuel, tous les politiciens se sont présentés en jeans et en t-shirts, prêts à travailler plutôt que de se contenter de poser pour les photos. Il faut croire que notre exemple a été contagieux. Tant mieux !

Je crois qu'il faut rompre avec le modèle établi de bénévolat en adoptant ce qu'on pourrait appeler le bénévolat *engagé* : des activités bénévoles gérées par des organismes qui ont des employés payés et qui sont financés par une combinaison de dons privés et de financement à long terme du gouvernement. C'est le modèle que j'avais adopté à Katimavik, et je suis convaincu qu'on peut l'étendre à toutes sortes de groupes.

Papineau m'a aussi beaucoup appris sur le problème de l'inégalité des revenus et des richesses dans la société. Côté ouest, la circonscription de Papineau est voisine de Mont-Royal et d'Outremont, des circonscriptions qui abritent les quartiers parmi les plus riches du pays. La Maison de Quartier Villeray n'est qu'à quelques minutes de voiture des immenses demeures d'Outremont et d'Hampstead mais, pour ce qui est des besoins de la collectivité, ces deux quartiers sont à des années-lumière de Papineau.

Dans Papineau, il y a trop de parents qui sont si pauvres

qu'ils doivent souvent envoyer leurs enfants à l'école le ventre vide. Des enfants tout juste assez grands pour aller seuls à l'école doivent emmener leurs plus jeunes frères et sœurs à la maternelle, parce que leurs parents travaillent à des heures qui ne leur permettent pas d'être présents au moment où les enfants partent pour l'école. Parmi les personnes qui travaillent dans les banques alimentaires du quartier, beaucoup sont sur le point d'avoir elles-mêmes besoin de nourriture ; ces personnes n'ont pas d'argent à la banque, encore moins de placements ou de régime de retraite.

Les riches et les pauvres du Canada ont très peu d'interactions. C'est une dynamique qui renforce les inégalités de revenus. Il y a une génération, il n'était pas rare que médecins et avocats, maçons et enseignants, commerçants et ouvriers, résident dans le même quartier. Ils avaient des maisons et des voitures de taille différente, mais ils faisaient leurs courses dans les mêmes magasins, ils se promenaient dans les mêmes parcs et allaient dans les mêmes églises. Cela permettait aux décideurs et aux législateurs de comprendre les problèmes de la classe moyenne et pauvre car dans bien des cas, ces personnes étaient leurs amis et voisins. Ce n'est plus le cas dans beaucoup de villes canadiennes. Dans certains secteurs de Papineau, on peut passer plusieurs rues sans rencontrer quelqu'un qui a un diplôme universitaire ou un revenu à six chiffres ; à Outremont et à Westmount, c'est un défi de trouver un propriétaire qui n'a pas au moins un diplôme d'enseignement supérieur.

Dans certains cas, l'expression « être né du mauvais côté

de la clôture » est loin d'être une métaphore. Si on se promène à la frontière ouest de Papineau, le long du boulevard de l'Acadie, on tombe sur une clôture qui marque la fin de Parc-Extension, un quartier pauvre, et le début de Ville de Mont-Royal. Derrière cette clôture, se trouve la municipalité prospère et verdoyante de Ville de Mont-Royal. Au tournant des années 2000, il est arrivé que les portes de la clôture par où les piétons peuvent passer soient cadenassées à l'occasion de l'Halloween, ce qui n'est plus le cas heureusement. Cette clôture, jugée nécessaire à des fins de sécurité par les résidents de Ville de Mont-Royal, est détestée à Parc-Ex, là où elle symbolise l'élargissement du fossé économique dans notre société.

Lorsque j'aborde l'inégalité des richesses et des revenus avec des amis qui ont grandi comme moi dans un milieu privilégié, j'ai parfois envie de les emmener dans Papineau pour qu'ils voient de leurs propres yeux les problèmes auxquels sont confrontés bon nombre des électeurs de ma circonscription. Contrairement à ce que prétendent certains commentateurs conservateurs, les graves inégalités ne sont ni un mythe ni un slogan visant à promouvoir la lutte des classes. C'est la dure réalité, et elle est visible pour ceux qui veulent bien la voir.

Les inégalités finissent par avoir un effet dévastateur. Elles s'autoalimentent de manières qui sont souvent invisibles et dont on n'a pas conscience. À moins de les avoir devant les yeux, dans des communautés comme Villeray et Parc-Ex, il est trop facile de faire comme si elles n'existaient pas. Il nous faut faire preuve d'ouverture et avoir autant de succès à répartir la richesse qu'à la créer. La réussite de notre pays dépend en bonne partie de notre réponse aux problèmes d'inégalités que vivent les gens ordinaires d'un bout à l'autre du pays. Tous les jours, en marchant dans Papineau, je redécouvre qu'il nous faut en faire plus – beaucoup plus – pour que tous les Canadiens puissent avoir une chance réelle de réussir.

FIN 2007 ET DURANT LA PREMIÈRE MOITIÉ DE 2008, J'AI continué à mener une campagne acharnée dans Papineau, et ce, malgré les difficultés du Parti libéral. Stéphane Dion était un chef sincère, intelligent et bien intentionné, mais lorsqu'il a pris la direction du parti, il a été plongé dans un bassin de requins; il s'est retrouvé entouré de personnes toujours loyales envers d'autres groupes ou chefs potentiels. Un chef impitoyable aurait renvoyé tous les acolytes de ses adversaires et aurait installé ses propres gens. Mais ce n'était pas le style de M. Dion.

En 2000, Jean Chrétien avait obtenu un troisième mandat à la tête d'un gouvernement majoritaire. Aux élections de 2004, sous la direction de Paul Martin, les libéraux ont été réduits à un gouvernement minoritaire. En 2006, ils ont été défaits pour la première fois depuis le bref mandat de Kim Campbell, en 1993. Nous avions de graves problèmes. Certains fidèles du Parti libéral estimaient toutefois que les résultats de 2006 étaient un petit accident de parcours et que le pays reviendrait à la raison à temps pour les prochaines élections. De toute évidence, ils n'avaient pas compris que le scandale des commandites, remis à l'avant-scène par la commission Gomery, avait éloigné beaucoup d'électeurs, en particulier dans ma province. C'était sans compter les vestiges de l'interminable querelle entre Jean Chrétien et Paul Martin, l'approche paresseuse du parti en ce qui avait trait à la sensibilisation au niveau local et sa négligence vis-à-vis les jeunes électeurs, son arrogance et le sentiment que tout lui était dû. Pour moi, comme pour beaucoup de Canadiens, il était clair que le Parti libéral avait oublié qu'il fallait travailler dur pour obtenir et garder la confiance des gens.

Le 7 septembre 2008, le premier ministre Stephen Harper s'est présenté à la résidence officielle de la gouverneure générale Michaëlle Jean pour lui demander de déclencher des élections générales le 14 octobre. Cela a marqué le début des 37 jours les plus occupés de ma vie. « Dis au revoir à ta femme, m'a-t-on conseillé. Tu ne vas pas beaucoup la voir au cours des cinq prochaines semaines. »

Mes journées commençaient à 7 h, devant la station de métro, à distribuer des dépliants aux gens qui partaient travailler. Après l'heure de pointe, je commençais la tournée des boutiques et des restaurants de la circonscription. Beaucoup de commerces étaient vides, mais cela importait peu. Je prenais le temps de discuter avec les propriétaires et les caissiers, des gens importants que je pouvais éventuellement convaincre de poser mon affiche électorale sur la porte et peut-être de parler de moi en bien à leurs clients.

J'ai essayé de parler à autant de groupes que possible, comme à l'Association professionnelle des chauffeurs de taxi du Québec, un groupe de personnes qui, comme on peut l'imaginer, peuvent avoir une certaine influence au sein de leur communauté. (Combien de fois vous êtes-vous retrouvé à parler de politique avec votre chauffeur de taxi?) Généralement, je lunchais avec les bénévoles dans le bureau de la campagne pour maintenir leur motivation. Je profitais de l'après-midi pour visiter les centres communautaires pour personnes âgées avant de retourner à la station de métro saluer les usagers qui rentraient chez eux après leur journée de travail. Enfin, je passais mes soirées à téléphoner aux dirigeants de groupes communautaires pour les encourager à participer aux événements du lendemain. Après quelques heures de sommeil, je me levais et je recommençais.

Cela représentait beaucoup de travail, mais j'en ai savouré chaque seconde : la routine, la discipline, l'apprentissage, j'aimais tout ça, mais plus que tout, c'est l'interaction avec les gens de Papineau qui me motivait. Trop d'éléments de la politique sont éphémères. Et il y a aussi, comment dire, beaucoup de *merde*... Le lien qu'on établit avec des gens qui placent leurs espoirs et leur confiance en nous, c'est ce qui permet de s'acquitter du reste. C'est ce qui donne de la valeur à ce qu'on fait.

Le soir des élections, les résultats ont suscité une vaste gamme d'émotions. J'avais connu une joie immense en remportant l'investiture libérale 18 mois plus tôt et j'étais fou de joie d'être élu député de Papineau, même de justesse, avec

17 724 voix contre 16 535 pour Vivian Barbot. Mais, comme les autres libéraux, je n'avais pas le cœur à la fête. Il s'agissait d'une cuisante défaite pour le Parti libéral, qui n'avait récolté que 26 % des voix au niveau national, tandis que le gouvernement minoritaire des conservateurs avait porté son nombre de sièges de 127 à 143. J'ai fait un discours optimiste et positif pour remercier les bénévoles de leur excellent travail, mais le résultat global était décevant.

J'étais tellement concentré sur ma communauté que le contraste entre les résultats nationaux et locaux m'a étonné et bouleversé. J'étais un des rares nouveaux députés libéraux à avoir obtenu un siège que nous ne détenions pas avant le déclenchement des élections. Je me trouvais soudain arraché au travail auprès de la communauté et projeté dans les intrigues insignifiantes de gens qui se trouvent au bord du gouffre.

Au cours de la soirée, le chef d'antenne Bernard Derome m'a interviewé dans le cadre de la couverture de la soirée électorale de Radio-Canada. On me voyait en direct du bureau de la campagne, muni d'un casque avec micro, entouré de bénévoles qui festoyaient. Après m'avoir félicité, M. Derome m'a posé la question que les libéraux se posaient eux-mêmes : « Stéphane Dion devrait-il rester à la tête du parti ? »

C'était une question délicate : le déclin de 95 à 77 sièges était décevant, mais pas désastreux au point de sceller le destin de M. Dion. Beaucoup de libéraux, dont moi, estimaient qu'il avait hérité d'un lourd fardeau et qu'il aurait été impossible pour n'importe quel chef de surmonter en un seul cycle électoral les graves problèmes structurels qui s'étaient accumulés au sein du parti.

« M. Dion, c'est un homme d'intelligence, d'intégrité, qui a une vision profonde et sage pour ce pays, et à un niveau personnel, j'ai beaucoup à apprendre de lui. »

Derome a rétorqué : « Êtes-vous en train de me dire que vous allez défendre son leadership et que vous êtes prêt à lui donner une deuxième chance ? »

« On n'est pas en train de parler de leadership, ai-je dit. Le Parti libéral a un chef, et je suis très content d'être avec lui. »

« Ah ! On voit que vous avez bien appris votre métier, a raillé Bernard Derome, parce que ce n'est pas très clair comme réponse. »

« Alors, posez-moi une question claire », ai-je dit.

M. Derome a ri. « Vous me faites penser à votre père ! » Il a ajouté : « Est-ce que M. Dion doit rester chef de ce parti ? »

Je lui ai répondu que Stéphane Dion devait rester chef du Parti libéral.

« Bon, eh bien, c'est clair. Bravo ! » a commenté M. Derome, en y mettant une certaine emphase, avant de conclure l'entrevue.

L'échange avait été tendu. Les journalistes adorent les querelles intestines au sein des partis politiques, et pendant trop longtemps, mon parti a semblé ravi de leur en fournir. Rien ne leur aurait fait plus plaisir que d'entendre le jeune Trudeau s'en prendre au chef d'un caucus affaibli. Je refusais de le faire. M. Dion est un grand intellectuel qui jouait un rôle important au sein du parti (et du Canada) depuis plus d'une dizaine d'années. Il méritait mieux que de voir son avenir influencé par des propos futiles échangés le soir d'une élection décevante.

De plus, j'avais d'autres tâches qui m'attendaient. Je venais de passer presque deux ans dans les rues de Papineau à convaincre les gens que j'étais en politique pour les bonnes raisons, que j'étais là pour eux. Maintenant, j'étais impatient d'aller à Ottawa pour y représenter les gens dont j'avais acquis la confiance grâce à tous ces efforts. J'espérais, peut-être naïvement, que le succès de mon travail sur le terrain servirait d'exemple à mon parti pour la suite des choses.

Le soir de l'élection de 2008, mon plus grand espoir pour le Parti libéral était que nous puissions tirer une leçon de cette défaite. Notre lien avec les Canadiens s'était considérablement affaibli et il fallait le reconstruire, petit à petit, en y mettant de grands efforts.

CHAPITRE SEPT

La vie d'un nouveau député

━━━

En février 2007, comme je me préparais pour l'investiture dans Papineau, Sophie m'a demandé de m'asseoir et m'a dit: «Ce que tu fais dans Papineau va changer notre vie. Mais voici quelque chose qui va la transformer encore plus.»

Elle m'a montré un test de grossesse (elle m'a avoué plus tard que c'était le cinquième qu'elle faisait ce jour-là!) où était affiché un signe positif bleu: j'étais fou de joie. Depuis toujours, mon plus grand rêve était de devenir père. J'étais inspiré par le père extraordinaire que j'avais eu et j'avais l'intention de suivre son exemple. Sophie et moi souhaitions avoir des enfants depuis le jour de notre rencontre.

Tout commençait à prendre forme. J'avais rencontré

Sophie, la femme avec qui j'avais envie de partager ma vie. J'avais trouvé ma vocation : travailler au service du public grâce à la politique. Et maintenant, nous étions en train de fonder une famille qui allait servir de raison et de motivation pour tout le reste.

Xavier James Trudeau est né le 18 octobre 2007, le jour où mon père aurait eu 88 ans. Son deuxième prénom était un clin d'œil à mon grand-père Sinclair. C'était un gros bébé joyeux, avec les yeux verts et le grand cœur de sa mère. Aujourd'hui, c'est un enfant agile, imaginatif, athlétique, courageux sur les terrains de sport et dans l'eau, très sociable, mais parfois timide face à des situations nouvelles.

Seize mois plus tard, le 5 février 2009, Ella-Grace Margaret Trudeau est arrivée à son tour. Ella était lumineuse et paisible, mais munie d'une volonté, d'une détermination et d'une rapidité d'esprit qui lui ont rapidement permis d'embobiner toute la maisonnée. Et son père ? Eh bien, sans surprise, elle peut faire de moi ce qu'elle veut.

À la naissance de Xavier, j'étais candidat libéral pour une élection qui allait avoir lieu quasiment un an plus tard. J'ai pris quelques semaines de congé et, pendant les premiers mois, j'étais presque toujours à la maison à donner un coup de main, incluant la nuit. Quand Ella-Grace est arrivée, je faisais mes premiers pas comme député. Elle est née un jeudi, nous sommes rentrés de l'hôpital le samedi et, le mardi après-midi, je retournais à Ottawa pour siéger au Parlement ; mon congé de paternité aura duré en tout quatre jours et demi, dont deux durant la fin de semaine.

Avant de me présenter aux élections, j'avais demandé l'accord de Sophie, car j'avais bien vu, enfant, à quel point la politique pouvait avoir un effet négatif sur les familles et les relations de couple. Mais le vivre en tant que père et mari, c'était une tout autre histoire.

Voici à quoi ressemblait une semaine normale : je partais le lundi matin pour le Parlement et dormais trois nuits à Ottawa ; le jeudi, je rentrais à Montréal où, la plupart du temps, je devais participer à un événement dans mon comté le soir même. Le vendredi, je restais au bureau de circonscription pour des réunions et des consultations. Le samedi, je prenais encore part à des événements dans la circonscription, et le dimanche était en général réservé à ma famille.

La première année, Sophie et moi avions loué un appartement meublé de deux chambres situé à une quinzaine de minutes de marche de la Colline du Parlement, car nous envisagions d'emmener de temps en temps toute la famille passer la semaine à Ottawa. Mes journées de travail étaient longues et imprévisibles à cause des votes, et tout le réseau d'entraide de Sophie – sa famille et ses amis – était à Montréal ; donc, ça n'est jamais arrivé. Dès la deuxième année de mon travail de député, j'ai choisi de passer mes nuits à Ottawa à l'hôtel.

Il m'était très difficile d'être loin de Sophie et de ma jeune famille, mais je trouvais que ça me permettait d'avoir une meilleure perspective de la situation. Tous les jeudis, en rentrant à la maison, je me posais une question simple : le temps passé loin de ma famille en valait-il la peine ? Étais-je en train de construire un meilleur avenir pour mes enfants, d'essayer d'améliorer le monde dans lequel ils allaient grandir, ou étais-je plutôt en train de jouer le jeu de la politique, de marquer des points faciles, de vouloir gagner ? Le simple fait d'y réfléchir me rappelait ce qui comptait vraiment.

En vérité, la réponse m'apparaissait plus facilement qu'on pourrait le croire. Il y a beaucoup de bonnes personnes au Parlement qui se dévouent au service des Canadiens, qui cherchent à s'attaquer à des enjeux difficiles, qui essaient de trouver les meilleures façons de faire avancer notre pays. C'est rare qu'on entende parler de ça aux bulletins de nouvelles de fin de soirée. Mon but pour la première année était simplement de parvenir à me faire discret tout en gardant la tête haute.

Alex Lanthier, qui était alors chef de mon bureau sur la Colline parlementaire, m'a été d'une très grande aide. Le budget des bureaux des députés de l'opposition n'est pas très élevé et suffit à peine à payer un employé à temps plein et un autre à temps partiel à Ottawa, ainsi que deux employés et un à temps partiel dans le bureau de comté. Les années d'expérience d'Alex dans des bureaux de ministres libéraux nous ont permis d'en faire plus avec moins. Il a trouvé des gens semi-retraités avec une grande expérience pour nous aider à organiser les choses, et aussi des jeunes brillants prêts à travailler fort qui ont rapidement appris les bases du métier.

Je me concentrais surtout sur Papineau. Dans tout ce qu'il me fallait apprendre, représenter les gens de ma circonscription était de loin ce qui m'importait le plus. D'une part, c'était mon rôle premier en tant que député et, d'autre part, je savais que les divers défis auxquels faisaient face les gens de ma circonscription étaient représentatifs de ce que vivaient les Canadiens partout au pays. Je travaillais au service des électeurs de mon comté de deux façons : dans mon bureau de Papineau, je les aidais avec des questions d'immigration, des demandes de visa, des problèmes d'assurance-emploi, des retards dans le paiement de rentes et d'autres problèmes pour lesquels un député fédéral peut être utile ; puis, à Ottawa, j'essayais de considérer les lois et les politiques en fonction de leurs effets sur les gens de ma circonscription.

Il arrive qu'on me demande en quoi mon expérience d'enseignant m'aide dans mon travail parlementaire. Un bon professeur, ce n'est pas celui qui a toutes les réponses et qui les donne à ses élèves. Un bon professeur, c'est celui qui comprend les besoins de ses élèves et crée les conditions leur permettant de trouver eux-mêmes les réponses. Il s'agit de les aider à traverser les moments difficiles tout en cherchant à leur faire découvrir comment se débrouiller seuls. De la même façon, un bon député devrait, selon moi, aider le gouvernement à élaborer une structure sociétale qui permet aux citoyens d'être actifs et de réussir tout en aidant et en soutenant ceux qui en ont besoin.

Dans ma circonscription, il fallait un député très présent et actif pour répondre aux besoins des citoyens. Quand je marchais dans les rues de Papineau, les gens m'approchaient avec toutes sortes de problèmes, dont certains n'étaient pas de compétence fédérale. On me parlait aussi souvent des éboueurs qui réveillaient un bébé en faisant trop de bruit, des voisins qui écoutaient leur musique trop fort ou dont la cuisine dégageait une odeur dans tout l'immeuble et d'une contravention de 50 $ qu'on n'avait pas les moyens de payer, que des conditions d'admissibilité de programmes comme l'assurance-emploi et la sécurité de la vieillesse. J'ai essayé d'offrir mon aide, mais, évidemment, c'était parfois impossible de le faire directement. Je prenais toujours la peine alors de mettre les gens en contact avec la personne qui pouvait leur offrir de l'assistance.

Dans Papineau, la majorité des demandes des citoyens sont liées à la citoyenneté et à l'immigration. Quiconque voudrait en savoir davantage sur les effets des politiques canadiennes d'immigration dans la vie des gens devrait discuter avec ceux qui visitent un bureau de comté dans une grande ville. Il y est beaucoup question de visas de séjour et de demandes de réunification de familles. Un cas typique, c'est celui d'immigrants qui vivent au Canada et qui, après avoir eu un bébé, souhaitent faire venir un grand-parent de leur pays d'origine pour qu'il les aide à s'occuper du nouveau-né, seulement pour quelques mois dans certains cas. Notre approche consiste à poser des questions au couple pour avoir une idée de la validité de sa demande avant d'envoyer une lettre d'appui au bureau de l'Immigration.

Dans les cas où une demande de résidence permanente a déjà été remplie, un député ne peut pas faire grand-chose pour faire avancer le processus. Parfois, il faut des années pour que ces cas passent au travers des rouages de la bureau-cratie, et les demandeurs restent tout ce temps dans l'incer-titude. Tout ce que nous pouvons faire alors, c'est de vérifier auprès des responsables de l'Immigration l'état de la demande, information que des citoyens ordinaires peuvent avoir de la difficulté à obtenir.

Les très nombreuses rencontres que j'ai eues avec des citoyens insatisfaits m'ont convaincu que les réformes de la Loi sur l'immigration des conservateurs sont beaucoup plus admirées par ceux-ci à Ottawa qu'elles ne sont efficaces sur le terrain. Nous sommes en train de perdre quelque chose de vital pour le pays à cause de l'approche de M. Harper. Depuis que Wilfrid Laurier a mis en œuvre la plus grande croissance de l'immigration que le pays ait connue, nous avons toujours considéré l'immigration d'un point de vue économique. Ceux qui disent qu'il s'agit d'une innovation des conservateurs connaissent mal l'histoire de ce pays. La valeur économique de l'immigration est d'une importance majeure. Elle nous permet d'avoir une bonne croissance. Cependant, les gens ne sont pas de simples pions, et il me semble que les politiques actuelles font perdre à l'immigra-tion son rôle le plus important pour le pays, celui d'un outil permettant l'édification d'une nation. Que ce soit avec les restrictions dans le programme de réunification des familles ou les assouplissements malavisés du Programme des tra-vailleurs étrangers temporaires, nous sommes en train d'éroder un aspect unique du Canada : le fait que les gens viennent de l'étranger pour se forger une nouvelle vie et non seulement pour trouver un meilleur emploi. Nous devrions considérer les nouveaux arrivants comme des bâtisseurs de collectivité et d'éventuels citoyens, et non uniquement comme des employés.

Dans un comté avec une population très diversifiée, un député fraîchement débarqué devra affronter des défis intéressants, comme les attentes irréalistes de certains électeurs envers leur député. Dans de nombreux pays en voie de développement, les politiciens peuvent contourner le système s'ils le souhaitent. Ils peuvent effacer une facture d'impôt, libérer une personne de prison ou faire avancer rapidement une demande d'immigration, tout ça avec un seul coup de fil. Ce qui est difficile dans ces pays, c'est d'arriver à obtenir un rendez-vous avec un élu, mais, une fois dans son bureau, on sait que le problème est sur le point d'être résolu.

C'est pourquoi les immigrants venant de certains pays sont stupéfaits de voir qu'ils peuvent entrer dans mon bureau sur une base régulière et me rencontrer en personne. Dans leurs pays d'origine, les élus sont généralement entourés de gardes du corps. Il arrive que des électeurs entrent dans mon bureau avec un prêtre, un imam ou un cortège formé de membres éminents de leur communauté, car dans leurs pays d'origine, c'est ce qu'on fait pour rencontrer un politicien.

Mes échanges avec les électeurs m'ont permis, au fil des ans, de comprendre comment le citoyen moyen percevait le gouvernement. Ce dont se plaignent le plus les Canadiens, c'est de l'aspect froid, impersonnel et bureaucratique des échanges avec le gouvernement. Dans une certaine mesure, c'est inévitable. Un gouvernement fédéral qui voit aux besoins de 35 millions de personnes doit compter sur des procédés informatisés, des lettres types et des menus téléphoniques. Mais il faut qu'il y ait aussi de la place pour des échanges directs entre les citoyens et les fonctionnaires.

Chaque fois qu'il nous était impossible d'aider un électeur, celui-ci appréciait le fait que quelqu'un au gouvernement soit prêt à discuter, avec lui, de la situation en personne. Ottawa peut améliorer sa façon de communiquer avec les citoyens et de les aider. En fait, il *doit* l'améliorer.

C'est une des raisons pour laquelle je prenais très au sérieux la responsabilité de répondre au courrier que je recevais à mon bureau. En fait, la plupart des députés s'acquittent de cette tâche avec diligence, mais dans mon cas, ça représentait un défi supplémentaire. Au Canada, lorsqu'on souhaite écrire une lettre adressée au Parlement, il n'est pas nécessaire d'affranchir l'enveloppe. C'est pourquoi il arrive souvent que les gens écrivent la même lettre au premier ministre, au chef de l'opposition, à leur député et à tout autre député qu'ils croient être favorable à leur cause ou en position de les aider. Ainsi, c'est sans doute un bon signe si tout de suite après mon élection, nous avons commencé à recevoir à mon bureau d'énormes quantités de lettres venant de tous les coins du pays et portant sur des sujets extrêmement variés.

Le nombre d'employés de notre bureau parlementaire était largement insuffisant pour répondre à toute cette correspondance, et notre bureau de comté était déjà occupé à

plein temps avec les questions en lien avec la circonscription. Alex a alors proposé une solution : nous allions recruter
des bénévoles et des stagiaires ; des jeunes, pour la plupart
étudiants, qui allaient venir quelques heures par semaine
nous aider à répondre aux piles de lettres, ce qui leur permettrait d'acquérir de l'expérience de travail dans un
contexte parlementaire et de voir de près le monde politique.

Lorsque dans le cadre d'un événement, un jeune venait
me dire que la politique l'intéressait, je lui disais qu'il pouvait venir donner un coup de main dans mon bureau.
Certains jours, le moindre recoin de mon petit bureau de
trois pièces, y compris mon espace de travail, était utilisé par
des jeunes bénévoles qui remplissaient des enveloppes ou
qui écrivaient à l'ordinateur. J'adorais ça. La présence de
tous ces jeunes remplis d'idéaux constituait un remède au
cynisme régnant sur la Colline.

Un autre des défis que j'ai eu à affronter en arrivant à
Ottawa, c'est le fait que j'étais l'objet d'une plus grande
attention médiatique que les autres nouveaux élus. Encore
une fois, le travail que j'avais accompli dans mon comté au
cours de l'année et demie précédant mon élection s'est avéré
d'une grande utilité. Plus je parlais de mon désir de bien
représenter les gens de Papineau, meilleur j'étais en entrevue. Je connaissais bien les gens de mon comté : leurs
besoins, leurs préoccupations, leurs espoirs et leurs rêves.
Plus je parlais d'eux, moins je me laissais entraîner dans les
intrigues et spéculations que les journalistes adoraient expo-
ser dans leurs entrevues.

Plus que tout, mon travail dans Papineau a énormément influencé l'état d'esprit avec lequel j'accomplissais mon travail de parlementaire. Je me rappelle avoir vu une entrevue avec un jeune acteur qui était célèbre depuis peu dans laquelle on lui posait une question au sujet de son succès. Il avait répondu qu'il se sentait incroyablement chanceux de pouvoir faire ce qu'il aimait, qu'il se demandait souvent si quelqu'un allait un jour frapper à sa porte, lui dire qu'il y avait eu une erreur et tout lui reprendre. Je pense que nous nous sommes tous sentis comme ça à certains moments de notre vie.

Quant à moi, je dois dire que depuis mon premier jour de travail comme député, je ne me suis jamais senti ainsi, pas une seule fois. Pourtant, avec mon nom de famille et ce que disaient de moi mes adversaires, on pourrait croire que cela aurait été normal. Mais je savais combien j'avais travaillé pour me faire élire, pour gagner la confiance de mes électeurs. J'avais mérité le droit de siéger à la Chambre des communes, et ça, personne ne pouvait me l'enlever. Les durs combats que j'avais dû mener, d'abord pour l'investiture et, ensuite, pour l'élection, m'avaient fait sentir, au plus profond de moi, que j'étais à la bonne place. Et ça m'a permis, bien souvent, de sourire et d'écarter du revers de la main les attaques mesquines et négatives.

Un de mes plus gros défis, en ce qui concerne les médias, a été d'apprendre à gérer les mêlées de presse, ces séances chaotiques de questions-réponses communément appelées «scrum» au cours desquelles un politicien se trouve assailli par des journalistes dans les couloirs du Parlement. En tant que personne polie ayant reçu une bonne éducation, mon instinct était de répondre à toutes les questions qu'on me posait. En tant qu'enseignant, j'avais tendance à expliquer le raisonnement qui justifiait ma réponse en donnant des exemples pour qu'on me comprenne bien.

Mais une mêlée de presse n'est ni une entrevue ni un discours. Les journalistes ne sont pas là pour obtenir des explications détaillées, ils cherchent plutôt une citation savoureuse qu'ils pourront utiliser dans leurs articles ou dans les extraits de quatre secondes qu'ils pourront présenter au bulletin de nouvelles. Et, plus un politicien parle, plus il y a de chances que l'extrait le plus intéressant ne soit pas le plus pertinent. Il faut donc arriver à couvrir le large éventail de sujets abordés pendant les 10 ou 15 minutes que dure la mêlée de manière réfléchie, mais concise.

Le problème, dans mon cas, c'est que je trouve les conversations avec la plupart des journalistes intéressantes et agréables. Et une conversation intéressante comporte en général de nombreuses parenthèses. Ainsi, les meilleurs journalistes (comme mes élèves avant eux) essayaient souvent de me lancer dans des sujets à côté de la question. Le problème n'était pas que je disais alors quelque chose d'inapproprié ou de terrible, mais le fait qu'en m'éloignant du message de base que je devais transmettre, celui-ci avait moins de chance de se rendre aux Canadiens.

Il arrive que les mêlées de presse donnent lieu à d'étranges moments de poésie. Tous les Canadiens adultes connaissent la célèbre phrase de mon père « Regardez-moi faire» (*Just watch me*). C'est une déclaration qu'il avait faite dans une mêlée de presse en 1970, et il répondait à un journaliste qui lui demandait jusqu'où il serait prêt à aller pour protéger les Canadiens de la menace que représentait le Front de libération du Québec. Le FLQ avait kidnappé un diplomate britannique et allait plus tard assassiner un ministre provincial. Tim Ralfe, reporter pour CBC, attendait, microphone en main, que la voiture de mon père arrive et il l'a intercepté au moment où il entrait dans le Parlement. À notre époque où tout est écrit d'avance, la vidéo de cet échange offre un excellent moment (on peut la trouver sur YouTube). Et il est plus long que ce qu'on imagine. On y voit le premier ministre du Canada se lancer dans un débat spontané sur une question sérieuse de sécurité nationale avec un journaliste agressif dont les questions suggèrent que le premier ministre a violé les droits civils des citoyens canadiens. Ce n'est pas la réponse directe, catégorique et défiante de mon père à la question du journaliste qui est si surprenante, mais le simple fait qu'il ait répondu à sa question et de manière aussi détaillée.

Quand je suis arrivé à Ottawa, c'est ce genre d'échanges ouverts et improvisés entre un journaliste et un politicien que j'avais en tête. Mais, comme je l'ai dit, les temps ont changé. À notre époque, avec la présence de Twitter, le règne de l'esprit de partisanerie et la tendance à n'utiliser que des extraits de déclarations, peu de politiciens modernes – et encore moins notre premier ministre actuel – se laisseraient emporter dans une discussion aussi honnête avec un journaliste. Au lieu de donner des réponses directes et franches, les politiciens d'aujourd'hui se servent habituellement des questions des journalistes comme d'un tremplin pour répéter le message de leur parti sur la question du jour. Il y a peu de place aujourd'hui pour le style de mon père dans les mêlées de presse. Pour l'instant, du moins.

UN DE MES PREMIERS GESTES OFFICIELS AU PARLEMENT a été de présenter une motion parlementaire sur le service bénévole des jeunes. Tous les députés de l'opposition ont l'occasion, dans un ordre choisi au hasard, de présenter un projet de loi ou une motion qui fera l'objet d'un vote. Un projet de loi vise à proposer ou à modifier une loi, mais une motion est normalement examinée par un comité qui donne sa décision dans un rapport.

Ce que je voulais, c'était que la Chambre des communes prenne conscience de l'importance du service bénévole des jeunes. J'avais pu observer, quand je travaillais à défendre le programme Katimavik, combien il était difficile de faire comprendre à des parlementaires ce que peut apporter le service bénévole des jeunes, et ce, pas seulement pour eux-mêmes, mais aussi pour les organismes et les collectivités de tout le pays. Je ne cherchais pas à marquer des points, je ne voulais pas embarrasser les autres partis, je souhaitais simplement qu'on mène une étude sur le bénévolat chez les jeunes et la façon dont le gouvernement pourrait l'encourager dans le cadre d'un programme national de service volontaire pour la jeunesse. J'ai donc présenté la motion M-299 visant la création d'une politique nationale de service volontaire pour la jeunesse.

Quand elle a été défaite par le Parti conservateur et le Bloc Québécois, j'ai compris dans quel labyrinthe se trouvait tout politicien se portant à la défense des jeunes. Ceux-ci ne croient pas que les politiciens s'intéressent à eux, ils ne sont donc pas particulièrement choqués de voir les propositions les concernant être défaites. Donc, comme les jeunes ne votent pas en grand nombre, les politiciens ne croient pas nécessaire d'investir du temps ou de l'énergie pour des enjeux qui les touchent. En réponse, les jeunes sont encore plus enclins à se désintéresser de la politique. C'est un cercle vicieux. Il faudrait l'engagement d'un leader politique pour s'en défaire.

Cette expérience a renforcé ma résolution de parler haut et fort pour les jeunes de tout le pays. J'allais m'assurer qu'il y aurait au moins un politicien qui se battrait sans relâche pour la jeunesse canadienne.

Mon travail en comité m'a aussi beaucoup appris sur le fonctionnement de la politique parlementaire. Un comité parlementaire est formé d'un groupe de députés chargés d'examiner une loi ou de mener une étude dans un domaine précis. On vote d'abord sur un projet de loi à la Chambre des communes et, s'il est accepté, on l'envoie au comité concerné pour qu'il l'étudie. Des membres de tous les partis l'examinent, entendent l'opinion d'experts, de témoins et des parties en cause, proposent des amendements et des améliorations et renvoient ensuite le projet modifié à la Chambre pour un nouveau vote.

C'est du moins ainsi que ça devrait se passer. Mon expérience m'a plutôt démontré que les opinions des témoins, les recommandations des experts ou les propositions des membres de l'opposition ont beaucoup moins de poids que les perceptions et les jeux politiques en lien avec le sujet. J'ai d'abord été membre du comité de l'Environnement et, plus tard, de celui de la Citoyenneté et l'Immigration. Dans le premier cas, tout ce qui importait pour le gouvernement, c'était de donner l'impression qu'il se préoccupait de l'environnement, tout en faisant le strict minimum pour qu'on ne l'importune pas. Dans le deuxième cas, les conservateurs considéraient qu'ils avaient déjà toutes les réponses et que toute personne qui montrait son désaccord ou qui les contredisait n'était qu'un fanatique partisan de l'opposition.

Je me rappelle avoir posé des questions poussées aux témoins, avoir eu des discussions détaillées sur diverses mesures ou recommandations et avoir remis en question – avec assez de succès, selon moi – les affirmations arrogantes des conservateurs au sujet de leur dossier en matière d'environnement. Une fois en particulier, après quelques échanges, j'avais le sentiment d'avoir apporté une contribution modeste, mais significative, qui permettrait d'améliorer la façon d'agir du gouvernement ou, du moins, d'attirer l'attention sur sa façon honteusement négligente de s'occuper de notre planète. Mais la vérité, c'est que de nos jours, la plupart des travaux des comités ne sont que des coups d'épée dans l'eau créant des clapotis qui disparaissent aussi vite qu'ils sont apparus.

Au début de mon premier mandat de député, le paysage politique canadien a connu de grands bouleversements. À peine six semaines après l'élection de 2008, les partis d'opposition ont fait part de leur intention de défaire le gouvernement minoritaire conservateur par un vote de censure sur la mise à jour budgétaire profondément insatisfaisante du gouvernement conservateur. Nous comptions instaurer ensuite une coalition gouvernementale constituée de libéraux (avec 77 sièges) et de néo-démocrates (avec 37 sièges). Le Bloc Québécois était prêt à appuyer la coalition pour les votes de confiance. Mais avant que cela se fasse, le premier ministre a demandé à la gouverneure générale Michaëlle Jean de proroger la session parlementaire jusqu'en janvier 2009, évitant ainsi le vote de censure.

En théorie, la proposition de coalition aurait dû tenir jusque dans la nouvelle année. En pratique, elle s'est défaite presque instantanément. Dans notre système parlementaire, le gouvernement est formé par un ou plusieurs partis qui ont su gagner et conserver la confiance de la Chambre des communes. Par leur vote, les citoyens élisent les gens qui se trouvent à la Chambre, et c'est celle-ci qui exerce le pouvoir. Dans un gouvernement majoritaire, un parti détient plus de la moitié des sièges, ce qui lui permet de gagner tous les votes, de contrôler la Chambre des communes et de former le gouvernement. Mais dans une situation de minorité, aucun parti ne pouvant gouverner à lui seul la Chambre, on considère habituellement que le gouvernement est formé du parti qui a obtenu le plus de sièges et qui devra, pour remporter des votes et gouverner, obtenir l'appui d'autres partis. Les conservateurs avaient perdu cet appui et les autres partis étaient prêts à s'unir pour former un gouvernement qui aurait l'appui de la majorité des députés de la Chambre. Ce projet était tout à fait légitime en théorie, mais en pratique, sa légitimité ne suffisait pas s'il n'avait pas l'appui du public.

Les conservateurs, qui luttaient pour leur survie politique, ont utilisé leur puissante machine de communication pour éroder l'appui du public à la coalition. Ils l'ont fait de deux manières. D'abord, ils ne se sont pas gênés pour présenter sous un faux jour le fonctionnement du gouvernement parlementaire et les pratiques qu'on y juge être acceptables. Il était facile, et convainquant, de dire : « Stephen Harper a gagné l'élection, et maintenant, les perdants souhaitent former le gouvernement. » Et il était difficile de contrer cet argument en décrivant la façon dont la Chambre des communes confère la légitimité au gouvernement. Une brève déclaration l'emporte presque toujours sur une leçon de politique.

Ensuite, ils ont mis l'accent sur le fait que la coalition aurait besoin de l'appui des souverainistes pour gouverner, et ce, malgré le fait que le Parti conservateur avait lui aussi, en tant que gouvernement minoritaire ou comme opposition officielle, sollicité et obtenu l'appui du Bloc pour remporter certains votes. Mais quand cela a fait leur affaire, ils se sont mis à dire : « Les souverainistes vont diriger le Canada. » Le premier ministre Harper a même affirmé en Chambre qu'il n'y avait pas de drapeau du Canada à la cérémonie de signature de l'entente de la coalition, ce qui était faux et facilement vérifiable.

En politique, toutefois, la perception l'emporte sur la réalité. Nous n'arrivions tout simplement pas à faire passer notre message. L'exemple le plus décisif s'est produit au paroxysme de la crise de la coalition, peu de temps après que Stephen Harper se fut adressé au public à la télévision pour défendre son point de vue. Stéphane Dion avait planifié de répondre au discours de Harper en diffusant un message tout de suite après lui, mais son équipe n'est pas parvenue à livrer la vidéo selon l'échéance imposée par la chaîne de télévision. Et quand le message de M. Dion a fini par être diffusé plus tard au cours de la soirée, l'image en était floue, on aurait dit une vidéo amateur filmée avec un mauvais téléphone cellulaire. Ce n'était la faute de personne en particulier, mais M. Dion, en tant que chef du parti, a reçu tout le blâme. Et le lendemain, quand la gouverneure générale a accepté la demande de prorogation de Harper, l'arrêt de mort de la coalition était signé.

Ce soir-là, pour moi et d'autres libéraux, le message était clair : il ne suffisait pas que notre parti en soit un d'idées et de valeurs de justice sociale. Il fallait aussi communiquer ces idées et ces valeurs avec professionnalisme, rigueur et authenticité.

Quatre jours plus tard, Stéphane Dion annonçait sa démission comme chef du parti, ce qui a donné lieu à un nouveau congrès au leadership qui allait se tenir en mai 2009, à Vancouver. Michael Ignatieff, Bob Rae et Dominic Leblanc ont rapidement annoncé leur candidature. Quelques personnes ont suggéré que je pourrais me présenter, mais ce n'était pas dans mes intentions. En fait, j'étais si peu intéressé par les disputes entourant la course à la chefferie que j'ai demandé le rôle neutre de coprésident du congrès. Les jeux de coulisse ont rapidement découragé Dominic et Bob, qui se sont retirés de la course, et Michael Ignatieff est devenu le nouveau chef du Parti libéral du Canada.

Aux yeux de nombreuses personnes, Michael Ignatieff possédait des qualités familières. C'était un intellectuel réfléchi et télégénique, qui avait beaucoup voyagé et semblait prêt à adapter sa sensibilité de philosophe au monde rude de la politique. Pour plusieurs, ce profil ressemblait à celui de mon père. En fait, on pouvait même considérer que Michael avait davantage l'expérience nécessaire pour faire de la politique que mon père. Alors, pourquoi est-ce que l'un d'eux est devenu un premier ministre brillant alors que l'autre a conduit les libéraux vers une cuisante défaite ?

Michael n'avait pas une compréhension intuitive de la politique canadienne – peut-être à cause des nombreuses années qu'il avait passées à l'extérieur du pays – et ça le rendait vulnérable. Et il est arrivé au pire moment. Il est rentré au Canada pour diriger le Parti libéral quand celui-ci était sans doute au plus bas qu'il ait jamais été, si on exclut les années qui avaient précédé la direction de Wilfrid Laurier. De plus, il devait affronter les conservateurs de Stephen Harper qui étaient passés maîtres dans l'art d'exploiter ce genre de faiblesses par des publicités présentant des attaques négatives et mesquines comme on n'en avait jamais vu au Canada. Quand les conservateurs se sont jetés sur Michael, ils ont touché la cible, en partie parce que les libéraux n'avaient pas les capacités de faire des collectes de fonds modernes qui leur auraient permis de répliquer en envoyant le même volume de messages.

Mais la principale raison, toutefois, c'était que le Parti libéral avait perdu contact avec les Canadiens et qu'il était trop pris par des querelles intestines pour s'en rendre compte. Nous en avons subi les conséquences.

Cela dit, aucun libéral n'aurait pu prédire l'ampleur de la défaite que nous allions subir en mai 2011. Une fois le dépouillement des votes terminé, nous nous sommes retrouvés avec 34 sièges à la Chambre des communes. Les conservateurs de Stephen Harper avaient obtenu la majorité avec 166 sièges, et les 103 sièges remportés par le NPD de Jack Layton, en pleine remontée, nous avaient relégués au rang de troisième parti.

J'ai été réélu dans Papineau, mais la célébration de ma victoire avec les employés et les bénévoles a eu lieu dans une ambiance peu festive. Le parti venait de subir la pire défaite depuis sa création, 144 ans plus tôt. La soirée avait quelque chose de surréaliste. D'une certaine façon, je n'étais pas si surpris. Je ressentais au plus profond de moi que le lien entre le parti et le pays s'était dangereusement affaibli et le résultat des élections était la conclusion logique d'une longue période de déconnexion et de déclin.

Le soir des élections, certains observateurs se sont demandé si le parti allait survivre. Ce n'était pas exagéré. En sept ans, nous étions passés du rang de gouvernement majoritaire fort à celui de troisième parti, avec Stephen Harper à la tête d'un gouvernement majoritaire conservateur. Notre chef avait perdu son siège, et les libéraux de tout le pays réfléchissaient sérieusement à leur avenir.

CHAPITRE HUIT

Vers le leadership

═══

L E LENDEMAIN DE L'ÉLECTION DE 2011, LA SUR-
vie du Parti libéral du Canada me préoccupait
beaucoup plus que la question de savoir si j'en
serais un jour le chef. Il n'était pas possible d'embellir la
situation : nous nous étions fait battre à plate couture. Ce
n'était pas aussi dramatique que la défaite des progressistes-conservateurs en 1993, quand ils étaient passés d'une
majorité confortable à la Chambre des communes à deux
sièges, mais presque.

D'une certaine façon, c'était pire. Les progressistes-conservateurs avaient subi un choc soudain et catas-
trophique ; l'histoire du Parti libéral faisait davantage penser
à l'allégorie de la grenouille dans l'eau qu'on fait bouillir

graduellement. Jouissant d'abord des eaux confortables de la majorité parlementaire avec 172 sièges à l'élection de 2000, le parti avait dirigé un gouvernement minoritaire avec 135 sièges à partir de 2004 avant de passer à l'opposition avec 103 sièges en 2006. À ma première élection, en 2008, nous n'avons remporté que 77 sièges. Dans cette perspective, il nous était impossible de considérer le résultat de 2011, 34 sièges, comme une anomalie ou une sorte d'accident imprévisible. C'était la suite d'une tendance à long terme qui avait vu le Parti libéral perdre progressivement la moitié de ses électeurs en 10 ans à peine. J'étais désormais convaincu qu'à moins d'un changement fondamental, notre parti connaîtrait la même fin que la grenouille.

Chacun avait son hypothèse quant aux raisons de la débâcle de 2011. Certains en ont attribué la faute à la publicité négative des conservateurs. D'autres ont pointé du doigt leurs méthodes agressives sur le plan organisationnel et dans leur façon de collecter des fonds. Plusieurs étaient convaincus que le leadership de Michael Ignatieff était la source du problème. À mon avis, toutes ces hypothèses étaient trop simples, et erronées. La vérité, comme c'est souvent le cas, était beaucoup plus douloureuse et difficile à affronter : les Canadiens avaient donné au Parti libéral la leçon qu'il méritait. Je sais qu'encore aujourd'hui c'est difficile à admettre pour bien des libéraux, mais c'est essentiel de ne pas l'oublier.

Pendant la dizaine d'années qu'il a été au pouvoir, face à une opposition divisée, le parti est devenu de plus en plus centré sur lui-même plutôt que sur les Canadiens qui l'appuyaient, qui l'élisaient et qui avaient confiance en lui. L'idée que nous formions « le parti gouvernant naturel du Canada » était une évidence pour de nombreux libéraux, mais, à mes yeux, elle représentait parfaitement tout ce qui n'allait pas. Il était même devenu courant parmi les libéraux de considérer comme une sainte vérité cette idée usée : « c'est le Parti libéral qui a créé le Canada ». Comme je l'ai déclaré lors du lancement de ma campagne à la direction du parti 16 mois plus tard, le Parti libéral n'a pas créé le Canada : c'est le Canada qui a créé le Parti libéral.

Comme un trop grand nombre d'organisations prospères, le parti a commencé à tenir son succès pour acquis, comme si c'était l'ordre naturel des choses. Il avait oublié à quoi il devait cette réussite. La popularité du Parti libéral au XXe siècle était fondée sur les liens qu'il avait établis avec les Canadiens, avec des communautés petites et grandes de partout au pays. Le parti était devenu le véhicule de leurs idées, de leurs espoirs et de leurs rêves pour leur pays. Petit à petit, ces liens se sont défaits. Cela a probablement débuté pendant que mon père était le chef du parti. On pourrait dire, pour être indulgent, qu'il n'a peut-être pas consacré autant de temps qu'il aurait pu à mobiliser la base du parti. Ça a culminé dans la dernière décennie quand, face à un gouvernement minoritaire conservateur, trop de gens ont cru qu'il suffirait d'un ajustement ou deux pour quitter l'opposition et reprendre le pouvoir. C'étaient toutes des erreurs fondamentales. Peu importe, ça ne sert pas à grand-chose de chercher des coupables. L'important, c'est de comprendre que même si le moment de rendre des comptes était venu pour nous en 2011, c'était certainement une situation que nous aurions pu éviter. Nous en sommes responsables. Dans la rupture entre le peuple canadien et le Parti libéral, c'est le parti qui était à blâmer, pas le peuple.

La question que je me posais ce printemps-là était : « Maintenant que nous avons touché le fond, mon parti comprendra-t-il enfin ? »

Étant un des survivants libéraux les plus connus – c'est difficile d'utiliser le terme « gagnant » dans le contexte de 2011 –, j'allais devoir faire face aux médias pendant la triste période qui a suivi. Je savais qu'on me demanderait si je serais candidat à la chefferie du parti. Mais je n'en avais nullement l'intention et j'avais peur que toute ambiguïté sur cette question ne déclenche une nouvelle dynamique négative dans laquelle certains libéraux en viendraient à croire en l'illusion d'un raccourci vers la popularité et le pouvoir. Mon message, dans ces entrevues, était totalement catégorique. J'y disais qu'une chose, une seule, pouvait nous sortir du trou que nous nous étions creusé : le travail acharné. Je croyais alors – et c'est toujours le cas – que les Canadiens nous jugeraient favorablement s'ils sentaient que nous avions bien compris le message qu'ils nous avaient transmis et si nous faisions preuve de la discipline et de l'éthique nécessaires pour regagner leur confiance.

Comme la cloche qui sauve le boxeur chancelant, l'été est arrivé peu après la période des bilans qui a suivi l'élection de 2011. J'ai passé la majeure partie de l'été avec Sophie et les enfants. Nous sommes allés en Colombie-Britannique pour refaire le plein d'énergie avec de la famille et des amis. Xavier et Ella-Grace ont pu explorer les spectaculaires plages de la côte Ouest. Nous avons laissé l'élection derrière nous et avons passé beaucoup de temps à discuter de notre avenir.

Cet été-là a aussi été un temps de réflexion sur d'autres questions. J'allais bientôt avoir 40 ans, et je voulais souligner ce passage par une sorte de témoignage personnel et permanent. Quand j'étais très jeune (à cinq ou six ans), mon père nous avait emmenés à Haida Gwaii, sur la côte Ouest. Le peuple haïda vit dans cet endroit très particulier, parmi les plus beaux de la terre, depuis des millénaires. Ces gens mesurent l'histoire de leur culture sur une échelle de temps qui est totalement incompréhensible à nous, les Canadiens descendants des colons arrivés après la découverte du continent par les Européens.

Dans le cadre d'une cérémonie en l'honneur de mon père, les Haïdas nous avaient accordé, à mes frères et moi, un privilège réservé qu'à de rares personnes, et que nous n'avions évidemment rien fait pour mériter. Ils nous ont adoptés comme enfants du corbeau. C'était un geste touchant d'ouverture, de bonne volonté et d'amitié. Ainsi, pendant que je passais un été avec mes enfants sur la côte Ouest, que je réfléchissais à mon avenir tout en étant assailli par des rappels du caractère éphémère et transitoire de la vie, la pérennité de la présence des Autochtones sur la côte Ouest m'a paru réconfortante. J'ai pensé à la gentillesse dont ils avaient fait preuve à mon égard il y a plus de 30 ans de cela, et j'y ai fait écho par un geste très moderne : je me suis fait tatouer un corbeau haïda sur l'épaule gauche. L'oiseau est inspiré d'un dessin de Robert Davidson, et il enveloppe le globe terrestre que je m'étais fait tatouer plusieurs années auparavant.

Je ne vous raconte pas cette histoire pour présenter une vision romantique des Premières Nations. J'ai passé trop de temps dans des réserves isolées pour ne pas être conscient des défis auxquels sont confrontés les Premières Nations, les Métis et les Inuits. Ce geste avait autant à voir avec l'avenir qu'avec cet événement passé. C'était aussi un rappel d'un aspect fondamental de la vie au Canada : nous n'avons pas su établir une relation respectueuse et fonctionnelle avec les Premières Nations. C'est un de nos plus grands enjeux non résolus.

J'irais même plus loin. La situation difficile des Premières Nations et notre propension, à nous qui ne sommes pas autochtones, à tolérer l'extrême pauvreté et les injustices que connaissent tant de gens est une grande tache morale pour le Canada. L'exemple le plus frappant de notre manque de volonté à aborder ces problèmes de front, ce sont les plus que 1 100 femmes autochtones disparues ou mortes au Canada. Le gouvernement refuse de créer une commission d'enquête sur le sujet, ce qui est tout à fait honteux.

Cela dit, ce qui me trouble le plus dans la réaction du gouvernement, c'est que les conservateurs ont le sentiment qu'ils sont dans un environnement politique où leur inaction restera impunie. Et je ne parle pas ici seulement de M. Harper. À l'exception notable de Paul Martin, qui a conçu, avec l'accord de Kelowna, un cadre et des principes qui permettent d'aborder plusieurs de ces problèmes dans leur ensemble, la plupart de nos premiers ministres ont très peu agi sur ce plan.

Les seuls progrès qui ont été accomplis l'ont été grâce à des recours en justice intentés par les Premières Nations en invoquant la Charte et d'autres moyens constitutionnels pour protéger leurs droits. Cela doit changer. La relation du Canada avec ses peuples autochtones est à la base même de la définition de notre caractère national, et c'est aujourd'hui un obstacle pratique qui empêche notre pays d'aller de l'avant. Les tribunaux nous disent ce que nous aurions dû savoir depuis toujours : les communautés autochtones de partout au Canada ont le droit d'avoir une chance réelle et juste de réussir. Elles ne peuvent constituer seulement un enjeu dont on ne traite qu'à l'occasion pendant que nous extrayons les ressources de leurs terres.

Nous nous trouvions sur l'île de Vancouver quand nous avons appris la tragique nouvelle du décès de Jack Layton. Jack était quelqu'un qu'il était impossible de ne pas aimer. Même si nous étions des adversaires politiques, je ne pouvais m'empêcher d'admirer ce qu'il avait réalisé dans ma province, le Québec. Aux yeux de bien des observateurs, la vague orange a été un succès instantané, mais, comme toujours dans de tels cas, c'était le résultat de nombreuses années de travail. M. Layton avait fait de la percée de son

266

parti au Québec une de ses grandes priorités dès son arrivée à la direction du NPD. Je suis sûr que plusieurs parmi ses proches collaborateurs ont pensé qu'il rêvait en couleurs, mais il a tenu bon. Avec acharnement et discipline, il y a travaillé pendant une longue période, jusqu'au moment où il a eu sa chance. Quand elle est arrivée, il était prêt. C'est une des nombreuses leçons importantes à tirer de son succès. Le fait que le cancer soit venu le faucher peu après a rendu sa mort encore plus tragique et bouleversante. Jack et moi n'avons discuté qu'à quelques reprises, mais comme c'est le cas pour presque tous ceux qu'il rencontrait, sa grâce et sa gentillesse m'ont touché.

Encore aujourd'hui, l'absence de Jack Layton se ressent dans la vie publique canadienne.

Cette triste nouvelle a peut-être contribué à renforcer ma détermination à ne pas briguer la direction du parti. Je n'en suis pas certain. Ce qui est sûr, c'est que j'assumais ma décision à cent pour cent. J'étais convaincu que ma participation à la course à la chefferie serait perçue par trop de libéraux comme un autre raccourci pour éviter de nous attaquer à l'immense tâche qu'il nous fallait accomplir. J'étais cependant déterminé à jouer un rôle actif. À la première réunion du caucus, en septembre, j'ai dit à mes collègues que je ne me présenterais pas à la direction du parti, mais que j'étais très enthousiaste face à l'avenir et que j'avais hâte de me retrousser les manches et de mettre la main à la pâte.

À cette époque, énormément de gens doutaient que le Parti libéral ait même un avenir. Des auteurs sérieux ont publié des livres sur notre disparition imminente. Nous, les Québécois, étions particulièrement conscients de l'état critique du parti. À l'extérieur du Québec, peu de Canadiens comprenaient les répercussions négatives qu'avait eues la commission Gomery dans ma province. Peu importe qui on jugeait responsable de quoi, tout ça avait jeté le doute sur l'intégrité du parti dans l'esprit de millions de Québécois. Ça ne servait à rien d'espérer que ça disparaisse, de faire semblant que ce n'était pas arrivé ou de tenter de détourner l'attention avec l'arrivée d'un nouveau chef. Nous nous étions enfoncés dans un trou profond, et le seul moyen de regagner la confiance des Québécois – et de tous les autres Canadiens – était de travailler longuement et durement.

Malgré ces problèmes bien réels, je n'ai jamais douté que le Parti libéral puisse survivre. Je crois que les Canadiens veulent un parti vraiment national, non idéologique et pragmatique, qui a un contact avec eux et qui s'occupe d'eux. Un parti qui s'intéresse aux espoirs et aux rêves qu'ils entretiennent pour leur famille, leur collectivité, leur pays et pour eux-mêmes. Nous n'avons pas toujours été à la hauteur de ces attentes, mais, au meilleur de sa forme, le Parti libéral peut constituer une force nationale constructive et unificatrice. C'est un parti qui, depuis Wilfrid Laurier, s'affaire à trouver un terrain d'entente pour des groupes dont les nombreuses différences sont trop facilement exploitées pour créer la division par des politiciens au style cynique.

L'une des très nombreuses qualités des démocraties est qu'elles tendent à se corriger avec le temps. Si un gouvernement se replie trop sur lui-même ou perd le contact avec la population, il est remplacé. Quand le peuple veut un nouveau mouvement politique, il en crée un. J'ai toujours cru que les Canadiens voulaient qu'un parti joue le rôle central qu'a déjà tenu le Parti libéral. La question était de savoir si, après la pire défaite de leur histoire, les libéraux seraient en mesure de redevenir ce parti. Autrement dit, le vénérable Parti libéral pourrait-il être le mouvement dont les Canadiens ont besoin au XXIe siècle ?

Quelques événements cruciaux et opportuns se sont produits dans les mois qui ont suivi l'élection de 2011. D'abord, Bob Rae a accepté le poste de chef intérimaire pour assurer la stabilité et le calme au sommet. On peut difficilement exagérer l'importance du rôle de Bob pendant cette période. Il a su apporter la crédibilité, l'expérience, le professionnalisme et le pragmatisme dont le parti avait grandement besoin. Plus important encore, il a donné l'exemple en travaillant fort. Peu de gens comprendront à quel point c'est grâce à l'acharnement de Bob Rae que le Parti libéral s'est sauvé de la veillée funèbre qu'on lui avait préparée en 2011.

La base du parti a aussi réagi avec fermeté. Des gens de partout au pays ont accepté de relever le défi. Cette base tant critiquée, souvent écartée, du Parti libéral s'est présentée en masse à Ottawa pour le congrès du parti en janvier 2012. Je dois avouer que j'ai moi-même été agréablement surpris par le réel enthousiasme que je ressentais partout ce week-end-là. C'était une leçon qui me rappelait mon expérience dans Papineau. Il est facile de se laisser absorber par ce que les gens pensent, écrivent et ce dont ils parlent dans la « bulle » d'Ottawa quand on s'y trouve soi-même. Le congrès de 2012 constituait pour les libéraux de partout au Canada une première occasion de se rassembler depuis l'élection, et leur énergie et leur acharnement étaient revigorants.

À certains égards, la sévérité de notre défaite avait préparé le terrain pour notre renaissance. En tant que troisième parti, nous avions la marge nécessaire pour faire des essais et discuter de sujets litigieux que nous n'aurions jamais osé aborder si nous avions été au pouvoir. Par exemple, quand 77 pour cent des délégués du congrès de 2012 ont voté en faveur d'une motion prônant la légalisation de la marijuana, nous étions à l'aise avec cette idée. Les délégués ont aussi fait un geste décisif visant à rendre le Parti libéral vraiment libéral en appuyant résolument une motion sur le droit des femmes à choisir.

Nous avons pris des décisions tout aussi importantes – quoique moins visibles – en vue de moderniser l'administration et le mode de fonctionnement du parti. Nous avons élu Mike Crawley au poste de président du parti. Le slogan de M. Crawley était « un nouveau rouge audacieux », et il proposait un ambitieux programme de professionnalisation des collectes de fonds. Mais le plus important, c'est que nous avons repensé la structure du parti afin d'accueillir une nouvelle classe de sympathisants qui n'auraient pas à payer de frais: des Canadiens qui partageaient nos valeurs et qui allaient participer à l'élection du nouveau chef. Avec ce groupe de sympathisants, nous aurions aussi une plus grande base de gens pour nos collectes de fonds et la diffusion du message libéral. Cela nous a aidés à entrer dans les réseaux des mouvements politiques modernes. Pendant des décennies, les partis politiques ont utilisé la radiodiffusion, les envois de masse et les listes téléphoniques pour communiquer avec les citoyens. La victoire de Barack Obama, en 2008, a changé la donne. La majeure partie des communications politiques importantes sont désormais diffusées sur Internet via les médias sociaux. Les gens qui créent des pages Facebook pour appuyer le Parti libéral ou qui attirent des milliers de personnes vers le parti par le biais de Twitter n'ont pas forcément le temps de participer à un congrès, mais ils sont très heureux d'apprendre qu'ils peuvent avoir une place dans la structure organisationnelle.

La cure de jeunesse que s'est donnée le Parti libéral au cours des années qui ont suivi le congrès de 2012 a été exceptionnelle, quelle que soit la façon dont on l'évalue. En tant que participant et observateur hautement intéressé, ça m'a convaincu que le parti commençait enfin à tirer une leçon de ce qui était arrivé et qu'il était prêt à faire les efforts nécessaires pour gagner la confiance des Canadiens. Les Jeunes libéraux en particulier se sont présentés en grand nombre. Comme c'est souvent le cas dans les moments critiques, ce sont les jeunes qui ont vu ce qui était en jeu et qui ont pris l'avenir en main. Plusieurs de ces jeunes Canadiens engagés allaient devenir des figures majeures de ma campagne à la chefferie et sont maintenant des leaders communautaires en devenir un peu partout au pays. Certains se porteront candidats aux prochaines élections ou à un autre moment. D'autres exprimeront leur esprit civique en faisant du bénévolat. Ils ont tous une attitude positive reflétant leur désir de servir la population et l'intérêt public. Ils étaient à la fois la bouffée d'air frais et le petit coup de pied au derrière dont le Parti libéral avait besoin, juste au moment où il en avait besoin. Ce mois de janvier de 2012, ils ont donné l'indication la plus claire jusque-là que notre parti n'allait pas tranquillement disparaître dans la nuit.

Par-dessus tout, j'ai beaucoup aimé participer au congrès de 2012. L'ambiance y était incontestablement positive. Il a été exempt de dissensions et de luttes intestines, libre d'angoisses et d'accusations au sujet du passé. Si les plaies causées par le désastre de 2011 étaient toujours vives, j'avais l'impression que la réflexion qu'elles provoquaient avait pour unique but d'en tirer des leçons pour l'avenir. Le parti avait vécu quelque chose d'important, et le congrès de 2012 en était la représentation concrète. La commotion causée par la débâcle de 2011 a été l'électrochoc qui a convaincu les libéraux des quatre coins du pays de reconstruire le parti.

C'était le signe le plus encourageant jusque-là que les libéraux avaient bel et bien compris la leçon que les Canadiens tentaient de leur donner depuis près d'une dizaine d'années : le Parti libéral n'avait pas le droit inhérent d'exister, encore moins de gouverner. Nous devions le mériter. Il nous faudrait mettre tous les efforts nécessaires pour rétablir le contact, et le pays n'accepterait pas un produit de substitution.

Il semblait enfin qu'une masse critique de membres du parti l'avait compris.

C'EST EN ÉCOUTANT TOUS CES CANADIENS ENTHOU-siastes des quatre coins du pays, jeunes et moins jeunes, qui s'étaient réunis au Centre des congrès d'Ottawa pour discuter avec passion du Canada qu'ils souhaitaient construire, que j'ai commencé à envisager sérieusement la possibilité d'être chef. C'était pour le moins ironique, mais je ne crois pas que je me serais porté candidat si je n'avais pas écarté cette option si catégoriquement quelques mois plus tôt. Cet intervalle m'a donné le détachement et la sérénité qu'il me fallait pour réfléchir aux perspectives du parti et à l'allure que pourrait avoir un mouvement politique libéral amélioré, sans les distractions intéressées qu'entraînerait la planification d'une campagne pour la direction du parti. Si l'automne de 2011 avait donné lieu à plein de rumeurs quant à mon éventuelle candidature, comme il arrive généralement à tous les aspirants potentiels à la chefferie qui restent ambigus sur ce plan, je doute que je dirigerais le parti aujourd'hui.

Cela dit, à ce moment-là, l'idée ne faisait que commencer à germer. J'étais loin d'être prêt à prendre une décision définitive. Peu après le congrès, j'ai eu une longue conversation avec mon vieil ami de l'Université McGill, Gerry Butts, qui avait longtemps été le secrétaire principal du premier ministre de l'Ontario. Il avait quitté la politique en 2008 pour devenir le chef de la direction du World Wildlife Fund pour le Canada, un organisme de conservation de la nature. Je lui ai parlé du congrès et de mon agréable surprise quand j'ai constaté le grand nombre de participants qui s'y étaient présentés, pleins d'espoir et prêts à travailler. Je lui ai mentionné que, pour la première fois, je commençais à réévaluer ma décision de m'exclure moi-même de la course à la direction du parti, et je lui ai demandé à quoi pouvait ressembler une campagne à la chefferie. Je lui ai souligné que je n'avais toujours pas pris de décision, mais que je voulais réfléchir à toutes les options.

Peu de temps après, nous avons contacté Katie Telford. J'avais fait sa connaissance quand elle dirigeait la campagne de Gerard Kennedy, en 2006. Elle avait par la suite été la directrice adjointe de cabinet de Stéphane Dion. Je l'appréciais et j'avais confiance en elle. Katie est travaillante, solide, honnête et extrêmement intelligente, et elle avait déjà dirigé une campagne pour la direction d'un parti fédéral. J'étais heureux d'avoir son opinion sur la tâche qui nous attendait.

Gerry et Katie forment encore aujourd'hui, avec Daniel Gagnier, que nous avons recruté ensemble quelques mois plus tard, le noyau de mon cercle rapproché. Dan, un Québécois fièrement fédéraliste, est peut-être la seule personne dans l'histoire du Canada à avoir été le chef de cabinet de premiers ministres du Québec et de l'Ontario. Je l'avais connu en participant à des initiatives écologistes à Montréal, mais lui me connaissait depuis l'époque où il était haut fonctionnaire et où il travaillait avec mon père au rapatriement de la constitution, au début des années 1980.

Une période de six mois de discussions a alors débuté. Je crois fermement qu'un des plus importants attributs d'un chef solide est sa capacité de rallier des gens d'excellence à sa cause. On dit que les gens moyennement talentueux ont tendance à engager des gens qui le sont moins qu'eux afin de se valoriser, et que les gens qui sont très talentueux ont tendance à engager des gens qui le sont plus qu'eux pour les forcer à s'améliorer. Je suis convaincu qu'avec les bonnes personnes, on peut accomplir tout ce qu'on veut. C'est l'approche que j'ai adoptée pour ma campagne à la chefferie, pour le recrutement des candidats et pour la formation du personnel et des bénévoles. Les leaders croient trop souvent que la présence de personnalités fortes au sein de leur équipe révèle leurs défauts ou leurs faiblesses personnelles. C'est ce qui mène à un modèle de leadership, particulièrement en politique, qui tend vers l'autocratie. C'est un signe de faiblesse et de manque d'assurance, et non de force, quand la meilleure personne qu'on a réussi à rallier à sa cause est celle qu'on voit dans le miroir chaque matin. Si on m'accorde un jour le privilège d'être premier ministre du Canada, j'espère qu'on me jugera en fonction de la qualité des bras que j'aurai tordus, partout au Canada, pour qu'ils viennent servir activement notre pays.

Mais au bout du compte, il faut parfois suivre son instinct, même quand tous ceux qui nous entourent pensent qu'on a tort. Mon combat de boxe de bienfaisance avec le sénateur

Patrick Brazeau en est un exemple. Pas un seul de mes amis, confidents ou collègues, ne croyait que c'était une bonne idée.

Tout a commencé en juin 2011 quand on m'a parlé d'un gala de boxe amateur entre personnalités d'Ottawa intitulé « Fight for the Cure ». Les profits tirés du combat devaient être remis à la Fondation du cancer de la région d'Ottawa. « Tiens, j'ai pensé, voilà ma chance. »

Le concept de ces « combats de cols blancs » est de prendre des professionnels et des cadres en bonne forme physique, mais qui sont plus habitués aux parties de squash ou au cardiovélo, et de les entraîner à la boxe amateur pendant six mois, puis de les faire s'affronter dans le ring devant leurs voisins, leurs amis et leurs clients auxquels ils ont vendu des billets. Tout le monde passe une agréable soirée, et on recueille ainsi beaucoup d'argent pour une bonne cause.

Je m'entraînais à la boxe depuis le début de la vingtaine et l'idée de monter sur le ring pour un vrai combat m'avait toujours plu. J'avais cru qu'une fois lancé en politique, je ne pourrais jamais rayer ce rêve de ma liste de choses à faire avant de mourir, mais j'avais maintenant la chance de mettre mes habiletés à l'épreuve dans un vrai combat, et surtout pour une bonne cause. Et ce serait encore mieux si j'arrivais à trouver un conservateur pur et dur comme adversaire !

Quand j'ai officiellement accepté d'y participer, en octobre 2011, le parti était encore chancelant, abattu. Je savais qu'une distraction amusante ferait du bien aux libéraux et remonterait leur moral collectif, étant donné que le NPD et les conservateurs s'amusaient ferme à tabasser les libéraux, autrefois si puissants, aux Communes. Je me suis dit que je pourrais à tout le moins leur fournir cette distraction.

Le combat a bien failli ne pas avoir lieu. Malgré les déclarations musclées des conservateurs, j'ai eu beaucoup de difficulté à en trouver un qui soit prêt à monter dans le ring avec moi. J'ai approché plusieurs députés, dont Rob Anders, un député de Calgary qui n'a pas la langue dans sa poche, ainsi que Peter MacKay, alors ministre de la Défense nationale, mais ils ont refusé. Comme je l'ai dit à la blague à Dominic Leblanc à l'époque : « Qui aurait cru que ce serait si difficile de trouver un conservateur prêt à me donner des coups de poing au visage ?! »

C'est finalement Patrick Brazeau, qui allait plus tard se retrouver au cœur du scandale du Sénat, qui a accepté de relever le défi. Tous ceux qui connaissent M. Brazeau seront d'accord pour dire qu'il est imposant physiquement, musclé et très sûr de lui. Ça allait être un bon adversaire. J'avais quelques centimètres de plus et une plus longue portée que lui, mais il avait une poitrine plus large que la mienne et des biceps beaucoup plus gros. Il avait fait son entraînement militaire et obtenu sa ceinture noire de karaté, deuxième degré. Il avait un physique si menaçant que lorsque le combat a été annoncé, la question que tout le monde se posait n'était pas « Qui va gagner ? », mais bien « Combien de secondes faudra-t-il avant que Trudeau se retrouve au tapis ? »

Sophie, de toute évidence, avait des sentiments partagés au sujet de cette histoire. Elle savait à quel point la simple idée de participer à un véritable combat de boxe me rendait heureux et elle voyait bien à quel point mon entraînement exténuant me procurait du plaisir, mais elle s'inquiétait sincèrement pour ma sécurité. Je lui ai décrit en détail mon plan d'entraînement et ma stratégie pour le combat, je lui ai fait part de mon analyse des forces et des faiblesses de Brazeau et j'ai dissipé la plupart de ses craintes avec une phrase que j'avais déjà employée, et que j'utiliserai encore : « Sophie, fais-moi confiance. »

Le combat était prévu pour le 31 mars 2012 au Hampton Inn d'Ottawa et pendant les six mois qui l'ont précédé, je me suis entraîné avec ardeur à Ottawa et à Montréal. À Ottawa, le Final Round Gym, qui organisait l'événement, était responsable d'enseigner les fondements de la boxe aux participants. Mais les enjeux étaient considérablement plus élevés pour moi, et mon adversaire, plus robuste. J'ai donc fait appel à l'aide d'un bon ami. Ali Nestor Charles gère une salle d'entraînement pour la boxe et les arts martiaux dans l'est de ma circonscription. Je l'ai connu à cause de son excellent travail pour encourager les jeunes à poursuivre leurs études et à rester loin des gangs de rue. J'avais même, à deux occasions, passé quelques heures avec les jeunes de sa salle d'entraînement : le matin, ils suivaient des cours pour terminer leur secondaire dans une salle de classe située au-dessus du ring et, l'après-midi, ils s'entraînaient. Je sais que ça leur a fait plaisir que leur député se joigne à eux pour ces deux parties différentes de leur journée.

Ali n'est pas seulement un entraîneur et un mentor, c'est aussi un boxeur professionnel accompli. Nous nous sommes entraînés ensemble avec acharnement pendant ces six mois et, quand la soirée du combat est arrivée, j'étais vraiment prêt.

Il y a quelque chose qui me plaît beaucoup dans la pureté de la boxe traditionnelle. En pratiquant ce sport, un athlète apprend beaucoup plus qu'un ensemble d'habiletés techniques. Il apprend à rester concentré même s'il est épuisé et à s'en tenir à son plan de match même s'il est en train de se faire rentrer dedans. Par-dessus tout, la boxe lui enseigne l'importance de la discipline et du travail acharné. Si j'ai défait Patrick Brazeau dans le ring, c'est parce que j'avais une meilleure équipe derrière moi et un meilleur plan et parce que je me suis mieux entraîné pour faire en sorte que ce plan devienne réalité. (Je vous laisse tirer vos propres conclusions par rapport à l'application possible de ces principes à la politique.)

Une semaine avant le match, Matt, mon entraîneur de Final Round, m'a demandé si j'avais un plan de combat. Je lui ai expliqué comment je pensais que ça se déroulerait : Brazeau allait venir à moi avec toute son ardeur dès le départ. Je passerais le premier round à le tenir à distance grâce à mon *jab* et à ma longue portée, et je le laisserais s'épuiser. Au deuxième round, j'aurais plus d'énergie que lui et je prendrais l'initiative. Au troisième, je tenterais peut-être de le mettre knock-out. Ma confiance en moi a fait sourire Matt qui m'a répondu, pour me taquiner : « Ah, comme ça tu vas attendre jusqu'au troisième round pour le mettre knock-out ? » Nous savions tous les deux qu'il y a rarement des combats qui se terminent par K.-O. en boxe amateur de style olympique, et que si ça devait être le cas, tout le monde ferait mieux de parier sur Brazeau.

Finalement, ça s'est pas mal passé comme je l'avais prévu. Brazeau s'est lancé sur moi comme un fou furieux et il a réussi à m'asséner plusieurs droites puissantes dans la première moitié du premier round. Chancelant, je me demandais si toute cette affaire n'avait pas été un très mauvais calcul de ma part. Il me frappait avec plus de force que personne ne l'avait jamais fait et j'avais pourtant affronté des partenaires d'entraînement très robustes. Juste au moment où je commençais à me demander combien je pourrais encore en prendre, la pluie de coups a cessé. J'entendais Brazeau souffler et haleter ; soudainement, mes coups ont commencé à toucher la cible et j'arrivais à écarter les siens. J'ai terminé le premier round avec un sourire au visage, car je savais que le combat était déjà terminé. Brazeau avait tout donné, et comme j'avais été capable de tout prendre, j'allais gagner. Le cours des choses a fini de se renverser pendant le deuxième round, et au troisième, Brazeau n'en pouvait plus. Il était épuisé et son regard indiquait clairement qu'il aurait voulu être n'importe où sauf dans ce ring. Quand j'ai réussi un troisième compte de huit dans le dernier round, l'arbitre a mis fin au combat. C'était un K.-O. technique, ce qui n'est pas un véritable K.-O., mais étant donné les règles olympiques, c'était à peu près le meilleur résultat possible.

Ce n'est qu'à ce moment que j'ai levé les yeux et que j'ai commencé à prendre conscience de ce qui se passait autour de moi. Je m'étais tellement concentré sur le combat que je

63. Loin d'Ottawa, en train de travailler avec des bénévoles à High River, en Alberta, après les inondations de 2013.

64. Se promener en autocaravane n'était pas une des idées favorites de mon équipe pour ma tournée estivale de 2013, d'autant plus que Sophie était enceinte de huit semaines, mais finalement, ça m'a permis de montrer la Colombie-Britannique à mes enfants tout en créant des liens avec les communautés que nous avons rencontrées.

65. Pendant notre tournée de la Colombie-Britannique, nous avons tenu à nous arrêter à Nelson pour montrer aux enfants le lac Kokanee, où repose leur oncle Michel. On voit le lac au loin ; c'est un des endroits les plus magnifiques et paisibles de la planète.

66. Chaque arrêt pendant notre tournée en autocaravane a été l'occasion d'avoir de belles discussions avec les gens de différentes communautés, petites ou grandes, de la Colombie-Britannique. Le fait de voyager par la route nous a permis de profiter au maximum de ce voyage dans la province.

67. Dans la tradition canadienne, les meilleures fêtes se terminent toujours dans la cuisine. Mon travail me gâte en m'offrant la possibilité d'avoir accès à différentes cultures qui font partie de l'identité canadienne en mettant la main à la pâte…

68. Ceci n'est pas qu'un simple rassemblement libéral : c'est un rassemblement libéral dans le sud de l'Alberta. Peu importe le nombre de votes que mon parti a obtenus dans une circonscription lors de la dernière élection, il est important pour moi de m'y rendre et de rencontrer des gens de l'endroit.

69. À Victoria, une des villes de l'Ouest où nous avons réuni plus de 800 personnes. Je suis resté jusqu'à la toute fin, et j'ai été un des derniers à quitter la salle parce que j'étais touché de voir que certaines personnes avaient traversé tout le sud de l'île de Vancouver pour venir.

70. Après la course à la direction de 2013, le congrès libéral était ma première occasion de parler directement à nos membres. Peu importe la salle où l'on se trouve, la préparation d'un discours nécessite toujours les mêmes étapes… comme celle où on me rappelle de ralentir mon débit.

71. Je ne suis pas toujours à la maison, mais j'essaie de toujours appeler mes enfants pour leur souhaiter bonne nuit ou pour voir comment ils vont le matin. Ici, je le fais pendant mon discours au congrès de Montréal.

72. Hadrien était né depuis moins d'une heure quand son père, son grand-père et son frère ont commencé à rivaliser pour savoir qui le prendrait dans ses bras.

73. À Ottawa, lors de la première rencontre du Conseil consultatif sur l'économie. Vous reconnaissez peut-être certaines personnes comme Scott Brison, John McCallum et Chrystia Freeland, et il y a aussi plusieurs participants par téléphone.

74. Irwin Cotler a toujours été un merveilleux ami et un mentor, que ce soit sur la Colline ou ailleurs. Je suis toujours ravi d'avoir son avis.

75. Un moment de célébration avec les athlètes olympiques sur la Colline du Parlement.

76. Il n'y a rien que je n'aime plus qu'une bonne discussion et un bon défi – on peut compter sur une mère grecque, comme dans cette photo prise à Scarborough, pour aller droit au but.

77. Un des plus beaux aspects de mon travail, c'est d'avoir l'occasion de rencontrer et de recruter des gens incroyables, comme Adam Vaughan. Nous célébrons ici sa victoire électorale à l'élection partielle de 2014 dans Trinity-Spadina, à Toronto.

78. En tant que père, je suis très heureux de partager avec mes enfants les mêmes expériences que j'ai vécues avec mon père à leur âge.

79. Ça a été agréable de présenter Ella-Grace et Xavier à M. Harper. Il s'est montré sympathique.

80. Hadrien dans les bras de sa grande sœur, Ella-Grace.

81. Et, en tant que père, je suis aussi heureux de pouvoir m'amuser avec mes enfants. Hadrien et moi avons beaucoup aimé ce moment pendant le barbecue du Parti libéral, en Colombie-Britannique, à l'été 2014.

n'avais pas remarqué l'ambiance. La salle était bondée de députés et de ministres conservateurs qui étaient venus voir l'un des leurs envoyer un Trudeau au plancher. Le combat avait été couvert en direct par une petite chaîne spécialisée résolument favorable au Parti conservateur. Ils attendaient évidemment une fin différente. J'ai appris que des gens, partout au pays, avaient regardé le combat dans les bars et les restaurants sportifs après la défaite des Canadiens de Montréal contre Washington en fusillade. Comme je l'avais espéré, ce triomphe a eu un effet mobilisateur sur mes collègues libéraux et ma boîte de réception a été inondée de messages de félicitations.

Je savais très bien qu'un combat de boxe n'a rien à voir avec le véritable travail politique. Nous n'avons remporté aucune circonscription ni établi de nouvelles politiques ce soir-là dans la banlieue d'Ottawa. Mais les partis politiques sont des équipes. Ce sont des groupes formés d'êtres humains aux idées similaires et à l'esprit compétitif. Il leur faut des victoires pour garder le moral, surtout après une série de défaites. Ce match de boxe a été la première victoire claire des libéraux sur les conservateurs depuis un très long moment. Ça a fait beaucoup de bien.

Comme c'est presque toujours le cas, bien des gens ont accordé trop d'importance à cet événement théâtral. Certains ont écrit dans les médias nationaux qu'il s'agissait du lancement non officiel de ma campagne pour la direction du parti (!). À vrai dire, j'étais encore loin d'avoir pris ma décision finale. Et si je commençais à envisager un peu plus de me présenter, d'autres événements ont été beaucoup plus décisifs sur ce plan que le fait d'avoir mis knock-out un sénateur conservateur.

Peu après la réussite de notre congrès d'orientation, les délégués du NPD se sont réunis à Toronto afin d'établir la direction future de leur parti. Ils avaient la tâche ingrate de choisir le successeur de Jack Layton. Le décès tragique de M. Layton est survenu juste après qu'il eut mené son parti au plus grand succès électoral de son histoire. Pour la première fois, le NPD choisirait le chef de l'opposition officielle et, ce que tous ses membres espéraient ardemment, le prochain premier ministre du Canada. Ce qui m'intéressait, c'était ce que le choix final du parti révélerait sur son orientation future.

À l'époque, l'idée d'une fusion entre le Parti libéral et le NPD faisait l'objet de discussions sérieuses dans certains milieux qui peuvent surprendre. Même d'anciens chefs des deux partis en ont parlé ouvertement dans la presse. Pour des raisons que j'aborderai plus loin de façon plus approfondie, j'avais toujours eu mes doutes à ce sujet, mais je cherchais coûte que coûte à garder l'esprit ouvert. Certains candidats à la direction du NPD étaient chauds à l'idée, plus particulièrement Nathan Cullen. Il a basé sa campagne à la chefferie sur une plateforme visant explicitement la coopération électorale avec le Parti libéral. J'apprécie et je respecte Nathan, et j'avais hâte de voir quelle direction prendrait sa campagne.

J'ai plusieurs amis qui ont voté pour le NPD dans le passé. J'ai beaucoup de respect pour l'histoire du parti et pour le rôle constructif qu'il a joué dans la vie publique canadienne au fil des ans. Cela dit, le NPD devait maintenant déterminer s'il voulait demeurer fidèle à ses racines ou essayer de devenir un « gouvernement en attente ». En termes concrets, il lui fallait décider s'il abandonnait son idéalisme pour prendre un chemin plus conventionnel vers le pouvoir en trouvant, par exemple, un chef qui serait assez dur pour « tenir tête à Stephen Harper ».

Dans leur ferveur pour s'opposer à Stephen Harper, je crois que les néo-démocrates ont mal compris certains grands enjeux de notre pays. La prospérité du Canada, par exemple, dépend de notre capacité à exploiter nos ressources naturelles et à les exporter sur les marchés mondiaux. Tous les premiers ministres qu'a eus ce pays au cours de l'histoire auraient été d'accord avec ça. S'il nous faut désormais trouver des méthodes durables sur le plan écologique pour atteindre le même résultat, il ne sert à rien de suggérer que la richesse en ressources de l'Ouest canadien est un « syndrome hollandais » qui pèse sur le reste de l'économie. Mon parti a appris cette douloureuse leçon quand mon père en était le chef. Au bout du compte, utiliser les richesses naturelles de l'Ouest pour acheter des votes dans l'Est du pays est une stratégie qui appauvrit tous les Canadiens.

Dans le même ordre d'idée, je me méfiais de l'empressement du NPD à faire des avances aux souverainistes du Québec. Une telle stratégie avait suscité la division et la rancœur envers les conservateurs du premier ministre Mulroney et avait failli provoquer un désastre pour le pays. La constitution canadienne, tout comme la Loi sur la clarté, n'est pas un jouet. La première définit l'accord sur lequel nous nous entendons tous ensemble pour bâtir ce pays, tandis que la seconde dicte les conditions (établies en vertu d'une décision de la Cour suprême du Canada) selon lesquelles nous pourrions décider de le dissoudre. Ce sont là de grandes questions, des questions fondamentales, qu'on ne traite pas à la légère. L'engagement du NPD à ouvrir la constitution, d'une part, et à abroger la Loi sur la clarté, de l'autre, est une combinaison très dangereuse. C'est le genre de promesses que font les politiciens quand ils pensent qu'ils n'auront jamais à les respecter.

Il y a un vieux dicton en politique qui dit que si on veut prendre la place du gouvernement, il faut offrir quelque chose de différent et non s'en faire l'écho. En suivant le déroulement de leur congrès, je n'ai pas pu m'empêcher de penser que les néo-démocrates étaient intimidés par M. Harper, que sa façon de faire de la politique les déconcertait. J'ai eu l'impression qu'ils ont décidé que leur seule chance de défaire les conservateurs était d'en créer le reflet, en version de gauche.

Je me trompe peut-être, mais je ne crois pas que ce soit le genre de politique que les Canadiens désirent. Et je sais que ce n'est pas le genre de politique dont le Canada a besoin.

Ce qui m'amène à l'essentiel de mon propos. En regardant la situation dans son ensemble, je voyais que j'avais d'excellentes raisons de vouloir briguer la direction du parti dans le futur. J'avais le désir de servir le Canada et l'impression qu'avec mon parcours particulier venait la responsabilité de m'impliquer pour mon pays. Quand je suis devenu père, j'ai commencé à comprendre de façon plus concrète et profonde l'importance de travailler d'arrache-pied pour laisser à nos enfants un pays plus fort et solide que celui dont nous avons hérité de nos parents. Je sentais que le Parti libéral était enfin de plus en plus disposé à entreprendre une réforme sérieuse et à faire ce qu'il fallait pour regagner la confiance des Canadiens. J'avais remporté deux élections malgré des vents contraires assez puissants à l'échelle nationale, ce qui m'avait donné confiance en mes aptitudes et en mon instinct politique. Toutes ces choses ont joué un rôle dans ma décision de me présenter à la chefferie, mais c'est une question plus immédiate qui l'a finalement motivée.

Après tout, nous n'étions pas «dans le futur». Nous étions en 2012 et la force dominante de la politique canadienne était le Parti conservateur de M. Harper.

Bien des gens ont imaginé qu'après avoir enfin obtenu la majorité en Chambre qu'ils convoitaient tant, les conservateurs de M. Harper allaient modérer leurs opinions et leur approche. Un gouvernement minoritaire est toujours en situation de campagne, étant donné qu'il peut avoir à déclencher une élection à n'importe quel moment s'il perd la confiance de la Chambre des communes, où il est surpassé en nombre. Tout est teinté d'un sentiment accru de partisanerie dans des circonstances comme celles-là, disait-on, mais le confort de la majorité permettrait à M. Harper de penser à long terme et d'établir une stratégie plus réfléchie pour le pays.

C'était beau en théorie, mais ça s'est révélé complètement faux. Au contraire, la partisanerie du gouvernement est devenue plus virulente que jamais. La majorité aux Communes n'a fait que protéger le premier ministre et son entourage de la responsabilité démocratique. En l'absence d'un Parlement fort pour les contrebalancer, les pires instincts des conservateurs se sont manifestés. Au lieu de se concentrer sur les principaux défis qu'affronte le pays (la stagnation des revenus de la classe moyenne, les changements climatiques, l'érosion de notre démocratie), ils se sont attardés à des questions insignifiantes et ont cherché à régler leurs comptes avec leurs adversaires politiques. Pire encore, quand ils ont décidé de s'attaquer à d'importants problèmes, comme l'exportation de nos ressources naturelles vers les marchés mondiaux, leur attitude « c'est ça ou rien » n'a fait qu'empirer les problèmes plutôt que les résoudre.

En bref, j'étais de plus en plus convaincu que le gouvernement de M. Harper menait le Canada dans la mauvaise direction, une direction que la plupart des Canadiens ne voulaient pas voir leur pays emprunter. Ces conservateurs n'ont aucun désir de bâtir sur le terrain d'entente où nous avons toujours réglé nos problèmes les plus ardus. Leur approche est d'exploiter les divisions et non de créer des ponts. En tant que stratégie politique, c'est peut-être efficace, mais comme façon de gouverner un pays, surtout s'il est aussi hétérogène que le nôtre, c'est plutôt nul. Une fois qu'on a monté les groupes de citoyens les uns contre les autres pour gagner une élection – l'Est contre l'Ouest, les gens de la ville contre ceux des communautés rurales, le Québec contre le reste du Canada –, c'est très difficile de les rassembler par la suite pour résoudre leurs problèmes communs.

C'est dans ce contexte qu'à la fin du printemps de 2012, j'ai commencé à réfléchir beaucoup plus sérieusement à briguer la direction du parti. Je penchais déjà dans ce sens, mais il me restait encore du chemin à faire. Ma tâche la plus importante dans l'immédiat était de terminer la session parlementaire à Ottawa pour consacrer plus de temps à Sophie et aux enfants pendant l'été afin de m'assurer que nous étions prêts. Ma douloureuse expérience personnelle m'avait enseigné que les familles de politiciens ont un lourd fardeau à porter. Parfois, comme ça a été le cas pour mes parents, ce fardeau s'avère trop accablant.

J'avais demandé à Gerry et à Katie d'assembler une équipe pour dresser les grandes lignes d'un plan de bataille et pour réfléchir aux façons de réussir une campagne, mais j'ai toujours su que je ne prendrais ma décision qu'après une discussion en privé très personnelle avec Sophie. Nous avons eu plusieurs longues et franches conversations cet été-là. La principale force de notre union est que nous n'interrompons jamais la communication et que nous sommes toujours ouverts l'un avec l'autre, même quand nous avons des conversations ardues. J'ai raconté à Sophie la fois où mon père m'avait expliqué qu'il ne fallait pas qu'aucun de ses enfants se sente obligé de se présenter en politique. « Notre famille a déjà donné », avait-il ajouté.

Mon père m'avait dit ça sans jamais avoir vécu les incessantes attaques corrosives de la politique du XXIe siècle. Je n'ai jamais été de ceux qui emploient des stratégies de salissage, quel que soit le contexte. Je n'ai pas peur d'une bonne bataille et j'ai la couenne dure, mais j'ai grandi dans la réalité de la vie publique. Ce n'était pas le cas de Sophie et, d'une certaine manière, notre décision pouvait affecter les enfants encore plus que nous.

FINALEMENT, NOUS AVONS CONVENU DE FAIRE UNE retraite complète de trois jours pour discuter de la stratégie de campagne et planifier sa mise à exécution. J'ai clairement fait savoir que si nous allions nous lancer là-dedans, il nous faudrait mener une campagne d'un nouveau type en mobilisant un nombre sans précédent de Canadiens. Nous devions ouvrir toutes grandes les portes du Parti libéral. Pour que le parti ait un avenir, il nous fallait trouver un moyen de le rendre ouvert à tous les Canadiens.

La date avait été fixée. Nous allions nous réunir à la fin juillet au Mont-Tremblant. Ma famille rencontrerait une équipe formée de gens de partout au pays, soigneusement sélectionnés pour leur talent, leur énergie et leur expérience afin de déterminer si c'était possible, et si c'était possible pour nous.

Nous avions rassemblé un groupe formidable de vieux et de nouveaux amis. Plusieurs jouissaient d'une vaste expérience en politique, d'autres venaient du monde des affaires et du secteur caritatif. Il y avait un bon équilibre de femmes et d'hommes, de vétérans grisonnants et de nouveaux venus talentueux, d'associés professionnels et d'amis intimes. Le plus important pour moi, c'était que nous étions venus avec nos familles. Sophie y était, bien entendu, tout comme mon frère Sacha, et j'avais encouragé les membres de mon équipe à emmener leurs conjoints et leurs enfants. Je savais que si nous allions de l'avant avec ce projet, et pour qu'il soit couronné de succès, chacun de nous aurait besoin de l'appui de ses proches. Pour chaque séance de planification stratégique tenue tard le soir, chaque longue escale de la campagne, chaque fois qu'il faudrait réagir rapidement et préparer un discours ou discuter à fond d'une question, bien des gens de mon entourage auraient à passer des heures ou même des jours loin de leur famille. Il nous fallait tous être conscients dès le départ de cet aspect de la vie politique. Mais je voulais aussi nous rappeler que nous croyions que la vie politique pouvait être réformée de manière à accommoder les familles avec deux parents au travail.

Comme bien des aventures canadiennes, ma campagne pour la chefferie a commencé autour d'un feu de camp.

Les gens étaient étendus sur des divans et dans des sacs de couchage, bien installés dans les recoins des chalets que nous avions loués pour la fin de semaine. Tom Pitfield, qui allait concevoir la stratégie novatrice de données que nous avons employée pour la campagne, avait apporté une poitrine de « smoked meat » de Montréal. Nous avons fait un feu de camp dans l'espace prévu à l'arrière quand les gens ont commencé à arriver et que le soleil s'est mis à baisser. Lorsqu'un nombre suffisant d'invités fut arrivé, je les ai remerciés d'être venus et j'ai dit quelques mots sur ce que j'espérais que nous allions accomplir pendant la fin de semaine. J'ai mentionné à quel point c'était important que nous quittions cette rencontre avec une vision commune. J'ai dit à la blague que si nous gagnions la course, des tas de gens prétendraient avoir participé à cette retraite, mais que si c'était la déroute, alors, Sophie et moi aurions simplement passé un week-end tranquille ensemble !

En terminant, j'ai demandé à tout le monde de répondre à une question simple, mais importante : « Pourquoi êtes-vous ici ? »

L'un après l'autre, ils ont raconté des histoires que tous les Canadiens pourraient reconnaître. Certains ont parlé de leur vécu personnel. Navdeep Bains, le jeune député plein de promesses de Mississauga qui a perdu son siège de justesse à l'élection de 2011, nous a parlé des possibilités que ce pays avait données à sa famille, possibilités auxquelles il craignait que les générations à venir n'aient pas accès. Certains ont soulevé des questions précises de politique. On a discuté de développement économique et d'éducation, de ressources naturelles et de changements climatiques, d'immigration et de diversité. D'autres étaient venus pour des raisons plus fondamentales. Le président de ma circonscription de Papineau, Luc Cousineau, un comptable accrédité d'expérience qui allait bientôt devenir le directeur financier de ma campagne pour la chefferie, a dit qu'il trouvait que le Canada était en train de devenir un endroit moins juste sous les conservateurs. Plusieurs Québécois du groupe ont exprimé leur profond regret que notre province n'ait plus voix au chapitre à l'échelle nationale. Richard Maksymetz, un organisateur brillant qui était alors le chef de cabinet du ministre des Finances de Colombie-Britannique, nous a fait part de son opinion – que partageaient les gens de l'Ouest dans notre groupe – à savoir que le parti n'avait jamais fait d'efforts pour concrétiser ses promesses de donner à cette région dynamique du pays sa place au cœur de notre mouvement politique.

C'était une conversation encourageante.

Quand mon tour de répondre à la question est venu, j'ai dit très simplement que je croyais que ce pays valait mieux que son gouvernement actuel. Que les Canadiens avaient l'esprit ouvert et un grand cœur, qu'ils étaient justes et honnêtes, travaillants, aimables et optimistes. J'ai rappelé que le Canada avait de gros problèmes à régler, mais qu'aucun d'entre eux n'était plus gros que ceux que nous avions réussi à résoudre dans le passé. J'ai dit qu'à mes yeux la plus grande des nombreuses qualités de ce pays était sa diversité, ce qui veut dire que les personnes qui dirigent le Canada doivent avoir l'esprit ouvert et généreux envers tous, et pas seulement envers ceux qui sont du même avis qu'eux et qui les appuient, que trop de gens étaient laissés de côté ou ignorés par la vision de M. Harper. Je croyais alors, et je crois toujours, que le défaut fondamental du gouvernement conservateur est son manque de vision, sa bassesse et son incapacité à collaborer avec ceux qui ne partagent pas son idéologie. J'ai ajouté que la rigidité extrême de M. Harper, sa conviction que le désaccord et la contestation sont des signes de faiblesse qu'il faut éliminer, auraient avec le temps un effet corrosif sur la vie publique canadienne.

Pour résumer, j'ai affirmé que j'étais là parce qu'il fallait remplacer ce gouvernement et que je voulais savoir si notre parti et nous-mêmes étions en mesure de le faire.

Plusieurs discussions et débats importants ont eu lieu au cours de cette fin de semaine au sujet du style de campagne que nous souhaitions mener, des sujets que nous voulions défendre, des problèmes que nous désirions résoudre. Certaines conversations étaient plutôt techniques; je vous épargnerai mon côté *geek* caché pour tout ce qui est données, techniques pour «faire sortir le vote», collecte de fonds par petits dons et les détails de notre stratégie avec les médias sociaux. D'autres discussions méritent cependant d'être mentionnées.

Quand je dis que nous avons eu des discussions fondamentales, c'est qu'elles ont été vraiment fondamentales. Le premier thème abordé durant la fin de semaine l'illustre bien : le Parti libéral devrait-il continuer d'exister ? Devrions-nous joindre nos forces avec le NPD pour former une alternative unie (pour emprunter une expression déjà utilisée) face aux conservateurs ? Ou ne ferions-nous pas mieux de fonder un tout nouveau parti politique aux valeurs et aux points de vue centristes, mais qui soit libre de l'ancienne infrastructure et du bagage associé au terme «libéral» ?

Je suis convaincu que certains partisans libéraux seront alarmés en lisant ceci, mais le débat a été très sérieux. Après tout, il s'est produit à un moment où le parti venait de se faire reléguer à la troisième place pour la première fois de son histoire. L'état du patient avait été stabilisé sous la direction intérimaire exemplaire de Bob Rae, mais le malade était encore loin d'être sorti de son état critique. Les Canadiens se disaient encore libéraux, mais un nombre de moins en moins grand d'entre eux votait pour le Parti libéral. Nous nous devions de nous poser la question directement et sérieusement, pour notre propre bien et celui de notre pays : le Parti libéral était-il devenu encombrant ? En le gardant en vie, perpétuait-on la domination conservatrice, mettant ainsi en péril une bonne partie de ce pour quoi il avait lutté au fil des ans ?

Il s'agissait là de sérieuses questions existentielles. Au bout du compte, deux facteurs ont fait pencher la balance en faveur d'un effort sincère de réformer et de reconstruire le Parti libéral.

Tout d'abord, la formation d'un nouveau parti entraînait certains inconvénients pratiques. Comment pourrions-nous en établir l'infrastructure suffisamment rapidement pour qu'il constitue une option sérieuse lors de la prochaine élection ? Si défaire le gouvernement conservateur comptait parmi nos priorités urgentes, la création d'un nouveau parti n'était pas réaliste. D'autre part, je suis au fond un réaliste pragmatique, et je savais très bien que n'importe quel parti dirigé par un Trudeau serait perçu comme étant le Parti libéral, peu importe le nom qu'on lui donnerait. Ce n'était finalement pas une bonne idée.

L'option de la fusion a été soumise à une évaluation beaucoup plus approfondie. Après tout, elle faisait alors l'objet de vives discussions dans la sphère publique. Bien des gens réfléchis y étaient favorables, y compris l'ancien premier ministre Jean Chrétien et l'ancien chef du NPD Ed Broadbent. Ce sont des personnes de poids, que je connais et respecte. Leurs opinions sont importantes et méritent qu'on les étudie sérieusement. Cela dit, j'ai toujours eu l'impression que l'idée de la fusion était fondée sur des prémisses pratiques erronées, la pire d'entre elles étant sa façon trop simple de faire des calculs. Comme l'ont souligné nos membres de l'Ontario et de l'Ouest, plusieurs partisans libéraux préféreraient voter pour les conservateurs que pour les néo-démocrates, généralement pour des raisons économiques. Gerry et Katie ont tous deux soutenu, de façon convaincante, que c'est exactement ce qui était arrivé en Ontario à l'élection fédérale de 2011. Quand l'appui des électeurs pour les libéraux s'est effondré durant la dernière semaine, les habitants de la région métropolitaine de Toronto ont opté pour les conservateurs parce qu'ils ne faisaient pas confiance au NPD en matière d'économie. D'autres ont pertinemment souligné que la culture de parti était très différente chez les libéraux et les néo-démocrates, et que dans certaines régions, comme les provinces de l'Atlantique, ils étaient le principal adversaire l'un de l'autre. Ça ne serait pas si simple d'enterrer la hache de guerre.

Les arguments pour la fusion se réduisaient finalement tous à des motifs opportunistes. Certains ont avancé que les conservateurs causeraient des dommages irréparables à notre pays s'ils restaient trop longtemps au pouvoir, et que la fusion représentait notre meilleure chance de les vaincre à la prochaine élection. D'autres soutenaient que le NPD et les libéraux étaient du même avis sur d'importantes questions de politique, et que les Canadiens à l'esprit libéral étaient en train de s'impatienter face à notre réticence à unir nos forces pour défaire les conservateurs. Ce dernier argument était quand même pertinent. Il faisait écho à mon impression que notre parti s'était trop replié sur lui-même et ne pensait plus qu'à son propre succès, au lieu de s'attarder aux besoins des citoyens dont nous espérions obtenir le vote.

Il y avait de bons arguments des deux côtés, mais j'ai fini par conclure que mon désaccord avec le NPD sur plusieurs questions de fond cruciales était tout simplement trop profond pour que cette fusion fonctionne, du moins pour moi. D'abord, je ne pourrais jamais donner mon appui à sa politique d'abroger la Loi sur la clarté, ce qui faciliterait le démantèlement du pays. C'est une position intenable à mes yeux. J'estimais de plus que le NPD se trompait complètement dans certaines sphères fondamentales de politique économique (le commerce, les investissements étrangers, l'exploitation des ressources). En fait, je crois que les néo-démocrates ont une prédisposition à se méfier de la croissance et de la réussite économiques, et leurs orientations politiques le révèlent même s'ils tentent de le cacher par leur rhétorique. Les libéraux comprennent que la croissance économique est à la base de tout ce que nous souhaitons réaliser sur le plan de la politique sociale.

J'ai donc résumé mon point de vue en disant que nous ne pouvions laisser la stratégie politique et la soif de pouvoir primer nos politiques et nos principes. C'est ce qui avait été la cause de tous nos problèmes. Le Canada a besoin d'un meilleur gouvernement, pas seulement d'un gouvernement différent. Nous n'avons plus reparlé d'une fusion avec le NPD.

L'autre discussion importante de la fin de semaine concernait le genre de campagne que nous voulions mener. Nous avons envisagé une campagne axée sur les détails. L'idée était de publier un livre blanc sur une grande question une fois par mois ou tous les trois mois pendant la campagne au leadership. Bien que nous ayons préservé l'esprit de ce projet dans certains domaines, comme la réforme démocratique, nous avons fini par rejeter cette stratégie parce qu'elle nous paraissait aller à l'encontre de l'ouverture aux nouvelles idées que nous espérions insuffler au parti. On ne peut pas de façon crédible s'engager à faire de la politique d'une manière plus ouverte, puis publier une plateforme complète avant d'avoir eu l'occasion d'entendre ce que la population a à dire !

Nous avons plutôt décidé de mettre l'accent sur nos principales politiques pendant la campagne. Plus important encore, nous allions affirmer clairement que si je dirigeais le parti, il serait en faveur de la croissance et du libre-échange, il ferait preuve de discipline budgétaire et appuierait l'investissement étranger direct. Nous avons eu une longue discussion sur la façon dont les libéraux avaient établi leur crédibilité en matière d'économie au cours des années 1990 et sur le fait qu'ils ne s'étaient pas assez concentrés là-dessus durant la dernière décennie. Comme dans bien des domaines, nous avions tenu pour acquis notre succès durement obtenu, et il s'est estompé. Pour être plus précis, nous allions fonder notre politique économique sur la prémisse évidente (mais trop souvent oubliée) qu'une économie forte est censée créer le plus grand nombre d'emplois de qualité pour le plus grand nombre de gens possible. On avait préparé une présentation détaillée sur ce qui était arrivé à la classe moyenne canadienne au cours des 30 dernières années. Les dettes personnelles augmentaient, mais pas les revenus. Nous avions l'impression que personne au Canada ne parlait des grands changements structurels que subissait notre économie et qui rendaient la vie de plus en plus difficile pour ceux qui sont à la base de la société canadienne.

Nous avons eu une discussion structurée au sujet du Québec et des raisons pour lesquelles la popularité des libéraux y avait décliné si vertigineusement. Je croyais alors – et je le crois encore – que nous nous étions concentrés sur des questions existentielles qui intéressaient seulement les élites, et personne d'autre. Après le scandale des commandites, qui a porté un dur coup à l'intégrité du parti, nous n'avions rien de substantiel sur quoi nous appuyer pour augmenter notre popularité. Au cours des années qui ont suivi, les Québécois ont vu éclater un scandale après l'autre à tous les paliers de gouvernement. Leur confiance envers les élus de toutes sortes a été fortement ébranlée – même avant que la commission Charbonneau commence à révéler ses horreurs au quotidien. La voie à suivre pour le Parti libéral au Québec était de se recentrer sur ses racines, de se concentrer sur les questions fondamentales comme l'emploi, les pensions et les perspectives économiques des jeunes. Bref, je voulais prendre notre façon de faire de la politique dans Papineau et en faire la carte de visite du parti partout dans la province.

Cela m'amène à la dernière et plus importante décision que nous ayons prise pendant ce week-end au sujet du style de campagne que nous allions adopter. Les divers membres du groupe avaient beaucoup de choses en commun. Nous partagions les mêmes valeurs et convictions, et nous avions tous beaucoup d'expérience dans la politique et dans la vie. Plusieurs d'entre nous avaient de jeunes enfants. Nous avions aussi tous de l'appréhension par rapport à mon éventuelle candidature. Beaucoup de libéraux considéraient que le principal intérêt de ma candidature était la nostalgie. Mon nom de famille leur rappelait les jours de gloire du parti, sans parler des leurs. Je n'avais aucune intention de me présenter pour faire une campagne qui serait l'équivalent politique d'une tournée de réunion de groupe rock vieillissant. Dans un tel cas, nous pourrions tous trouver quelque chose de plus productif à faire que ce genre de politique.

J'avais clairement indiqué que je voulais mener une campagne axée sur l'avenir, pas sur le passé. Je voulais bâtir un nouveau type de mouvement politique en recrutant des centaines de milliers de personnes pour y participer. Bien entendu, nous accueillerions avec plaisir les personnes qui s'étaient déjà impliquées dans le parti, mais l'avenir appartenait à ceux qui sauraient gagner le cœur et l'esprit des gens qui ne se joindraient jamais, normalement, à un parti politique traditionnel. Notre vision pour ce pays serait inclusive et positive, et nous aurions confiance dans le désir des Canadiens d'y prendre part.

Nous savions que nous aurions des opposants. Que pour les conservateurs et la droite en général, l'idée même d'une campagne menée par un Trudeau serait répugnante. Qu'ils nous attaqueraient avec une intensité qui donnerait à leurs campagnes contre les derniers chefs libéraux l'air de tendres adieux entre amis. Leurs attaques seraient méchantes, négatives et personnelles. Ils avaient des millions de dollars à dépenser et ils les consacreraient à nous dénigrer. Ils ne respecteraient aucune limite dans leurs efforts pour nous détruire. J'ai regardé autour de moi et j'ai posé à tout le monde une autre question toute simple : « Êtes-vous prêts à affronter ça ? »

Un par un, ils ont tous dit oui. Ils étaient de la partie, et pour les bonnes raisons. J'en ferais l'annonce officielle quelques mois plus tard, mais c'est à ce moment précis que Sophie et moi avons aussi pris notre décision. Nous tenterions d'éclipser la politique de peur et de négativisme avec un nouveau genre de politique plus authentique, plus transparent, plus proche des gens, plus « vrai ». Une politique qui cherche à rassembler les gens pour bâtir sur un terrain d'entente plutôt qu'à les diviser en camps opposés et à exploiter leurs différences pour obtenir un avantage politique ; une politique qui articule une vision commune axée sur toutes ces similarités qui nous unissent en tant que Canadiens, et qui cherche à encourager tout ce qu'il y a de bien dans ce merveilleux pays.

Une politique repensée de A à Z, fondée sur l'espoir et sur le travail acharné.

Chapitre neuf

Espoir et travail acharné

———

V ERS LE MILIEU DE 2012, IL S'EST MIS À Y AVOIR beaucoup de conjectures. Pour une force politique qu'on disait finie, la course à la chefferie du Parti libéral a suscité un grand intérêt. En coulisse, Bob Rae envisageait sérieusement de se présenter, tout comme Dalton McGuinty, un de ses successeurs à la tête de l'Ontario. Selon la rumeur, des agents politiques essayaient de recruter Mark Carney, gouverneur de la Banque du Canada et homme de grand talent, et, encore une fois, les noms de Frank McKenna et de John Manley étaient mentionnés dans la presse. Marc Garneau et Martha Hall-Findlay, membre et ancienne membre du caucus, laissaient clairement entendre qu'ils étaient en train de mettre sur pied des équipes pour se présenter à l'investiture.

Peu de temps après avoir pris ma décision de briguer la direction du parti, j'ai décidé que je n'allais pas passer beaucoup de temps à penser aux autres candidats, quels qu'ils soient. Je connais et respecte toutes ces personnes, et toutes les autres qui se sont ajoutées ensuite, mais il y avait des enjeux plus importants que la concurrence à l'intérieur du parti. J'ai préféré me concentrer sur le type de campagne que nous souhaitions mener, bien réfléchir au programme que nous voulions proposer pour la course à la direction et après. Par la force des choses, notre succès ne devait pas se limiter à remporter l'investiture du Parti libéral dans l'état dans lequel il se trouvait alors. Je savais que si nous voulions avoir la moindre chance de gagner l'élection, il nous faudrait commencer à reconstruire le parti pendant la course à la direction. L'investiture n'était qu'une étape sur notre route.

Le travail qui nous attendait était complexe. La plupart des courses à la chefferie sont des luttes internes visant à trouver qui sera le meilleur conducteur du train dans lequel tout le monde est déjà monté et qui, avec un peu de chance, avance déjà dans la bonne direction à bonne vitesse. Mais la course actuelle allait être tout à fait différente, peut-être unique dans l'histoire de mon parti. Nous aurions à attirer des passagers, à construire le train pendant qu'il roule, sans oublier de poser les rails. L'image de l'espoir et du travail acharné a alors commencé à prendre forme. Il nous fallait à la fois instaurer un programme de travail solide et une attitude positive pour augmenter notre popularité, et créer un élan qui allait attirer le type de personnes dont nous avions besoin pour faire du bon boulot.

Mes années d'enseignement, ma campagne à l'investiture et ma campagne électorale dans Papineau m'avaient permis de découvrir que j'avais un don pour engager des gens exceptionnels qui partageaient une vision positive du monde, de bonnes valeurs et un dynamisme semblable au mien, et je savais que c'était ce que j'allais accomplir en tant que chef du Parti libéral.

Comme tous les bons projets, le nôtre pouvait se résumer facilement : des idées et des gens, une équipe et un plan, de l'espoir et du travail acharné. Nous voulions, plus que tout, repositionner le Parti libéral comme une force politique nationale dotée d'une vision solide et cohérente des principaux enjeux auxquels faisait face le Canada. Pour cela, il faudrait de nouvelles idées et un nombre sans précédent de personnes dans tous les recoins du pays. Nous savions que ce serait la campagne elle-même qui déterminerait si l'éventuel vainqueur aurait entre les mains un parti qui valait la peine d'être dirigé.

De manière paradoxale, je comptais commencer ma campagne en disant aux libéraux que la situation était plus grave qu'ils le pensaient. Le parti était à la croisée des chemins. Mais, contrairement à ce qu'ils avaient peut-être lu, un vote pour moi ne signifiait pas qu'on souhaitait prendre un raccourci, mais plutôt qu'on voulait mettre la main à la pâte. Il fallait trouver le bon équilibre. Nous ne voulions pas refroidir l'enthousiasme des membres ni détruire leur espoir, car il allait nous en falloir beaucoup pour traverser les inévitables moments difficiles qu'on rencontre en politique. Il nous fallait établir très clairement que l'espoir ne suffirait pas, et que nous en étions conscients. Il fallait que l'espoir soit soutenu et rendu tangible par une solide éthique de travail et de la discipline afin de démontrer, jour après jour, que nous étions en politique pour les bonnes raisons.

Le Parti libéral avait donné aux Canadiens trop de raisons de croire qu'il avait perdu de vue leurs besoins et, plus encore, leurs espoirs pour notre pays. Si nous voulions regagner leur confiance, il nous fallait le faire de la bonne vieille manière : en prouvant aux Canadiens que nous travaillions pour eux. Ainsi, à 40 ans, à cette étape de la vie que Victor Hugo a nommée judicieusement « la vieillesse de la jeunesse », je souhaitais livrer à mon parti un message qui le rappellerait à la réalité tout en étant optimiste. Le succès était possible, mais il était loin d'être assuré. Il nous fallait une nouvelle mission, de nouvelles idées et de nouvelles personnes pour accomplir ce travail. D'abord et avant tout, il fallait recentrer la mission du parti sur les bons enjeux : les besoins, les espoirs et les rêves des Canadiens ordinaires. Et pour que ce message soit autre chose qu'un slogan, il allait être impératif de rallier des centaines de milliers de ces Canadiens à notre cause.

Le 2 octobre 2012, le jour où mon frère Michel aurait fêté son 37e anniversaire, dans une salle bondée d'un centre communautaire au cœur de Papineau, j'ai lancé ma campagne à la direction avec Sophie et mes enfants à mes côtés. J'ai dit à la foule que je me trouvais là parce que je croyais que le Canada avait besoin d'un nouveau leadership et que les Canadiens avaient besoin d'un nouveau plan. Que ce qui allait caractériser ma campagne et, si elle s'avérait un succès, mon leadership, c'était un plan de croissance économique qui viserait les Canadiens de la classe moyenne. J'ai déclaré que le gouvernement actuel avait perdu contact avec ce qui faisait la grandeur de notre pays : l'équité, la diversité, l'engagement à donner à nos enfants un pays qui est dans un meilleur état que celui dont nous avons hérité de nos parents. Plus important encore, la façon hargneuse de créer la division qui était la marque de commerce du gouvernement Harper était mauvaise pour le Canada, et il n'en tenait qu'à nous d'y mettre fin. Ici, dans le pays le plus diversifié du monde, nous avions besoin d'un leadership qui cherchait activement un terrain d'entente sur lequel construire.

De ce point de vue, notre programme axé sur la classe moyenne est beaucoup plus qu'une simple question d'économie. Il reconnaît que la force de notre pays a souvent été reflétée à Ottawa, dans nos meilleurs moments à la tête du pays, mais que ce n'est pas là qu'elle a été créée. C'est une autre leçon que les libéraux devaient apprendre de nouveau. J'ai dit dans mon discours : « C'est la classe moyenne, et non la classe politique, qui unit ce pays. » Les espoirs communs des Canadiens ordinaires, que ce soient de nouveaux immigrants installés à Surrey, en Colombie-Britannique, ou des Canadiens de dixième génération qui vivent à Québec, constituent la force vitale de ce pays. Le Canada a besoin de chefs politiques qui construisent en visant un objectif commun et non d'une personne qui met l'accent sur les quelques aspects qui nous divisent dans le but de mettre de l'avant ses propres intérêts.

Je voulais rappeler aux libéraux que le terrain d'entente existait partout au Canada, quel que soit notre gouvernement national, et peu importe qui se trouvait à sa tête. C'était à nous de le trouver et de nous en servir pour mettre en place une nouvelle sorte de politique.

Au cours des dernières années, il est devenu difficile pour les libéraux de voir la différence entre incarner des valeurs et les créer. C'est ce dont je parlais quand j'ai dit : « Le Parti libéral n'a pas créé le Canada ; c'est le Canada qui a créé le Parti libéral. » Si mon parti, au fil de l'histoire, a eu autant de succès, et aussi longtemps, c'est parce qu'il se montrait ouvert aux Canadiens, qu'il était en contact avec eux. C'était le véhicule pour leurs aspirations, et non la source de celles-ci. Mais je pense que le succès a fait en sorte que les libéraux l'ont oublié. Ça a été une grave erreur, qui a coûté très cher au parti.

Mon but n'est pas de minimiser l'importance de l'aspect économique des problèmes de la classe moyenne. En fait, c'est d'une importance vitale. Le Canada est un pays harmonieux en grande partie à cause d'une dynamique de progrès autogénératrice. Des gens de partout sur la planète, de toutes les cultures imaginables, de toutes les religions, viennent vivre au Canada depuis des générations. Souvent, ils se sentent mieux acceptés ici que dans leur pays d'origine et ils y trouvent de meilleures opportunités économiques. Ce qui, en retour, nous rend plus accueillants envers les nouveaux arrivants, développe notre esprit civique et nous permet d'apprécier la vision des gens avec qui on est en désaccord et de nous y adapter. Quand on se sent plus riche en partageant un terrain d'entente, on a tendance à le rechercher, à bâtir là-dessus et à vouloir l'étendre aux autres.

Le succès du Canada n'a rien de prédestiné, il n'est pas tombé du ciel, que ce soit sur ce plan ou un autre. Il s'est produit, et il continue de se produire, parce que les Canadiens le rendent possible. Quand la prospérité qu'on partage commence à s'effriter, les gens qui ne voient pas plus loin que le bout de leur nez apparaissent toujours pour pointer du doigt les différences et en tirer avantage en fonction de leurs intérêts personnels. Je suis extrêmement fier du fait que les Québécois ont su se tenir debout et rejeter ce qui était peut-être l'exemple le plus flagrant de l'histoire moderne de notre pays de mouvement politique cherchant à encourager la division pour obtenir un gain politique. J'ai toujours cru que c'était ce que nous allions faire. Cela dit, il faut reconnaître que certains des germes de la Charte des valeurs québécoises avaient été semés par l'anxiété économique, particulièrement dans les régions loin des grandes villes. Nous avons besoin d'un plan inclusif pour permettre la croissance économique et la création d'emplois, sinon, ce type de politique deviendra de plus en plus fréquent.

Il faut avouer que jusqu'ici le Canada a su échapper aux pires effets du déclin de la classe moyenne, ceux qu'on a pu voir aux États-Unis et dans des pays moins développés sur le plan économique. Notre chance de posséder des ressources naturelles et une faible population constituent en quelque sorte une protection contre les pires situations. Nous avons vu également, en partie grâce aux politiques brillantes qui les ont soutenues, une génération de femmes canadiennes de talent se joindre à la population active. Nous devrions être reconnaissants pour ces avancées positives. Nous devrions faire des efforts pour les comprendre et les soutenir, mais sans les laisser cacher la réalité du problème. La tendance est indéniable. Le revenu médian des Canadiens a à peine augmenté depuis 1980. Ce qui signifie que le Canadien moyen, ordinaire, n'a pas vu son revenu augmenter de façon réelle depuis 30 ans. Pendant la même période, l'économie a presque doublé. Les difficultés que vit la classe moyenne au XXIe siècle constituent un grave problème qui ne peut être résolu facilement. Et il ne sera jamais résolu si on se ferme les yeux, si on fait comme s'il n'existait pas ou si on en tient responsable un groupe de personnes, une région du pays ou un secteur de l'économie.

Je ne veux pas m'attaquer à ce problème parce qu'il est facile. En fait, beaucoup de personnes m'ont dit qu'il était trop gros et qu'il valait mieux que j'en mette de plus petits au centre de notre campagne. Je dis non aux gens du gouvernement et de la droite en général qui affirment qu'il n'y a pas de solution, que nous faisons de la démagogie et flattons les gens pour obtenir leur vote. Je dis non aussi à ceux qui admettent l'existence du problème, mais qui baissent les bras parce qu'ils considèrent que c'est le résultat de forces mondiales contre lesquelles nous ne pouvons rien, ici, au Canada. Le premier argument montre à quel point les conservateurs sont devenus, après presque 10 ans au pouvoir, déconnectés de ce qui se passe dans la vie des Canadiens ordinaires. Le second argument reflète leur manque d'ambition pour le pays. Au fil de notre histoire, nous avons résolu des problèmes bien plus complexes avec beaucoup moins de moyens que nous n'en avons aujourd'hui. Nous pouvons résoudre celui-ci si nous élaborons un plan adéquat et que nous choisissons les bonnes personnes pour le mettre en œuvre de la bonne façon. C'est ce que signifie bâtir sur un terrain d'entente.

Armé de ce message d'espoir, je m'apprêtais à démontrer l'aspect « travail acharné » de l'équation. En donnant l'exemple. Durant la première semaine de ma campagne, que j'avais lancée au Québec, je suis allé en Alberta, en Colombie-Britannique, en Ontario et dans les Maritimes. Avant la fin de celle-ci, j'aurais visité 154 différentes circonscriptions et plus de 155 collectivités. Pour les endroits où je ne pouvais me rendre, j'allais utiliser toutes les technologies imaginables pour établir un contact, de Skype à Google Hangouts, en passant par le clavardage sur Twitter et Soapbox. Ma candidature allait évidemment attirer l'attention des gens, mais je savais que l'attention n'est rien de plus qu'une porte ouverte. Si les Canadiens n'aimaient pas ce qu'ils voyaient en ouvrant leur porte, ils la refermeraient aussi vite.

Par ailleurs, à certains endroits, la porte ne ferait que s'entrouvrir.

CE N'EST PAS PAR HASARD QUE J'AI CHOISI DE FAIRE MON premier arrêt à Calgary. Si je voulais que ma campagne soit entièrement centrée sur l'avenir du Canada, je souhaitais aussi que les Canadiens sachent que je n'avais pas peur d'affronter les fantômes du passé de mon parti. C'était particulièrement vrai en ce qui concerne les fantômes liés à mon père. Le Programme énergétique national (PEN), créé il y a plus de 30 ans, fait encore de l'ombre aux libéraux en Alberta, et encore plus à un libéral qui porte le nom de Trudeau. Je voulais donc en parler ouvertement et dire aux gens que j'étais conscient de l'impact négatif qu'il avait eu. Malgré toutes les bonnes intentions, au bout du compte, le PEN avait provoqué exactement le type de divisions que mon père avait cherché toute sa vie à apaiser, que ce soit au Québec ou ailleurs. Je me suis engagé ce jour-là en Alberta à ce que le Parti libéral, avec moi à sa tête, ne se serve jamais des ressources de l'Ouest pour gagner des votes dans l'Est.

Le PEN était un véritable enjeu, mais c'était aussi un puissant symbole. Il avait fait comprendre à toute une génération de Canadiens de l'Ouest que lorsqu'arrive l'heure de vérité, les priorités du Parti libéral sont ailleurs. Nos adversaires politiques, de Brian Mulroney à Stephen Harper, s'en sont servis pour nous diaboliser, pour créer chez les gens de la nouvelle génération le sentiment que notre parti n'était pas *pour* eux, dans les deux sens du terme : que nous n'allions pas les défendre et qu'ils n'étaient pas bienvenus chez nous. Pendant plus de 30 ans, cela a eu comme conséquence que même des gens dont la vision est libérale sur des tas de sujets ne penseraient jamais à appuyer le Parti libéral du Canada, et encore moins à en devenir membre.

Le PEN et ses répercussions nous enseignent plusieurs leçons – que nous avions déjà eues avant –, mais il y en a trois qui me semblent plus essentielles. La première et la plus évidente, c'est que le développement des ressources et les politiques que nous mettons en œuvre pour les gérer sont parmi les grands enjeux qui font le succès de notre pays. C'est encore plus vrai aujourd'hui qu'à l'époque. C'est assurément le cas d'un point de vue économique et environnemental, mais c'est aussi une question d'unité, une question à la base de l'équité régionale. La nature n'a pas jugé bon de disperser les ressources qui ont de la valeur de façon équitable sur la planète. Pour cette raison, il y a eu, il y a et il y aura toujours des débats difficiles au sujet du développement des ressources au Canada. S'il faut avoir des problèmes, au moins, ce sont de beaux problèmes. Il y a peu de pays qui n'échangeraient pas les leurs contre les nôtres. Cela dit, cette question est au cœur d'une réalité canadienne immuable : notre diversité régionale nous a toujours forcés à chercher un juste équilibre entre différentes revendications concurrentes. Quand le gouvernement fédéral fait trop pencher la balance du côté d'une région pour un enjeu important, les répercussions peuvent durer toute une vie.

La deuxième leçon, c'est que la nature représentative de la politique donne lieu à une forme de tribalisme. Je ne le dis pas d'une manière péjorative. Dans un pays diversifié où les liens nationaux complètent des identités locales fortes et diverses, il est vital de trouver le juste équilibre. On peut passer des semaines dans les cafés de Ponoka, de Wynyard et de Neepawa à discuter interminablement de telle ou telle autre politique que l'on considère comme bonne pour l'Ouest canadien, mais si on n'a pas avec soi des gens qui sauront faire avancer cette cause, on n'ira pas loin. Il y aussi moins de chance, alors, qu'on puisse mettre en œuvre cette politique. C'est pourquoi, pendant la course à la direction, nous avons mis l'accent sur le recrutement de véritables leaders locaux, des gens de grande qualité, pour qu'ils se joignent à nous en tant qu'organisateurs ou conseillers et qu'ensuite, ils se présentent aux élections sous la bannière libérale. Les moyens de communication et de recherche en politique ont beau être à un niveau très avancé, il n'y a rien qui puisse remplacer des gens de talents qui sont proches de leur collectivité.

Finalement, le PEN nous a aussi enseigné une leçon précise et positive au sujet de l'Ouest canadien. La réaction au PEN, que Preston Manning a rendue célèbre en en faisant un slogan, était: «L'Ouest veut être de la partie» (*The West wants in*). Ça montre un côté profondément optimiste des gens de l'Ouest, et c'est encourageant pour le Canada, car ils n'ont pas dit qu'ils ne voulaient plus être de la partie. Avec cet esprit d'initiative typique de l'Ouest canadien, la réaction à un mouvement politique qui voulait les exclure a été d'en créer un qui ne pouvait vivre sans eux et de le bâtir jusqu'à ce qu'il en vienne à diriger le pays. Avec le recul, on se rend compte que c'est un exploit incroyable, qui n'a sans doute pas d'équivalent dans notre histoire politique.

Je sais que cette affirmation provoquera la controverse, mais je crois que les conservateurs de M. Harper ont oublié cet élément de base du succès de leur parti.

UNE GRANDE PART DE LA CAMPAGNE À LA DIRECTION DE 2012-2013 s'est déroulée pendant un de ces hivers canadiens particulièrement long et froid. J'ai passé une bonne partie de cet hiver dans l'Ouest canadien. Parmi de nombreux événements mémorables, celui qui est le plus profondément gravé dans ma mémoire, c'est une soirée particulièrement glaciale à Kamloops. C'était un de ces jours où on a l'impression que le soleil se couche tout juste après s'être levé. Nous étions à des kilomètres de tout endroit que l'on pourrait considérer de près ou de loin comme un fief libéral. Après une longue journée dans la vallée de l'Okanagan, où nous avions visité Osoyoos et Kelowna, nous sommes partis en fourgonnette avec des bénévoles vers le nord jusqu'à Coquihalla. Nous avions réservé une petite salle à l'Université Thompson Rivers, nous attendant à y voir une foule peu nombreuse, mais chaleureuse, de libéraux du coin. Tout juste avant d'arriver, Gerry Butts, qui voyageait avec moi pour cette étape de la tournée, a reçu un appel du principal organisateur de l'événement. Il y avait un problème, un beau problème. Plus de 500 personnes s'étaient présentées pour la rencontre. Nous allions avoir besoin d'une plus grande salle.

Les gens étaient venus autant par curiosité que par déception. Ils étaient curieux d'en savoir plus au sujet d'un parti qu'ils ne connaissaient pas très bien, mais envers lequel ils avaient des préjugés négatifs. J'ai traité cela à la légère pendant la période de questions et réponses qui avait été prévue, comme c'était le cas dans la plupart des événements publics de ma campagne. Un étudiant m'a demandé ce que mon père m'avait appris sur la façon de faire de la politique. J'ai répondu : « Quand tu te trouves à Salmon Arm, salue les gens les cinq doigts ouverts. » Il est arrivé quelques fois que mon humour pince-sans-rire me mette dans l'embarras, mais cette fois, j'ai eu droit à un éclat de rire.

Plus sérieusement, les gens étaient venus à la rencontre parce qu'ils étaient déçus de voir que le parti qu'ils avaient choisi pour présenter leur point de vue à Ottawa ne le faisait plus. Le Parti conservateur doit son succès à l'immense dévouement de sa base, mais M. Harper a transformé son parti en outil pour se maintenir au poste de premier ministre. Il est vrai qu'aucun gouvernement, dans les dernières décennies, n'a vraiment cherché à donner du pouvoir aux députés ou, de manière plus générale, à trouver une façon de faire entrer notre démocratie parlementaire dans l'ère moderne. Cependant, le gouvernement actuel a atteint de nouveaux sommets en ce qui a trait au contrôle du message et à la discipline de parti. Je sais que les gens qui se rappellent bien les racines réformistes du parti en sont particulièrement irrités. C'est un sujet qui est souvent revenu au cours de ma campagne à la direction, et depuis aussi, mais à Kamloops, ce soir-là, quelque chose est devenu clair. J'ai dit, sans l'avoir préparée, une phrase que j'allais répéter souvent dans l'Ouest au cours des deux années suivantes : « Vous avez élu de bonnes personnes pour être la voix de votre collectivité à Ottawa. Mais ces personnes vous offrent plutôt la voix de Stephen Harper dans votre collectivité. »

Je n'avais jamais vu autant de têtes bouger en signe d'assentiment.

Les Canadiens veulent savoir que leur vote compte. « Comment fonctionne le Parlement ? » n'est pas une question qui va les tenir éveillés la nuit, mais savoir que leur point de vue est pris au sérieux par quelqu'un qui a un pouvoir d'action, c'est vraiment important. Et que cette personne prenne le temps et fasse les efforts nécessaires pour ne pas perdre de vue leur opinion *après* avoir été élue, ce l'est encore plus.

Avec le temps, les gens ressentent les effets de l'érosion de la démocratie dans leur vie. Ils savent reconnaître si leur député parle par conviction ou s'il ne fait que répéter une phrase préparée par son chef. La grande rigidité de M. Harper sur ce point ne rend service ni à son caucus, ni aux Canadiens qui lui ont fait confiance et ont voté pour lui. Je crois que ce n'est pas la bonne façon de concevoir le leadership, et c'est pour cette raison que j'ai pris des engagements très clairs pour régler ce problème.

Évidemment, il faut trouver le juste équilibre. Les gens doivent savoir que lorsqu'ils votent pour un député libéral, celui-ci appuiera le programme et les valeurs du parti. Cependant, la discipline de parti ne devrait être exigée que pour certains votes, dans les cas, par exemple, où une loi entre en contradiction avec la Charte des droits et libertés, ou pour les questions liées au budget ou à la plateforme.

Trouver le juste équilibre, ça signifie être cohérent, réfléchi et passionné pour les grands enjeux, ceux qui importent le plus. Le désir de faire des compromis est en général une vertu dans la vie et, en politique, la capacité de le faire sans trahir ses valeurs fondamentales peut influencer grandement le succès d'un politicien. Pendant ma campagne à la direction, j'ai dit et répété qu'un trop grand nombre de Canadiens ne savaient pas ce que le Parti libéral défendait. La seule façon de régler ce problème, c'était de présenter clairement nos valeurs et de les mettre en pratique, et ce, même si elles menaient parfois à des positions controversées ou impopulaires dans certains milieux.

J'ai affirmé pendant ma campagne que le Parti libéral devait être un parti libéral. Je voulais dire par là que les valeurs fondamentales du libéralisme – l'égalité des chances sur le plan économique et la diversité des opinions et croyances (que je considère comme étant les éléments de base de la liberté individuelle, de l'équité et de la justice sociale) – doivent être les pierres angulaires du Parti libéral et de ses politiques. En résumé, j'ai dit que nous devions être un parti qui se portait à la défense du droit de chacun à une véritable et juste chance de réussir, peu importe qu'il soit né riche ou pauvre, quelle que soit son origine ou sa foi (s'il en a une).

C'est une chose d'affirmer cela de manière théorique, c'en est une autre de le mettre en pratique. Je pense que la plupart des Canadiens, peu importe leur allégeance politique, seront d'accord pour dire que la diversité canadienne est une des plus grandes réussites de ce pays. À mon avis, c'est même la plus grande. Nous sommes peut-être le seul pays au monde à être fort grâce à sa diversité, et non en dépit d'elle. Nous avons su, par nos efforts et avec notre générosité, bâtir une société prospère et harmonieuse dans le pays le plus multiculturel de la planète. C'était déjà à la base de ce que nous sommes avant la fondation du pays. C'est cet instinct qui nous pousse à voir au-delà des différences, qui sait chercher un terrain d'entente et trouver une cause commune, qui a permis à certains de nos ancêtres comme Samuel de Champlain de survivre à leurs premiers hivers, tout comme ça a permis à nos grandes villes modernes de devenir des exemples de réussite que des sociétés multiculturelles de toute la planète souhaitent aujourd'hui imiter.

On peut croire en tout ça et ne pas voir que cette valeur est en péril au Canada. Tout juste avant Noël 2012, il s'est produit quelque chose qui m'a fait comprendre à quel point la diversité canadienne avait plus que jamais besoin de soutien et d'affirmation. J'ai fait un grand discours sur le sujet, pendant que la droite m'attaquait violemment sur cette question. (Il se trouve, avec d'autres discours choisis, dans l'annexe de ce livre.) C'était à l'occasion de la Conférence sur le Renouveau de l'esprit islamique, à Toronto, une extraordinaire réunion de plus de 20 000 jeunes Canadiens musulmans. Ils s'étaient réunis pour discuter ensemble et voir comment ils pouvaient être des membres à part entière d'une société pluraliste et multiculturelle comme le Canada sans perdre ce que leur croyance religieuse et leur vie culturelle avaient d'important et d'unique.

Mon message était direct. Je ne pouvais imaginer de discussion plus fondamentalement canadienne que celle-là. Comment devenir de véritables citoyens du Canada sans tourner le dos à sa communauté d'origine est un défi que la plupart des Canadiens ont eu à affronter au cours de notre histoire. J'ai utilisé un exemple célèbre pour illustrer mon point de vue. Vers la fin du XIXe siècle, on percevait généralement le catholicisme et le libéralisme comme des systèmes de croyances inconciliables. La liberté de conscience et le pluralisme religieux étaient considérés comme allant à l'encontre de l'autorité de l'Église, et nulle part autant que dans ma province. Comme c'est encore le cas aujourd'hui, l'argument le plus convaincant des défenseurs de la diversité, c'était la réalité de la vie. En gros, ils disaient que les idéaux abstraits c'était très bien, mais qu'au bout du compte il nous fallait vivre ensemble et que les gens ne partageaient pas tous la même croyance. Nous pouvions suivre le chemin qu'avaient suivi les pays et cultures de nos ancêtres en choisissant la rancœur, le conflit et la violence, ou nous pouvions essayer de trouver une façon nouvelle, plus productive et généreuse, de vivre ensemble.

Le porte-parole le plus éloquent de cette vision était un jeune Québécois du nom de Wilfrid Laurier. Ce n'était qu'un nouveau député d'un parti politique créé depuis peu. Il croyait profondément que son peuple, qui constituait une minorité linguistique et religieuse dans un nouveau pays dont la majorité était formée d'anglophones protestants, devrait montrer l'exemple en faisait preuve d'ouverture et d'acceptation envers ceux qui ne partageaient pas les mêmes croyances. Pour répondre aux arguments philosophiques convaincants de ses adversaires, Laurier a joué sa carte maîtresse : nous sommes tous ici, et personne ne va partir ; nous avons différentes croyances ; nous ne pourrons jamais construire un pays ensemble si nous dirigeons notre attention sur ce qui nous divise plutôt que sur ce que nous avons en commun.

Je pense que la logique de Wilfrid Laurier est aussi valable aujourd'hui qu'elle l'était à l'époque, si ce n'est plus. La réalité que vivent les collectivités canadiennes, petites et grandes, est peut-être l'une des meilleures preuves à donner à ceux qui croient que l'harmonie est impossible dans la diversité. Comme ça a été souvent le cas dans l'histoire de notre pays, le pragmatisme l'emporte sur le désir de pureté culturelle et idéologique. C'est ce que je voulais expliquer ce soir-là : le dogmatisme, la rigidité et l'intolérance sont contraires à ce que nous sommes, ici, au Canada. C'est aussi vrai pour un jeune musulman qui vit aujourd'hui à Mississauga que ce l'était pour une jeune catholique qui vivait à Québec en 1877. Nous avons toujours su créer la prospérité en nous unissant, en apprenant les uns des autres tout en allant au-delà de nos différences pour trouver un terrain d'entente. C'est ainsi que nous avons réussi à bâtir un pays juste et prospère.

Je vais revenir encore et encore à ces grands enjeux fondamentaux : une croissance qui profite à la classe moyenne et une égalité des chances sur le plan économique ; le respect et la promotion de la liberté et de la diversité ; et un gouvernement plus démocratique qui représente tout le Canada. Ces objectifs interconnectés étaient les piliers sur lesquels nous voulions bâtir la campagne, le Parti libéral renouvelé et un programme pour gouverner le Canada. Et c'est toujours le cas. Les politiques qui vont nous rapprocher de ces objectifs ont commencé à prendre forme et continueront à le faire jusqu'à la prochaine élection. Le plus important, c'est d'avoir des buts à long terme et de concevoir des politiques afin de les atteindre. À la fin de la campagne au leadership, j'ai dit à Ottawa que les libéraux avaient choisi avec moi un chef qui allait « commencer, vivre et terminer chaque journée » en réfléchissant à la manière de rendre ce pays meilleur pour tous.

Cette orientation substantielle est évidemment fondamentale, mais sans équipe pour nous aider à la réaliser, nous ne pourrions aller très loin. En commençant par organiser un important recrutement de bénévoles, nous avons lancé ce qui va peut-être s'avérer la plus grande démarche en vue d'inviter des gens à s'engager en politique. Nous avons tiré une grande fierté du fait que notre campagne était alimentée par des bénévoles. Vers la fin de la campagne, il y avait plus 12 000 personnes qui travaillaient pour nous d'un bout à l'autre du pays, et la grande majorité d'entre elles ne s'était jamais impliquée dans le Parti libéral auparavant. Nous avons conçu une structure organisationnelle horizontale qui permettait aux gens de se joindre facilement à nous sur le terrain, un peu partout au Canada. Entre nous, nous nous disions qu'il fallait bâtir un mouvement plus qu'un parti, un mouvement qui mettrait l'accent davantage sur les résultats que sur les titres. Qu'il y ait plus d'une décennie ou seulement cinq minutes que quelqu'un soit engagé pour le parti, ça ne changeait rien. Nous fonctionnions ainsi : quand quelqu'un avait terminé une tâche, on lui en donnait une autre. C'était simple, direct et compris par tout le monde. Plus important encore, ça fonctionnait.

En avril, quand je suis arrivé au congrès de Toronto, nous avions recruté 250 000 partisans du Parti libéral. Environ 115 000 personnes allaient voter cette semaine-là. Et, au moment où ma victoire a été annoncée, je pouvais affirmer avoir le soutien de plus de 100 000 Canadiens.

Certaines personnes ont voulu minimiser l'importance de ces chiffres. Elles ont soutenu que les partisans n'étaient pas vraiment attachés au parti, que la course à la chefferie avait été pour eux une nouveauté ou un engouement passager, mais qu'ils allaient disparaître dès qu'elle serait terminée. Ils considéraient que si ces gens n'avaient même pas voulu dépenser la modeste somme (10 $) demandée pour devenir membre, ils ne pouvaient alors être vraiment engagés. De leur point de vue, la campagne à la direction était un échec.

Il n'est pas nécessaire de détenir un doctorat en comportement politique moderne pour savoir que ce raisonnement est faux. Il va à l'encontre de toutes les tendances contemporaines dans l'organisation de mouvements de masse que ce soit pour des organismes caritatifs, des ONG, des partis politiques ou des Églises. Les gens n'adhèrent plus à un organisme comme ils s'inscrivaient dans une ligue de bowling ou une chorale dans les années 1950. Ça ne veut pas dire que les gens ne souhaitent pas s'engager pour des causes d'intérêt public, ni qu'ils ne veulent plus s'impliquer. Si on prend la peine de passer du temps avec des Canadiens de notre époque, surtout avec de jeunes Canadiens, on découvrira qu'ils ont une envie de s'engager pour des causes aussi nobles que chez les générations précédentes. Mais aujourd'hui, on est plus exigeant envers les organismes qu'on souhaite appuyer. Les gens veulent avoir une voix plus forte au sein de l'organisation, ils veulent s'y impliquer plus et ils veulent y avoir plus de points d'entrée. Si quelqu'un voulait créer un nouvel organisme dont le seul but serait de repousser le plus de Canadiens ordinaires, on ne pourrait faire mieux que la rigidité lourde d'un parti politique traditionnel.

Quoi qu'il en soit, les chiffres parlent d'eux-mêmes. Quand j'ai lancé ma campagne, le Parti libéral avait moins de 30 000 membres. Au moment où j'écris ces lignes (en juillet 2014), nous en avons plus de 160 000, et ça continue de monter. Nous savons, en faisant un recoupement entre les gens qui ont démontré de l'intérêt pour la première fois durant la campagne et les nouveaux membres qui se sont joints au parti par la suite, que l'idée des partisans a eu un énorme succès. Créée, conçue et approuvée par la base du parti, la classe des sympathisants a joué un grand rôle dans le renouvellement du parti.

Notre travail ne fait que commencer, bien sûr. Nous sommes ressortis du congrès d'investiture avec un parti fort, uni et dynamisé. Nous avons établi un point de vue libéral clair sur les principaux enjeux auxquels le pays est confronté et bâti un réseau de bénévoles de partout au pays qui travaillent jour après jour pour renouer le lien entre le parti et les collectivités qu'il souhaite desservir. Malgré tout cela, je sais que les Canadiens conservent un scepticisme sain envers la politique et les politiciens. Ils s'attendent à ce que nous méritions leur confiance, jour après jour. Je les comprends.

Même si la prochaine élection ne devrait avoir lieu que dans un an, sa silhouette commence à apparaître. Je crois que le choix se fera entre des visions différentes de ce qu'il faut faire pour bâtir ce pays. Le Parti conservateur, après 10 ans au pouvoir, commence à être à court d'idées nouvelles. Il est en train de nier ou d'envenimer les grands problèmes de notre époque. Ce gouvernement dit aux gens ordinaires inquiets de voir que leur revenu n'augmente pas : « Ça n'a jamais été si bien pour vous. » Les Canadiens qui souhaitent que leur pays choisisse une approche plus responsable afin de ralentir les changements climatiques et de s'y adapter n'obtiennent rien, si ce n'est des attaques et des excuses, pendant que la gravité des impacts augmente et que le coût d'une éventuelle, mais nécessaire, réponse grimpe. L'incapacité des conservateurs à concevoir une infrastructure stratégique, sans parler de la bâtir, en dit long sur leur manque de compétences en gestion. Leur approche à court terme sur les questions d'immigration a affaibli cet outil essentiel à la construction de la nation à un moment où nous en avons plus que jamais besoin. Les attaques injustifiées sur nos institutions publiques, que ce soit le Parlement, la Cour suprême ou Élections Canada, ont contribué à affaiblir ce pays plutôt qu'à le renforcer.

Le plus important, toutefois, c'est que toutes ces faiblesses sont issues d'une cause commune. C'est l'esprit autocratique, l'attitude « c'est ça ou rien » qui s'est installée à l'intérieur du Parti conservateur. On semble y prendre un grand plaisir à isoler et à vaincre ses ennemis, plutôt qu'à essayer d'établir un contact et de trouver un but d'ensemble partagé. Je ne peux imaginer de style de leadership qui soit moins bien assorti à ce pays fort, ouvert et généreux. Les Canadiens respectent les chefs qui n'ont pas peur de se montrer en désaccord avec eux si leur désaccord est réel et exprimé avec respect. Un des effets les plus pernicieux des années Harper, c'est l'arrivée d'une forme de partisanerie fanatique, l'idée que faire de la politique c'est comme faire la guerre, et que les adversaires politiques doivent être traités comme des combattants ennemis. Au final, les Canadiens doivent tous s'unir pour arriver à faire avancer les choses. Comme je l'ai dit à mon parti pendant le premier congrès qui a suivi mon élection : nos adversaires politiques ne sont pas nos ennemis, ce sont nos voisins.

Ma vision du leadership, que j'espère avoir exprimée clairement dans ce livre, est tout à fait à l'opposé. Je travaille fort pour mériter la confiance de ce pays. Je ne cherche pas à avoir de laissez-passer ni à prendre des raccourcis. Je pense que vous serez d'accord pour dire que c'est ainsi que les choses doivent se passer. Je veux être le premier ministre du Canada parce que je crois avoir une meilleure idée de ce qu'est ce pays – et de meilleures idées *pour* ce pays – que mes adversaires politiques et je ne considère pas pour autant qu'ils soient moins canadiens que moi, ou moins humains, à cause de nos différends. Comme je l'ai dit une fois dans ma circonscription de Papineau, j'ai une grande compréhension de ce pays, je sais d'où il vient, comment il est devenu grand et comment il peut encore s'améliorer. Nous avons des problèmes auxquels nous devons nous attaquer, mais aucun n'est plus gros que ceux que nous avons réglés dans le passé. Et nous allons les régler, de la manière que nous avons toujours utilisée : en bâtissant sur un terrain d'entente.

Un dernier mot. Je suis tout à fait conscient des défis qui m'attendent, moi et ceux que j'aime. La route ne sera pas facile. Je puise ma force de mes amis, de ma famille et des expériences qui ont façonné l'homme que je suis aujourd'hui. La prière autochtone que j'ai lue aux funérailles de Michel me guide encore, et je ne peux imaginer de plus belle pensée à vous offrir en guise de conclusion.

Ô Grand Esprit dont j'entends la voix dans le vent,
et dont le souffle donne vie au monde entier, entends-moi.
    Je viens à toi, moi qui suis l'un de tes nombreux enfants,
    Je suis petit et faible ; j'ai besoin de ta force et de ta sagesse.
    Fais que je marche dans la beauté, et que mes yeux voient
toujours les rouges et pourpres couchers du soleil,

Fais que mes mains respectent les choses que tu as créées, et que mes oreilles soient fines pour entendre ta voix,

Rends-moi sage pour que je comprenne les choses que tu as enseignées à mon peuple,

Apprends-moi les leçons que tu as cachées dans chaque feuille et chaque pierre.

Je cherche la force, non pas pour être supérieur à mes frères, mais pour combattre mon plus grand ennemi, moi-même.

Fais que je sois toujours prêt à venir à toi les mains propres et l'œil droit,

De sorte que lorsque la vie déclinera, comme le soleil couchant, mon esprit puisse venir à toi sans honte.

Cinq discours choisis de Justin Trudeau

———

Discours de nomination du candidat libéral dans Papineau

Montréal, le 29 avril 2007

Chers amis libéraux, bonjour, kalimeras-sas, buongiorno. Quelle belle journée pour être libéral !

Je veux commencer par vous remercier sincèrement d'être ici, pour me permettre de partager avec vous ce désir – ce rêve – que j'ai de représenter le comté de Papineau.

Je dois aussi commencer par remercier ma belle Sophie, ma famille, et ma famille élargie, ces gens de tous les âges et toutes les origines qui se dévouent à ce rêve avec moi depuis plusieurs mois. Sans le travail acharné de cette nouvelle famille du comté, je ne serais tout simplement pas ici devant vous aujourd'hui.

Mais je suis ici aujourd'hui, grâce à l'inspiration que vous êtes, à votre exemple et à votre soutien.

Je dois toutefois vous parler ici d'une autre de mes sources

331

d'inspiration. À l'automne 1965, les gens de « Parc Ex » sont parmi ceux qui ont permis à Pierre Elliott Trudeau, qui se présentait comme enseignant, de faire son entrée à la Chambre des communes. Les temps ont changé, les frontières des circonscriptions ont bougé, mais vous êtes de ceux qui, il y a 40 ans, ont pris une décision qui a changé le Canada à jamais.

Ce mois-ci, cela fera 25 ans que cet homme a donné au Canada un des outils les plus évolués que le monde ait connu pour assurer la protection et l'exercice des droits et des libertés de la personne.

Aujourd'hui, nous sommes tous les enfants de cette Charte. Et nous en sommes immensément fiers. Vous comprendrez ainsi pourquoi je suis profondément fier de pouvoir dire que votre premier ministre Trudeau était mon père.

Mais c'est moi qui suis devant vous aujourd'hui.

Je m'appelle Justin Trudeau et j'ai besoin de vous, libéraux de Papineau.

Vous, les bénévoles de notre comté, comme la grande dame de Villeray, Lucille Girard, qui rassemble tous les jours des jeunes et des aînés à la maison des Grands-Parents, comme Giovanni Tortoricci, qui réunit des amis au club Nicola Tillemont club et qui me laisse même gagner une partie de scopa, et comme Joanna Psoubleka, qui, comme tout le monde le sait, travaille très fort et sans relâche pour sa communauté grâce à l'association Filia.

C'est vous qui faites la qualité de vie du comté. C'est vous qui me parlez de votre vie quotidienne et de vos espoirs pour l'avenir. Je veux travailler avec vous et partager vos défis et vos succès.

Je veux féliciter Mary et Basilio pour leur engagement au niveau de la vitalité du Parti libéral du Canada. Merci à vous deux : voyez comme le Parti libéral est fort dans cette circonscription aujourd'hui. Avec notre chef, Stéphane Dion, et le dynamisme des militants du comté, c'est sûr que dans les prochaines élections, on va débloquer Papineau.

Pour nous mener sur cette voie, j'ai besoin de vous.

Je veux être votre porte-étendard rassembleur pour affronter nos véritables adversaires : les bloquistes et les conservateurs.

Les bloquistes veulent diviser et détruire notre Canada.

Les conservateurs veulent nous diviser sur la justice sociale, en coupant sauvagement dans les programmes pour les plus démunis. Ils veulent nous diviser sur l'environnement, sur Kyoto, en mettant en péril l'avenir de nos enfants, de mon enfant.

Ils veulent nous diviser… Je veux nous rassembler.

Et moi, qui suis-je ? Je suis Justin Trudeau. Un homme qui a un rêve pour notre circonscription, notre province et notre pays, un homme qui sait quoi faire pour nous rassembler afin que ce rêve se réalise. Je considère le Canada comme un endroit où nos familles sont fortes et soutenues, où nos aînés sont en santé et respectés, où nos jeunes ont foi en eux et sont pleins d'espoir, et où les nouveaux Canadiens sont accueillis et encouragés à se joindre aux autres pour construire un Canada qui répond à ce que le monde entier attend de nous.

Pour réaliser ce rêve, nous devons tous travailler ensemble, et c'est maintenant que cela commence, ici, cet après-midi, grâce à vos votes !

Discours de candidature à la direction du Parti libéral du Canada

MONTRÉAL, LE 2 OCTOBRE 2012

« NE FAITES PAS DE TROP PETITS RÊVES CAR ILS N'ONT pas le pouvoir de faire avancer l'humanité. » — Goethe

Pour être dignes de telles paroles, nous devrons faire preuve de courage, mais surtout, nous devrons travailler d'arrache-pied. Permettez-moi de vous parler des gens de Papineau, des gens qui m'ont donné l'exemple.

Ici, nous nous trouvons dans Parc-Extension. Toutes les nations du monde y sont représentées et y vivent. De l'autre côté du parc Jarry, le parc préféré de Xavier et Ella-Grace, c'est Villeray, un de ces quartiers qui définit Montréal. Solidement francophone, c'est un endroit peuplé d'artistes, d'intellectuels, mais surtout de familles. À l'est du comté, c'est Saint-Michel, qui célèbre cette année ses 100 ans d'histoire, et où des gens comme mon ami le boxeur Ali Nestor Charles nous apprennent à lutter contre la pauvreté, contre l'exclusion sociale et, parfois même, à se battre contre des sénateurs conservateurs.

Mais encore plus formidable que cette riche diversité d'idées, de culture et de croyances est le fait qu'il y règne une remarquable paix sociale.

Ici, nous avons confiance les uns envers les autres et nous sommes prêts à faire face à l'avenir ensemble.

Ce lien de confiance qui nous unit est à l'image même du Canada. Nulle part ailleurs dans le monde n'est-il aussi fort que dans ce pays.

Mes chers amis, j'aime Montréal. J'aime le Québec.

Et je suis en amour avec le Canada.

Je veux mettre ma vie à son service. C'est pourquoi j'annonce ici, chez moi, ma candidature au poste de chef du Parti libéral du Canada.

Mes amis, j'aurai besoin de votre aide. Ce sera un long chemin sinueux. Il y aura des hauts et des bas. Mais avec beaucoup de travail, je sais que nous y arriverons.

Parce que c'est bien ce qui est requis de nous : du travail. Le Canada n'est pas tombé du ciel – et il ne perdurera pas naturellement non plus.

Ce grand pays a été fondé sur une prémisse audacieuse : que des gens de diverses origines, venant de partout au monde, pouvaient venir ici et vivre une vie digne de leurs rêves et de leurs ambitions – pour eux et pour leurs enfants.

Ils sont venus expérimenter cette nouvelle idée que la diversité est un atout et non un obstacle. C'est ce qui est au cœur du succès canadien.

Que nous devons laisser un héritage aux gens qui nous succèdent. Que nous devons faire un effort pour bâtir un pays qui offre plus à ceux qui viendront après nous. Plus d'opportunités, plus de succès. Voilà les valeurs qui nous définissent et qui nous unissent.

Je parcours ce pays depuis 40 ans. Les Canadiens m'ont démontré à maintes reprises que ces valeurs sont présentes d'un océan à l'autre.

Mes chers amis libéraux, les Canadiens ne pensent pas que ces valeurs sont la propriété du Parti libéral. Ce sont leurs valeurs. Ce sont des valeurs canadiennes.

Dans nos rangs, il est trop souvent dit que le Parti libéral a créé le Canada.

Ce n'est pas vrai.

Le Parti libéral n'a pas créé le Canada. Les Canadiens ont créé le Parti libéral.

C'est la classe moyenne qui nous a permis de devenir le pays que nous sommes aujourd'hui.

Ce sont les Canadiens qui ont mis sur pied l'assurance-maladie.

Ce sont les Canadiens qui ont bâti une économie forte et dynamique.

Ce sont les Canadiens qui ont accueilli des nouveaux arrivants venant de tous les coins de la planète.

Ce sont les Canadiens qui ont mis en place une politique étrangère indépendante et qui ont fait le sacrifice ultime de donner leurs vies pour défendre nos idéaux.

Ce sont les Canadiens qui ont ramené leur constitution au Canada.

Ce sont les Canadiens qui ont demandé que l'on place leurs droits et libertés au-dessus de la politique partisane.

Ce sont les Canadiens qui ont équilibré le budget.

Il est vrai que le Parti libéral a souvent été le parti de choix des Canadiens. C'est un parti qui est né de leurs aspirations. Mais il n'est pas la source de leurs aspirations.

Nous avons eu du succès en tant que parti quand nous avons été proches des gens, ouverts à leurs idées et prêts à travailler avec eux pour les réaliser.

S'il y a une leçon à tirer de l'histoire du parti, elle ne se trouve pas tant dans les politiques que nous avons instaurées que dans la façon dont nous sommes arrivés à les concevoir. Nous avons été à l'écoute des Canadiens. Nous avons partagé leurs valeurs, leurs rêves, et nous avons fait nôtres leurs combats.

Mes chers amis, l'heure est venue d'écrire une nouvelle page de l'histoire du Parti libéral.

Car nous parlons bien de l'avenir, et non du passé.

Ici, ce soir, nous entamons un mouvement de Canadiens prêts à bâtir – et non à rebâtir.

À créer. Et non à recréer.

Mes amis, nous vivons dans un monde qui évolue rapidement. Il y a 20 ans, quand j'ai gradué, la révolution Google n'avait pas encore commencé.

Aujourd'hui, mes enfants ne peuvent pas imaginer qu'il existait un monde avant les Blackberry.

Même si nous devons innover, ce que nous avons à bâtir

n'a pas de date de péremption.

Nous savons que les familles canadiennes veulent : de bons emplois, une économie prospère qui leur permettra d'offrir une éducation de qualité à leurs enfants à mesure qu'ils vieilliront, et pouvoir prendre soin de leurs parents quand ils prendront de l'âge.

Nous voulons une société qui aide les plus vulnérables et qui donne aux gens moins fortunés la chance de réussir.

Nous sommes le pays le plus libre au monde parce que nous nous faisons confiance. Et nous demandons que notre gouvernement nous traite avec respect et qu'il nous fasse confiance. Qu'il ne renie pas la Charte des droits et libertés.

Nous voulons un gouvernement qui a confiance dans les choix que vous faites, dans les valeurs qui sont les vôtres et qui respecte vos libertés.

On dit que les jeunes sont notre avenir. Je pense qu'ils sont une force vive de notre société, maintenant, aujourd'hui. Il est de notre devoir de leur donner les outils pour qu'ils réussissent : une éducation de qualité, des expériences de travail enrichissantes et formatrices, et des occasions afin qu'ils puissent être au service de leurs communautés et du monde.

Ce que les jeunes disent et ce qu'ils font est immensément important. À leur façon, ils sont déjà des leaders.

À nos Premières Nations, je veux dire ceci : la réalité canadienne n'a pas été – et continue – de ne pas être facile pour vous.

Nous devons avoir le courage, comme pays, d'admettre nos propres erreurs et d'essayer de les corriger ensemble.

La place que vous occupez dans notre société n'est pas

marginale. Elle est au cœur de ce que nous sommes et ce à quoi nous aspirons comme pays.

Nous voulons une politique étrangère porteuse d'espoir, qui offre des solutions et qui rayonne la même confiance en l'humanité et le même respect que nous avons, ici, les uns pour les autres.

Nous avons besoin d'un gouvernement qui s'inspire des succès économiques de toutes les régions et qui définit une stratégie qui profitera à toutes les régions, au lieu de nourrir les désaccords et les divisions entre les provinces.

Nous devons jumeler la beauté et la richesse de nos terres, qu'elles soient agricoles ou sauvages, à une promesse pancanadienne de les protéger. Ma génération comprend bien que la santé de l'économie et celle de l'environnement vont de pair.

L'approche des conservateurs peut servir les intérêts de certains, pour un certain temps. Mais on ne peut s'assurer d'une prospérité à long terme sans protéger l'environnement.

Il ne faut jamais oublier que la croissance et le progrès passent d'abord et avant tout par une classe moyenne prospère. Des gens qui ont de bons emplois, bien rémunérés. Des familles qui ont une bonne qualité de vie.

Une classe moyenne prospère nous permet d'envisager l'avenir avec optimisme et de créer des opportunités pour ceux d'entre nous qui sont moins fortunés. Elle permet de créer un marché robuste pour nos entreprises.

Les grands succès économiques récents sont l'histoire du succès de la classe moyenne. La Chine, l'Inde, la Corée du Sud et le Brésil, pour ne nommer que ceux-là, ont connu du succès parce que des millions de gens se sont ajoutés à la classe moyenne.

Les nouvelles sur ce front ne sont pas glorieuses chez nous. Je n'ai pas besoin de vous le rappeler. Vous et beaucoup d'autres Canadiens le vivez au quotidien. Les familles canadiennes ont vu leurs revenus stagner, le coût de la vie augmenter et leur niveau d'endettement exploser.

Quelle est la solution du NPD ? Jouer les régions du pays les unes contre les autres et blâmer ceux qui ont du succès. La solution des conservateurs ? Favoriser un secteur au détriment des autres et espérer que la richesse sera générée par magie.

Ce sont des solutions qui s'inspirent d'idéologies simplistes. La seule chose qu'elles ont en commun, c'est qu'elles sont erronées dans les deux cas.

Nous devons être ouverts à de nouvelles solutions, écouter les Canadiens, et leur faire confiance.

Lorsque nous faisons face à ces défis, la seule idéologie valable est celle basée sur les faits et la science. Cela peut sembler révolutionnaire pour les gens qui sont au pouvoir à Ottawa en ce moment. Mais au lieu d'inventer des faits pour justifier de nouvelles politiques publiques, nous mettrons de l'avant des politiques basées sur des faits vérifiables. Il importe peu que des solutions viennent de la gauche ou de la droite ; l'important, c'est qu'elles fonctionnent et donnent de bons résultats. Qu'elles soient le reflet de nos valeurs.

Parce qu'au bout du compte assurer la croissance de la classe moyenne est bien plus qu'un impératif économique.

L'unité de notre pays repose en grande partie sur les ambitions que nous partageons tous ensemble. Sur cette idée que lorsque les Albertains réussissent bien, cela crée des opportunités pour les Québécois. Et que lorsque les Québécois créent et innovent, cela a des répercussions positives pour tout le pays.

Que nous nous trouvions à Saint-Boniface ou à St. John's, à Mississauga ou à Surrey, nous partageons les mêmes défis et les mêmes rêves.

C'est la classe moyenne – et non la classe politique – qui unit ce pays. C'est la classe moyenne qui fait de ce pays ce qu'il est.

On sait qu'il y a des Québécois qui veulent se bâtir un pays. Un pays qui reflète nos valeurs, qui protège notre langue et notre culture, qui respecte notre identité.

Moi aussi, je veux bâtir un pays à la hauteur de mes rêves, de nos rêves.

Mais pour moi, ces rêves s'étendent de l'Atlantique au Pacifique, des Grands Lacs jusqu'au Grand Nord.

Des Québécois choisissent toujours le Canada parce qu'ils se souviennent que c'est la terre de leurs aïeux.

Ce sont nos ancêtres qui ont bâti ce pays d'est en ouest. Ils ont été les premiers auteurs de cette histoire de courage, de liberté et d'espoir. Nous avons laissé nos traces partout au Canada.

La mettrons-nous maintenant de côté, cette histoire, parce qu'elle est habitée par des gens qui parlent une autre langue, ou qui viennent ici pour ajouter leurs espoirs aux nôtres?

Bien sûr que non. Notre contribution au Canada est loin d'être terminée.

Je veux que le Parti libéral redevienne le parti qui valorise les communautés francophones à travers le pays et qui les appuie dans leur développement. Le porte-étendard du fait français en Amérique.

Et je veux que le Parti libéral du Canada serve encore une fois de moyen par lequel les Québécois contribuent au destin du Canada.

Ma candidature a fait l'objet de bien des conjectures. Elle a suscité bien des commentaires.

J'ai dit à des amis libéraux après les dernières élections qu'un simple changement de leadership ne serait pas la réponse à tous nos maux.

Je le crois toujours.

Je suis conscient que ma candidature suscitera probablement un certain regain d'intérêt pour notre parti. Il nous appartient à tous de faire la démonstration que nous avons appris des erreurs du passé. Et que le Parti libéral est le parti de l'avenir.

Si je me lance dans cette course, c'est parce que j'ai l'intime conviction que le pays veut – et a besoin – d'un nouveau leadership. Qu'il souhaite qu'un parti articule une vision de l'avenir qui n'est pas basée sur une politique qui carbure à la méfiance, mais qui prend source dans sa plus grande force : les Canadiens eux-mêmes.

Aux yeux de millions de Canadiens, le gouvernement fédéral a malheureusement perdu de sa pertinence. Il est devenu insensible à ce qu'ils vivent au quotidien. Ils perçoivent Ottawa comme un endroit où la petite politique et les jeux de coulisse prennent le dessus sur tout le reste. Leurs valeurs n'y sont pas reflétées.

Nous ferons mieux.

Je ne souhaite pas personnaliser les désaccords que nous avons avec nos adversaires. Je n'ai rien contre messieurs Harper ou Mulcair. Ils ont fait le choix difficile de servir leur pays, à leur façon, et nous leur devons notre respect.

Mais je suis en profond désaccord avec la direction dans laquelle ils veulent amener le pays. Je vous demande de vous joindre à moi pour leur démontrer qu'ils ont tort, et qu'on peut faire beaucoup mieux.

D'ici avril, il y aura des hauts et des bas.

Je ne prétends pas avoir réponse à tous les problèmes et à toutes les questions.

En fait, je crois que nous en avons assez de cette façon de faire de la politique.

Mais je connais mon pays. Je sais d'où nous venons, qui nous sommes et où nous voulons aller. Et je crois pouvoir mobiliser de nouvelles forces pour faire face à nos défis.

Je pense pouvoir convaincre une nouvelle génération de Canadiens que leur pays a besoin d'eux. Que nous avons besoin de leur énergie, de leur ingéniosité et de leur vision. Que le service public est un acte et un geste honorables.

Ce soir, je prends un engagement devant vous. Si vous me faites l'honneur de m'accorder votre appui, je donnerai le meilleur de moi-même. Je travaillerai sans relâche, comme je l'ai fait ici pour les gens de Villeray, de Saint-Michel et de Parc-Extension. Les gens ici m'ont appris qu'il n'y a pas de raccourcis faciles dans la vie. Il faut gagner et mériter la confiance des gens. Il faut y travailler tous les jours, et sans relâche.

C'est ce qui est requis et c'est que les Canadiens méritent.

Pensez-y un moment. À quand remonte la dernière fois où vous avez vraiment fait confiance à un dirigeant politique ? Pas seulement pour gouverner, mais comme quelqu'un à qui vous pourriez demander d'aller chercher vos enfants à l'école ou garder une clé de votre maison ?

Ce type de respect et de confiance ne se bâtit pas instantanément. Il se mérite, jour après jour.

Je me considère vraiment privilégié d'avoir la relation que j'ai eue toute ma vie avec ce pays – avec ses gens, avec ses différentes régions.

De mes premiers pas comme enfant jusqu'à aujourd'hui, nous avons parcouru beaucoup de chemin ensemble.

Vous m'avez soutenu à chaque étape de ma vie. Vous m'avez inspiré. Vous m'avez appuyé dans les moments heureux et dans les moments difficiles. Et vous avez contribué énormément à faire de moi l'homme et le père que je suis devenu.

J'ai choisi de lancer ma campagne ce soir, le 2 octobre, parce que c'est l'anniversaire de mon petit frère.

Michel aurait eu 37 ans aujourd'hui. Il a péri dans une avalanche, en faisant ce qu'il aimait, dans ce pays qu'il aimait de tout son être. Chaque jour, je pense à lui, et je me souviens qu'il ne faut jamais rien tenir pour acquis. Qu'il faut vivre pleinement sa vie. Et qu'il faut toujours rester fidèle à soi-même.

Aux funérailles de Michel, mon père a lu un passage de la lettre de saint Paul aux Corinthiens.

Paul a écrit : « Quand j'étais enfant, je parlais comme un enfant, mais lorsque je suis devenu homme, j'ai fait disparaître ce qui était de l'enfant. »

Le temps est venu pour une nouvelle génération de Canadiens de faire disparaître les choses enfantines.

Le temps est venu de nous unir et de nous rassembler autour de la tâche très sérieuse de bâtir un pays encore meilleur.

Pour nous-mêmes, pour tous les Canadiens, et pour nos enfants.

Nous vivons dans un pays remarquable. Nous sommes riches de notre diversité et nous vivons dans la paix. Nous sommes persévérants et généreux. Nous sommes confiants, mais nous ne tenons rien pour acquis. Nous travaillons fort pour obtenir ce que nous voulons. Nous avons des ressources qui font l'envie du monde entier.

Prenons l'engagement ce soir d'être à la hauteur de ce que nous avons en commun – et de ce que nous pouvons accomplir ensemble. Remettons-nous tout un chacun à la tâche de faire du Canada un grand pays. Engageons-nous à servir les Canadiens avec le parti qui représente tous les Canadiens : le Parti libéral du Canada.

Je me présente devant vous ce soir avec mes qualités et mes défauts, mais d'abord et avant tout avec la ferme volonté de gagner et de mériter la confiance des Canadiennes et des Canadiens. Je le fais avec d'autant plus de conviction en sachant que Sophie, Xavier et Ella-Grace sont à mes côtés dans cette grande aventure.

Ce soir, nous vous tendons la main.

Joignez-vous à nous.

345

Discours lors de la présentation nationale au leadership du Parti libéral du Canada

Toronto, le 6 avril 2013

Je me présente à vous comme un fils du Québec.

Un petit-fils de la Colombie-Britannique.

Et un homme au service du Canada.

Ces Canadiens dont vous venez de faire la connaissance sont quelques-uns des milliers que j'ai eu l'honneur de rencontrer, à qui j'ai pu parler et de qui j'ai pu apprendre au cours des six derniers mois. Leurs histoires sont remarquables. Remarquables parce qu'elles se répètent souvent au Canada.

Avec de l'espoir et du travail, chaque jour les Canadiens font l'expérience des valeurs qui unissent le pays. L'optimisme, l'ouverture, la compassion, le service communautaire, la générosité d'esprit.

Mes amis, notre parti doit être leur parti.

Nous devons convaincre Chanchal que nous partageons son éthique de travail, son désir de servir, son optimisme quant à l'avenir.

Nous devons prouver à Penny que c'est pour elle que nous sommes là. Que nous comprenons les fardeaux qu'elle porte, chaque jour, pour offrir une meilleure vie à ses enfants, ses voisins, sa communauté.

Nous devons bâtir avec Justine et Ali un pays à la hauteur de leurs rêves et leur démontrer, comme à tous les Québécois, que les Canadiens de partout au pays partagent déjà leurs valeurs, comme l'intégrité, l'ouverture et l'engagement envers la communauté.

À ceux et celles qui pensent que les Canadiens ne partagent pas des valeurs communes, je vous encourage à découvrir davantage notre pays, dans toute sa splendeur.

Mes collègues libéraux, le message que je veux vous transmettre est simple. Pour diriger le Canada, nous devons être au service des Canadiens. Et nous devons le prouver avec des actions concrètes plutôt que des mots.

Je vous dis cela, pas en tant que fils qui a appris de son père, mais en tant que père qui, chaque jour, apprend de ses enfants.

Les conservateurs ont oublié la valeur du service public. Les seuls moments où ils parlent de «service communautaire» ces jours-ci, c'est quand il s'agit de punir un crime.

Et, de toute façon, la seule personne que M. Harper veut que les membres de son caucus servent, c'est leur chef.

Eh bien, ce n'est pas assez. Nous devons être un parti de

leaders communautaires, dévoués à servir leur communauté. C'est pourquoi je demande qu'on mette en place des nominations ouvertes pour tous les candidats libéraux, dans chacune des circonscriptions, lors des prochaines élections.

M. Harper nous démontre comment les gouvernements deviennent déconnectés. Les Canadiens commencent à en avoir assez de la politique négative de division des conservateurs. Ils sont déçus que le NPD, sous M. Mulcair, ait décidé que « si on ne peut pas les battre, aussi bien se joindre à eux ».

Messieurs Mulcair et Harper excellent dans la politique de division. Ils sont heureux d'exploiter à leurs fins les désaccords des uns et des autres.

L'Est contre l'Ouest, le Québec contre le reste du Canada, les riches contre les moins riches, les villes contre les régions, et j'en passe.

C'est une vieille façon de faire de la politique. Mais c'est attrayant parce qu'à court terme, ça peut fonctionner. Le gouvernement de M. Harper est bâti là-dessus.

Nous devons aspirer à mieux. Nous sommes un peuple optimiste, travaillant et ingénieux. Les Canadiens veulent une alternative positive qui amène de nouvelles solutions, de nouvelles idées et une nouvelle manière de faire la politique. Je suis plus convaincu que jamais que si nous travaillons fort chaque jour d'ici là, le Parti libéral du Canada représentera cette option positive en 2015.

Permettez-moi d'être très franc quant à une chose.

Je veux être votre chef parce que je veux travailler avec vous, et avec des millions de Canadiens, pour bâtir cette alternative positive aux conservateurs. Une alternative que les Canadiens choisiront de plein gré parce que nous aurons mérité leur confiance.

Les Canadiens ne veulent pas seulement un gouvernement différent. Ils veulent un meilleur gouvernement.

Ceux et celles qui pensent qu'il nous faut gagner à tout prix – et peu importe la manière – commettent une erreur. Ils semblent penser qu'en se débarrassant de ce gouvernement, tous les problèmes auxquels nous faisons face disparaîtront.

Voilà une façon bien naïve et simpliste d'entrevoir l'avenir.

Nous faisons face à des défis réels et de taille.

Les Canadiens de la classe moyenne ont vu leurs revenus stagner alors que le coût de la vie augmentait et leur niveau d'endettement explosait. Simplement se débarrasser de M. Harper ne leur donnera pas leur première réelle augmentation de revenus en 30 ans.

Les jeunes Canadiens n'obtiendront pas d'emplois parce que M. Harper n'est plus là.

Les Québécois ne se réengageront pas automatiquement au sein de la fédération canadienne juste parce que M. Harper ne sera plus premier ministre. Notre réputation dans le monde en matière d'environnement ne sera pas rétablie le jour suivant le départ de M. Harper.

La vérité, c'est que les Canadiens ne veulent pas voter contre, mais pour. Ils veulent voter pour un projet politique et une vision à long terme qui incarnent leurs valeurs, leurs rêves et leurs aspirations.

Ils n'obtiendront pas cette vision d'un monstre Frankenstein en guerre contre lui-même au sujet des enjeux fondamentaux comme la constitution, les ressources naturelles et le libre-échange. Cela échouerait à son objectif même : au lieu d'y mettre fin, cela prolongerait la carrière de M. Harper.

De Ponoka en Alberta, à l'Île-des-Chênes au Manitoba, à Edmundston au Nouveau-Brunswick, les Canadiens espèrent que nous avons appris notre leçon. Au cours de cette campagne, j'ai commencé à décrire aux Canadiens une vision de ce pays qui est très, très différente de celle de ce gouvernement.

Notre principal objectif économique sera la prospérité de la classe moyenne et des Canadiens qui travaillent fort pour en faire partie. Notre mantra sera l'égalité des chances. Notre plan de match sera de développer nos compétences, de soutenir les plus vulnérables, d'attirer l'investissement et d'accroître le commerce.

C'est une vision qui encourage la diversité. Une vision qui reconnaît que le Canada est fort grâce à nos différences, et non malgré elles. Une vision qui croit profondément au fédéralisme, trouvant l'équilibre entre les priorités nationales et les outils régionaux et locaux pour les aborder.

Une vision qui reconnaît les nouveaux arrivants dans ce pays comme les bâtisseurs de nos communautés et de notre nation ; comme citoyens, pas seulement comme employés, ou comme un groupe démographique à séduire pour des votes.

La nôtre est une vision qui sait que la prospérité écono-

mique et la santé environnementale peuvent – et doivent –
aller de concert au XXIe siècle. Nous n'ignorerons pas la
science et ne nous gênerons pas pour aborder les enjeux difficiles et pressants comme le prix sur le carbone. Pas plus
que nous ne succomberons à la politique facile en pointant
du doigt un secteur économique ou une région du pays.

Un Parti libéral que je dirigerais n'utiliserait jamais les
ressources de l'Ouest pour acheter des votes dans l'Est.

Nous ferons la promotion de l'unité nationale en offrant
aux Québécois et à tous les Canadiens un projet politique
progressiste et rassembleur. Et nous ferons preuve d'audace
et d'ambition, car ce pays est bien plus grand que la somme
de ses composantes.

Notre politique étrangère sera basée sur la promotion
de la paix, de la démocratie et du développement. Le Canada
doit être vu comme un joueur clé qui peut rassembler et
influencer positivement les débats – pas nuire comme c'est
le cas présentement.

Collègues libéraux, ne vous méprenez pas. Avec moi
comme chef, vous obtiendrez une vision claire et positive du
Canada. Nous avons commencé à la présenter au courant de
cette campagne. Nous nous sommes concentrés sur les
grands enjeux comme la prospérité de la classe moyenne,
une démocratie saine et une économie durable.

C'est une vision que vous et moi allons compléter
ensemble, de concert avec les Canadiens.

C'est cela, faire la politique différemment.

Si nous travaillons fort et demeurons optimistes, dans

30 mois nous présenterons une alternative irrésistible pour remplacer les conservateurs. Irrésistible pas seulement parce que libérale, mais parce que 100 %, indéniablement, canadienne.

Ce ne sera pas facile. Rien de ce qui en vaut la peine ne l'est jamais. Mais c'est ça, le chemin vers la victoire en 2015.

L'espoir, mes amis, l'espoir. Toujours l'espoir. Mais plus que ça. L'espoir et le travail acharné.

Voyez-vous, le plus gros problème avec le gouvernement de M. Harper n'est pas qu'il est mal intentionné. C'est qu'il n'est pas ambitieux.

Après tout, quel est le message économique des conservateurs ces jours-ci ? Que les Canadiens devraient se réjouir de ne pas vivre en Europe ?

Le pire dans tout cela, c'est que les conservateurs utilisent nos défis comme des opportunités pour démoniser leurs opposants et diviser les Canadiens, pas pour trouver des solutions.

C'est à nous, au Parti libéral, de dire que cette politique des conservateurs n'est pas à la hauteur. Elle n'est pas à la hauteur des Canadiens, et elle n'est pas à la hauteur du Canada.

Évidemment, ceux qui me demandent : Qu'est-ce qui te fait croire que tu as ce qu'il faut pour mener cette bataille ? Et je leur réponds : J'ai vécu et respiré chaque kilomètre carré ce de pays depuis le jour de ma naissance. J'ai vécu et travaillé dans l'Est et dans l'Ouest, en français et en anglais. Je suis fier d'avoir de grands amis, collègues et acolytes de l'archipel arctique à Pointe-Pelée.

Et j'ai rencontré des milliers et des milliers de Canadiens, avec qui j'ai discuté et de qui j'ai appris plus au cours des six derniers mois que M. Harper au cours des six dernières années.

J'ai fait preuve d'ouverture envers les Canadiens toute ma vie. Et grâce à cela, j'ai une compréhension profonde de ce pays. D'où il vient, où il est et où les Canadiens veulent l'amener.

Et pourquoi au juste toutes ces attaques conservatrices contre les professeurs ? Ils n'ont pas rencontré un seul professeur avec qui ils ne voulaient pas se battre. Je suis extrêmement fier d'être l'un des centaines de milliers de Canadiens qui appartiennent au monde de l'enseignement. Et laissez-moi vous dire une chose, mes amis. Ce professeur a fermement l'intention de se défendre.

Pour conclure, j'aimerais partager une histoire avec vous.

Plusieurs d'entre vous savent qu'aujourd'hui marque un anniversaire. Il y a exactement 45 ans, un rassemblement de Canadiens choisissait mon père comme chef du Parti libéral du Canada.

Plusieurs Canadiens m'ont approché au cours de cette campagne pour partager des histoires au sujet de mon père. Laissez-moi vous en raconter une en particulier.

J'ai rencontré le constable Jeff Ling au Loyalist College, à Belleville. C'était la fin d'une longue matinée. Le constable Ling s'est avancé en avant de la salle pour m'offrir un cadeau. Je l'ai reconnu tout de suite. Il s'agissait d'une photo de mon père et moi. Vous l'avez probablement déjà vue. J'avais environ deux ans et mon père se dirigeait vers Rideau Hall, me tenant sous le bras avec désinvolture. Mon père et moi regardons tous deux un agent de la GRC. Il est habillé en uniforme et nous salue solennellement.

Cette photo est aussi importante pour Jeff que pour moi parce que l'officier sur la photo est son père. Ce qui m'a ému est que Jeff se tenait là, au service de son pays une génération plus tard, avec le même dévouement et la même fierté tranquille que son père. À cet instant, il a évoqué les milliers de Canadiens avec qui j'ai eu le grand honneur de grandir. Des hommes et des femmes pour qui servir le Canada était la récompense en soi.

Je sais que certaines personnes disent que le mouvement que nous sommes en train de bâtir s'appuie uniquement sur la nostalgie. Que ce n'est pas vraiment de moi qu'il s'agit, ou de vous. Soyons francs : elles disent qu'il s'agit de mon père.

Eh bien, je leur réponds : C'est vrai, il s'agit de mon père. Et du père du constable Ling. Et de nos mères. Et de la vôtre. Il s'agit de nos parents et de l'héritage qu'ils nous ont laissé. Du pays qu'ils ont bâti pour nous, le Canada.

Mais nous savons aujourd'hui ce qu'ils savaient alors. C'est plus de l'avenir que du passé qu'il s'agit. C'est toujours, sans exception, de nos enfants plus que de l'héritage de nos parents dont il est question.

Qu'avec de l'espoir et du travail, nous pouvons amener le progrès. Que nous pouvons léguer à nos enfants un meilleur pays que celui dont nous avons hérité de nos parents. Le progrès. C'est cela, la valeur qui est au cœur du Parti libéral. C'est pour cela que des générations de Canadiens, des quatre coins de notre pays, de tous les horizons, ont contribué cœur, esprit, idées et énergie dans notre parti.

Je l'ai dit en octobre dernier, le Parti libéral n'a pas inventé le Canada. Le Canada a inventé le Parti libéral. En fait, les six derniers mois m'ont enseigné que peut-être, seulement peut-être, les Canadiens sont prêts à le refaire.

Nous pouvons apporter le changement que tant de Canadiens veulent contribuer à apporter.

Je vous demande votre temps, votre intelligence, votre espoir et votre travail acharné.

Et cette semaine, je vous demande de voter pour moi comme prochain chef du Parti libéral du Canada.

Joignez-vous à moi, à nous, et nos efforts nous rendront fiers d'avoir cru en notre parti et d'avoir cru, encore et toujours, en notre pays.

Merci.

Discours d'acceptation au leadership du Parti libéral du Canada

Ottawa, le 14 avril 2013

Merci, mes amis. Merci.

Normalement, je commencerais par remercier ma famille et mes amis d'avoir composé avec mon absence et de m'avoir permis de faire campagne, mais ce n'est pas ce que je ferai. Ma décision de m'engager dans la course au leadership n'a pas été prise en dépit de mes responsabilités familiales, mais bien en raison d'elles. Ainsi, ma famille et mes amis ont toujours été au cœur même de cette campagne. Nous l'avons fait ensemble.

Merci Sophie.

Merci Xavier et Ella-Grace.

À mes collègues Joyce, Martha, Karen, Deborah, Martin, David, George et Marc, et aux milliers de Canadiens qui ont collaboré à vos campagnes, je tiens à vous dire : nous ne sommes pas des adversaires, mais bien des alliés. Votre courage, votre intelligence et votre dévouement continueront de faire honneur au Parti libéral du Canada.

Pour le travail qu'il a accompli pour garder ce parti en santé, je dois remercier du fond de mon cœur mon ami, mon collègue, un grand Canadien, Bob Rae. Bob, ton leadership, ta sagesse et ton engagement inégalé envers notre pays et envers notre parti ne seront jamais oubliés.

Ce fut une campagne incroyable. Nous sommes extrêmement fiers du fait qu'elle a été propulsée par des bénévoles. Plus de 12 000 Canadiens se sont portés volontaires. Merci pour votre désir de rendre ce magnifique pays encore meilleur.

Comme toute organisation efficace, celle-ci a été menée de façon brillante par deux personnes généreuses et de principes. Katie Telford et Gerald Butts. Mes amis et compatriotes. Merci pour ce que vous avez fait, ce que vous faites et ce qu'il nous reste à faire ensemble. Ron et Jodi, George, Aidan et Ava, merci d'avoir partagé Gerry et Katie avec nous.

Mes amis libéraux, c'est avec beaucoup de respect pour ceux qui ont été auparavant ici dans la même position que moi et avec beaucoup de détermination à accomplir le travail acharné qui nous attend, que j'accepte, avec humilité, la confiance que vous avez placée en moi.

Merci. À vous tous. Pour votre confiance. Pour votre

espoir. Pour avoir choisi de faire partie de ce mouvement que nous sommes en train de bâtir.

Et en cette belle journée de printemps dans notre capitale nationale, je suis honoré de me tenir devant vous, fier d'être le chef du Parti libéral du Canada.

Mes amis, ceci est le dernier arrêt de cette campagne. Mais le premier de la prochaine.

Au cours des six derniers mois, j'ai visité des centaines de communautés, d'est en ouest. J'ai rencontré des milliers et des milliers de Canadiens, avec qui j'ai discuté et de qui j'ai appris.

Et grâce à votre travail acharné, plus de cent mille électeurs nous ont envoyé un message clair : les Canadiens veulent un meilleur leadership et un meilleur gouvernement.

Les Canadiens veulent d'un leadership qui dirige, pas qui impose. Ils en ont assez des politiques négatives, orientées sur la division, des conservateurs de M. Harper. Et ils sont déçus que le NPD, sous Thomas Mulcair, ait décidé que s'ils ne peuvent pas les battre, aussi bien se joindre à eux.

Nous en avons assez des chefs qui montent les Canadiens contre les Canadiens. L'Ouest contre l'Est, les riches contre les moins bien nantis, le Québec contre le reste du pays, les villes contre les régions.

Les Canadiens tournent leur regard vers nous, mes amis. Ils nous donnent une chance, dans l'espoir que le parti de Wilfrid Laurier puisse revivre des jours meilleurs.

Les Canadiens souhaitent que la politique positive soit plus forte que le barrage systématique de commentaires négatifs qui, vous le savez comme moi, arrivera sous peu sur les ondes de vos écrans de télévision partout au Canada. Nos bénévoles nous l'ont dit, les messages téléphoniques ont déjà commencé.

Pour reprendre la pensée du grand président américain Franklin D. Roosevelt : Nous n'avions jamais vu auparavant dans ce pays les forces de la négativité, du cynisme et de la peur s'unir ainsi dans leur hostilité envers un seul et unique candidat.

Le Parti conservateur fera ce qu'il sait faire. Il tentera de répandre la peur. Il récoltera le cynisme. Il tentera de convaincre les Canadiens que nous devrions être satisfaits de ce que nous avons déjà.

Cela s'explique par le fait qu'au cœur de leur plan sans ambition se trouve l'idée que « mieux » n'est tout simplement pas possible. Que d'espérer plus de notre politique et de nos leaders, plus d'humanité, plus de transparence, plus de compassion, est naïf et mènera inévitablement à la déception.

Et ils feront la promotion de cette idée de division, destructive, avec acharnement. Ils le feront pour une raison bien simple…

Ils ont peur.

Mais… et je veux être clair là-dessus…

Mes compagnons canadiens, ce n'est pas de mon leadership que M. Harper et son parti ont peur.

C'est du vôtre.

Il n'y a rien dont les conservateurs ont plus peur que de citoyens canadiens engagés et informés.

Mes amis, si j'ai appris une chose dans ma vie, c'est que

notre pays a la chance d'avoir un nombre incalculable de citoyens engagés, provenant de toutes sortes de milieux et de toutes les convictions politiques.

Ils se sont déplacés par milliers au cours de cette campagne.

Ils se sont rassemblés par centaines dans des endroits comme Ponoka, en Alberta, et Oliver, en Colombie-Britannique, Prince Albert, en Saskatchewan, et Île-des-Chênes, au Manitoba. Des Canadiens qui croyaient envoyer des leaders de leur communauté à Ottawa pour les représenter, mais qui ont plutôt entendu l'écho de M. Harper dans leurs communautés.

Nous avons vu leurs visages optimistes dans des foules de Canadiens réunis à Windsor et Whitby, Mississauga et Markham. Des Canadiens de la classe moyenne qui contribuent beaucoup à l'économie, mais reçoivent trop peu en retour.

Nous avons vu des Canadiens de l'Atlantique très travaillants d'Edmunston à Halifax, de Summerside à St. John's, qui ont constaté que ce gouvernement ne partage pas leurs valeurs.

À mes amis au Labrador, j'ai hâte de vous voir très bientôt.

Nous avons rencontré des leaders autochtones de partout au pays, de Tk'emlups à Whapmagoostui, qui en ont simplement assez d'être poussés en marge de ce pays. Avec le courage de marcher 1 600 kilomètres au cœur de l'hiver canadien pour prouver qu'ils seront « Idle No More ».

Les francophones qui vivent à Shediac, à Sudbury, à Saint-Boniface et partout au pays veulent que leurs enfants s'épanouissent en français. Votre détermination m'inspire.

Et elle doit inspirer tout le pays.

Des Québécois, de Gatineau à Gaspé, qui veulent se réengager dans ce pays. Dans leur pays. Qui n'ont pas de temps pour les enjeux de division du passé de leurs parents, mais qui veulent travailler avec les Canadiens qui partagent leurs valeurs pour bâtir un pays meilleur pour nos enfants.

Je veux prendre, justement, un moment pour m'adresser directement à tous les Québécoises et Québécois.

Vos témoignages et votre appui des derniers mois m'ont profondément touché. J'ai tellement appris de nos conversations et de nos rencontres.

Je ne tiens rien pour acquis. Je sais que la confiance, ça doit se mériter. Et je compte bien mériter la vôtre.

Je suis confiant en l'avenir. Je vais vous dire pourquoi.

Les Québécois ont toujours été des bâtisseurs. De Champlain à Laurier, jusqu'à aujourd'hui, ils ont activement participé à construire ce pays avec tous les autres Canadiens.

Notre tâche n'est pas terminée.

Nous faisons face à d'énormes défis.

Aider les gens de la classe moyenne à joindre les deux bouts.

Réconcilier la croissance économique et la protection de l'environnement.

Jouer un rôle positif et déterminant à l'échelle mondiale.

Pour les surmonter, nous devons faire preuve d'audace et d'ambition, mes amis.

Toujours de l'audace et de l'ambition.

Soyons francs. Nous ne convaincrons pas tout le monde. Il y aura toujours des sceptiques. Des gens qui diront que notre pays est trop grand, trop rempli de différences pour être bien géré et pour que tous y soient bien représentés. Ils se trompent, mes amis.

Je ne prétends pas que ce sera toujours facile. Qu'il n'y aura pas d'obstacles sur notre chemin. Que nous ne devrons pas faire certains compromis.

Le Canada est un grand projet inachevé. Et c'est à nous – avec tous les autres Canadiens – d'en faire le pays que nous voulons.

Le temps est venu pour nous d'écrire un nouveau chapitre dans l'histoire de notre pays.

Laissons à d'autres les vieilles chicanes et les vieux débats qui alimentent la grogne. Laissons à d'autres la rhétorique ultra partisane et la façon dépassée de faire de la politique. Laissons à d'autres les attaques personnelles.

Québécoises et Québécois, soyons à nouveau des bâtisseurs du Canada.

Pour que notre pays soit à la hauteur des rêves et des ambitions qui sont partagés d'un bout à l'autre du pays.

Pour laisser à nos enfants un meilleur monde que celui qui a nous a été légué par nos parents.

Mes amis, le Parti libéral regagnera la confiance des Canadiens quand il leur prouvera qu'il est là pour les servir.

C'est la tâche qui nous attend. Et c'est celle qui me guidera en tant que chef du Parti libéral du Canada.

À la nouvelle génération de Canadiens et à tous les jeunes qui ne se sentent pas interpelés par la politique, j'ai un message bien simple à vous livrer.

Votre pays a besoin de vous.

Il a besoin de votre énergie et de votre passion.

Il a besoin de votre idéalisme et de vos idées.

Le mouvement que nous avons bâti au cours des six derniers mois, c'est le vôtre. Il vous appartient.

C'est le mouvement avec lequel nous allons changer la politique.

C'est le mouvement qui nous permettra de réformer nos institutions politiques, de faire de l'union de l'environnement et de l'économie une vraie priorité, et de jouer un rôle positif et constructif sur la planète.

Mes collègues libéraux, les Canadiens tournent leur regard vers nous. Cette campagne a été leur campagne plus que simplement la nôtre.

Ils veulent quelque chose de mieux. Ils refusent de croire que faire mieux est impossible. Ils voient le pays que leurs parents et grands-parents ont travaillé si fort à bâtir, et ils veulent léguer un pays encore meilleur à leurs enfants.

Les Canadiens partagent des valeurs profondes qui ne peuvent être ébranlées, peu importe à quel point le Parti conservateur tentera d'y arriver. Optimisme. Ouverture. Compassion. Service communautaire. Générosité d'esprit.

Nous voulons croire que le changement est possible. Nous voulons un leadership qui transformera leurs meilleurs idéaux en un pays encore meilleur.

Mais les Canadiens ne se laisseront pas jouer. Permettez-moi d'être franc. Les Canadiens nous ont tourné le dos parce que nous leur avons tourné le dos. Parce que les libéraux étaient devenus plus intéressés à se battre entre eux qu'à se battre pour les Canadiens.

Eh bien, ça m'importe peu si vous croyiez que mon père était exceptionnel ou arrogant. Ça m'importe peu si vous êtes un libéral de Chrétien, un libéral de Turner, un libéral de Martin ou n'importe quel autre type de libéral. L'ère des clans au sein des libéraux prend fin dès maintenant, ce soir.

À partir d'aujourd'hui et pour l'avenir, il n'y aura qu'une sorte de libéraux, et ce seront les libéraux canadiens. Unis dans notre désir de servir et de mener les Canadiens.

L'unité, pas seulement pour l'unité elle-même, mais pour l'unité dans la finalité.

Je dis cela aux millions de Canadiens de la classe moyenne, et aux millions d'autres qui travaillent fort chaque jour pour joindre cette classe moyenne.

Sous mon leadership, la raison d'être du Parti libéral du Canada, ce sera vous. Je vous promets que chaque jour, du début à la fin de ma journée, je penserai et travaillerai fort afin de résoudre vos problèmes.

Je sais que vous êtes optimistes à notre égard, mais avec réserve. Vous êtes, après tout, des Canadiens. Vous savez que l'espoir est une bonne chose, mais que sans son équivalent de travail acharné pour l'appuyer, il sera fugace.

Je sais donc que vous nous jugerez par la ténacité de notre éthique de travail, l'intégrité de nos efforts, et, lorsque 2015 viendra, la clarté de notre plan pour améliorer notre pays. C'est comme cela que ce devrait être.

Je sais à quel point j'ai été chanceux dans ma vie.

Chanceux, avant tout, d'avoir tant appris de tant de Canadiens. D'avoir appris que, avant tout, dans ce pays, le leadership signifie être au service de la population.

J'aime ce pays, mes amis, et je crois en lui profondément. Il mérite un meilleur leadership que celui qu'il a présentement.

Alors soyons lucides quant à ce que nous avons accompli. Nous avons travaillé fort et nous avons mené une très bonne campagne. Nous sommes unis, remplis d'espoir et déterminés quant à notre but.

Sachez ceci : ce que nous avons gagné aujourd'hui, ce n'est rien de plus, rien de moins que l'occasion de travailler encore plus fort pour nous montrer dignes de diriger ce grand pays.

Nous devrions être profondément reconnaissants de cette chance. En tant que votre chef, j'ai fermement l'intention de m'assurer que nous tirions le maximum de tout cela.

Le changement est possible. Les Canadiens veulent d'un leadership qui travaillera de concert avec eux pour y arriver.

Gardez espoir, chers collègues libéraux. Travaillez fort. Restez concentrés sur les Canadiens. Nous pouvons mener le changement recherché par tant de Canadiens.

Un meilleur Canada est encore possible.

Ensemble, nous allons le bâtir.

Merci.

Discours lors de la 11ᵉ conférence annuelle Reviving the Islamic Spirit

TORONTO, LE 22 DÉCEMBRE 2012

ASSALAM ALAYKOUM.

Je suis ici aujourd'hui parce que je crois en la liberté d'expression.

Je suis ici aujourd'hui parce que je crois en la liberté d'assemblée pacifique.

Je suis ici aujourd'hui parce que je crois en la Charte des droits et libertés, qui garantit toutes ces choses qui sont sacrées à mes yeux, aux vôtres et à ceux de toutes les personnes avec qui nous partageons notre pays.

Mais avant tout, je suis ici parce que je crois en vous.

Je crois en la contribution que vous avez apportée à notre pays. Et, comme vous, je sais qu'ensemble nous accomplirons encore plus de choses dans l'avenir.

Laissez-moi commencer en vous racontant une histoire. Notre histoire. Une histoire qui, je l'espère, restera à votre esprit lorsque vous considérerez notre avenir commun.

Il y a plusieurs générations de cela, un jeune homme a été mis au défi par ses leaders religieux aînés. Le genre de personnes qu'aujourd'hui nous pourrions considérer comme des fondamentalistes ou des extrémistes.

C'est que, voyez-vous, un conflit vieux d'un siècle faisait rage. Les leaders des deux camps étaient convaincus de détenir la vérité et ils proclamaient que non seulement l'opposition avait tort, mais qu'ils étaient dans l'erreur au niveau de leurs croyances religieuses, de leur culture et de leur identité.

Et, comme c'est malheureusement trop souvent le cas, ces leaders réservaient un traitement spécial à ceux qui, parmi eux, étaient en quête de compromis. Ils ne connaissaient que trop bien la menace que pouvaient représenter la modération et le compromis pour ceux qui prêchent une doctrine intransigeante.

Ce jeune homme, donc, éprouvait des difficultés. Il entamait à peine sa carrière. Il faisait face à plusieurs enjeux auxquels, je le crois bien, vous faites aussi face aujourd'hui. Comment rester fidèle à ses valeurs, à sa culture, alors que l'on sert les intérêts d'une société qui les chapeaute et dont on fait partie ?

Il savait qui il était et en quoi il croyait. Il était fier de son héritage, de sa culture, de sa religion. Mais il ne pouvait décidément pas adhérer à ceux qui, au sein de sa communauté, utilisaient ces éléments pour ériger des murs.

Puis, on lui a offert l'incroyable opportunité de s'adresser à un auditoire distingué de leaders politiques, religieux et d'affaires dans la capitale. Il les a mis au défi de regarder au-delà des limites étroites imposées par le présent, et de se tourner vers l'avenir.

Il a dit : « La providence a réuni ici des populations d'origines et de croyances différentes. N'est-il pas évident que ces populations partagent des intérêts communs ? »

Ce jeune homme occupe une importante place dans notre histoire, comme je vous l'ai dit. Mais il n'est pas retourné chez lui pour devenir imam, saint homme ou calife.

Il est retourné chez lui pour devenir – parmi tant d'autres choses plus importantes – mon deuxième premier ministre favori…

C'était en 1877. C'était à Québec. Et ce brave jeune homme s'appelait Wilfrid Laurier.

Il avait 35 ans, avec à peine trois ans de service au Parlement pour lui donner une légitimité.

Et il avait pris une décision difficile.

Plutôt que de suivre les traces de ses prédécesseurs et de continuer sur le chemin qui lui était tracé d'avance par ses talents prodigieux à servir exclusivement ses semblables, il a choisi un autre chemin, improbable celui-là.

Un chemin qui honorait ce qu'il y a de bon et de noble dans sa culture, oui. Mais un chemin qui utilisait ces mêmes éléments pour servir un dessein plus grand : trouver un terrain d'entente pour les gens de croyances différentes.

Laurier a vu clair, peut-être plus clair qu'aucun autre

Canadien; il a vu qu'ici, en ces terres, une nouvelle idée voyait le jour. Une nouvelle façon de vivre ensemble était envisageable.

Il savait que son pays avait été fondé et bâti par des gens qui s'étaient fait la guerre pendant des siècles sur leur continent d'origine. Anglais contre Français. Catholiques contre protestants. Ces conflits avaient traversé l'Atlantique avec eux.

Mais voilà qu'une chose extraordinaire se produit. Malgré le fait que les Anglais aient été victorieux sur les champs de bataille, les deux camps avaient gagné le même degré de liberté.

Dans un des passages les plus émouvants de son discours, lorsqu'il parlait du monument des plaines d'Abraham, Laurier a dit: «Dans quel autre pays sous le soleil pouvez-vous trouver un tel monument érigé à la fois à la mémoire des vainqueurs et des vaincus? Dans quel autre pays sous le soleil trouverez-vous les noms des vainqueurs et des vaincus honorés à la même échelle et occuper la même place de respect au sein de la population? Où est le Canadien qui, lorsqu'il compare son pays avec les pays les plus libres, ne serait pas fier des institutions qui le protègent.»

Mais le but de ce récit ne concerne pas ce moment remarquable de notre histoire. Le but est de réaliser tout ce qui s'est passé depuis.

Ceci est notre héritage. Un héritage qui a été renouvelé, génération après génération, jusqu'à ce jour.

Deux peuples jadis ennemis se sont mis ensemble pour construire une constitution et des institutions qui garantissent leur liberté, non seulement la leur, mais celle de tous ceux qui viendraient après eux.

Se sont joints à eux pour continuer ce grand projet à travers le temps des gens de toutes les cultures, religions et origines imaginables.

Des milliers de jeunes hommes et femmes qui choisissent de mettre l'accent sur ce qu'il y a de généreux dans leurs traditions. Des gens libres qui choisissent d'utiliser la générosité d'esprit qui est à la base de toutes les croyances pour trouver un terrain d'entente avec ceux dont les croyances divergent des leurs.

Et comme il est écrit dans le Saint Coran :

« Les serviteurs du Tout Miséricordieux sont ceux qui marchent humblement sur terre, qui, lorsque les ignorants s'adressent à eux, disent : Paix. » (Al Furqan 25 : 63)

Cela n'a jamais été facile. Cette route n'a jamais été paisible et sans embûches. Des générations de Canadiens ont dû surmonter des différences profondément ancrées. Ils ont fait le choix éclairé de tourner le dos à la rancœur et au conflit.

Mais aujourd'hui, grâce à eux, nous avons la chance de vivre dans le pays le plus diversifié dans l'histoire du monde. Un des pays les plus pacifiques et prospères.

Un pays qui a outrepassé l'objectif de la simple tolérance. Parce que dire « je te tolère », c'est permettre à contrecœur à l'autre de respirer le même air, de marcher sur les mêmes terres que soi.

Et alors qu'il y a beaucoup d'endroits dans le monde où

la tolérance n'est encore qu'un rêve qu'on caresse, au Canada, nous avons dépassé cette étape. Alors, n'utilisons pas le mot tolérance. Parlons plutôt d'acceptation, de compréhension, de respect et d'amitié.

Ici, nous en sommes venus à une nouvelle prise de conscience, ensemble : un pays peut être fort non pas en dépit de sa diversité, mais grâce à celle-ci.

Ceci est aujourd'hui notre histoire, la mienne et la vôtre. L'histoire de notre pays, le Canada.

Donc, alors que cette fin de semaine vous entamez une réflexion sur l'avenir, pensez avec votre cœur. Sachez que les difficultés auxquelles nous faisons face aujourd'hui ont été surmontées par d'autres avant nous. Sachez que les sentiments contradictoires que vous ressentez dans vos cœurs ont été vécus par d'autres avant vous. Sachez que le compromis et la modération ne sont pas des signes de faiblesse, mais bien des signes de courage et de force. Il y a toujours une voie constructive dans ce pays pour ceux qui cherchent un terrain d'entente.

Mais avant tout, rappelez-vous ceci : notre héritage doit être constamment renouvelé par ceux qui partagent la vision de Laurier.

Quand les gens se rassemblent pour créer des opportunités, les rêves communs qu'ils caressent vont toujours surpasser les peurs qui pourraient les diviser.

Parce que ce n'est pas la classe politique, mais bien la classe moyenne qui soude ce pays. Ouverte sur le monde, notre classe moyenne élargie et diversifiée est le centre de gravité du Canada. De bonnes personnes. Des personnes avec des espoirs communs et des défis communs, qui s'assemblent pour trouver un terrain d'entente.

Il y a déjà assez de forces dans le monde qui déchirent et divisent les gens, qui nous isolent et nous rendent méfiants les uns des autres.

Hier, des manifestants ont essayé de m'empêcher de prendre la parole dans une école à cause de mes positions défendant le mariage gai et les droits des femmes.

Et, comme vous le savez, certains conservateurs ont aussi essayé de semer la controverse sur ma présence ici aujourd'hui. Ils ont tenté de faire appel à la peur et aux préjugés, alors que ce rassemblement a été mis en place exactement pour combattre de tels sentiments.

Maintenant, sachez que je respecte leur droit d'exprimer leurs opinions.

Mais je veux que vous sachiez que je me tiendrai toujours debout face à la politique de la peur. C'est un grand manque de vision que de monter certains groupes de Canadiens contre d'autres. Peut-être que quelques personnes se sentiront mieux pendant un moment. Ce sera peut-être même un succès politique pendant un moment.

Mais ce n'est pas une manière de bâtir un pays. Et encore moins CE pays. Ce n'est pas nous, ça.

Nous sommes ici aujourd'hui pour faire ce que les Canadiens font ensemble depuis des générations. Nous honorons notre diversité à travers l'amitié et l'ouverture d'esprit pour être en mesure de bâtir un avenir positif et partagé.

Alors, je m'unis à vous dans votre engagement envers un avenir plus prometteur. Engageons-nous à bâtir un pays qui rassemble les gens, qui trouve son compte dans le compromis, la modération et la quête d'un terrain d'entente.

Presque 30 ans après ce premier discours, lors de son troisième mandat en tant que premier ministre, Laurier a expliqué sa vision comme suit à un auditoire d'Edmonton.

« Nous ne souhaitons ni ne voulons que l'individu oublie le pays de ses origines. Que chacun se tourne vers le passé, mais que chacun porte surtout son regard vers l'avenir. Que chacun voie la terre de ses ancêtres, mais aussi la terre de ses enfants. Que chacun devienne Canadien et donne son cœur, son âme, son énergie, tout son pouvoir au Canada. »

Voilà ce que nous souhaitait Laurier. Et c'est ce que je vous souhaite. Soyez optimistes et positifs, mes amis.

Votre pays a besoin de vous.

Que la paix, la miséricorde et les bénédictions soient avec vous.

Remerciements

Beaucoup de gens ont travaillé à la création de ce livre, et je leur suis reconnaissant pour leurs conseils et leur soutien.

Mille mercis à: Jennifer Lambert, Iris Tupholme, Leo Macdonald, Michael Guy-Haddock, Sandra Leef, Cory Beatty, Rob Firing, Miranda Snyder, Noelle Zitzer, Neil Erickson, Alan Jones, Shaun Oakey, Sarah Wight, Anne Holloway, Michael Levine, Jonathan Kay, John Lawrence Reynolds, Caroline Jamet, Éric Fourlanty, Yves Bellefleur, Simon L'Archevêque, Sandrine Donkers, Marie-Pierre Hamel, Brigitte Chabot, Joanna Gruda et Carla Menza, et tous les gens chez HarperCollins Canada et Les Éditions La Presse. Ils ont tous fait preuve d'une grande patience et su s'adapter à mon horaire de fou et à mon rythme infernal.

Je suis reconnaissant à tous les membres de mon équipe politique qui sont allés bien au-delà de leurs responsabilités habituelles, plus particulièrement à Gerry Butts et à Katie Telford, mais aussi à Dan Gagnier, Cyrus Reporter, Alex Lanthier, Tommy Desfossés, Kate Purchase, Mylène Dupéré et Kevin Bosch. Ils m'ont tous aidé de bien des façons. Adam Scotti, extraordinaire photographe, a pris plusieurs des photos de ce livre et a mis en forme les autres.

Finalement, le plus important: merci à Sophie et à Xavier, Ella-Grace et Hadrien, qui ont vécu des mois avec un papa encore plus occupé que d'habitude, empiétant souvent sur le temps familial, qui est déjà beaucoup trop limité.

Je suis responsable de toute erreur qui aurait pu se glisser dans ce livre.

Crédits photographiques

Toutes les photos sont une gracieuseté de l'auteur, à l'exception des photos 3, 39, 44 à 71 et 73 à 81, réalisées par Adam Scotti, et des suivantes :

17. La Presse Canadienne/Peter Bregg
18. Robert Cooper/Bibliothèque et Archives Canada
25. Leslie Brock
32. Peter Bregg
33. Heidi Hollinger
34. Heidi Hollinger
35. Peter Bregg
36. Peter Bregg
42. Greg Kolz
43. Greg Kolz

Index